New Wun Ching Developmental Publishing Co., Ltd.

New Age · New Choice · The Best Selected Educational Publications—NEW WCDP

第 **4** 版

生涯規劃 與 人生發展

鄭金謀 編著

Life-Career
Planning & Development
Fourth Edition

編輯大意

一、 近四十年來，大專校院相繼開設有關「生涯規劃」之類的通識課程，本書為因應學生選課之需求而編輯之教本。一般大專生藉修讀此課程而認識生涯規劃之意涵學理，熟練多元化生涯規劃之技巧，同時培養生涯能力、敬業樂群、服務社會熱忱以適應職場趨勢，達到規劃生涯美夢成真之境。本學科規劃 2 學分，一學期每週 2 小時，依實際授課需要擬定教學計畫，參酌教材循序漸進。

二、 「生涯規劃」開課初衷維持迄今，為一門引導學生未來發展路向的顯要學科。在 21 世紀 20 年代莘莘學子欲成為有前瞻性、能開拓未來前程的生涯贏家所須修習科目。為協助青少年建構未來的藍圖，踏實築夢，以期贏得一生真善美，乃參酌相關書刊雜誌、網路資訊，顧及大專學生之程度與需求，並發揮教學相長，竭盡心力彙整思路，使本書得以付梓問世。

三、 本書有學理的解析，也有實際的演練，務期理論與實務能相融。生涯規劃與全人生涯發展結合，活出生命的光彩。

四、 本書分成四個部分（篇），每一部分（篇）為三章。各部分（篇）起頭有闡述，生涯寓言和生涯智言；各章開始有引言和摘要，進而解析主題內容，後陳列問題以評量學習成果，另附生涯活動。配合章節需要蒐集有關測驗，如生涯興趣量表、工作價值觀量表、生涯抉擇問卷等，以期了解自我性向潛能。

五、 各篇章節有更新適切的標題，引發進一步探索的動機，不僅文求通暢，內容修整去蕪存菁，也盡量附上圖表，增強閱讀趣味性。

六、 編者以拋磚引玉、一步一腳印的心情，將本書新修版呈現在讀者面前，盼能給予回饋及不吝賜教，當於再版時修訂之。

　　本書第三版問世之後，承蒙大專師生和社會人士採用，至為感恩。為使生涯規劃用書與時俱進，永續經營，隨社會發展、科技不斷創新、資訊網路信息推陳出新，而著手修訂改版。在第三版修訂期間，正值全球新冠疫情肆虐擴散之際，特別強調生涯規劃要提前部署，為贏得一生而執行識時規劃，成為識時務者俊傑。從 2020 年迄今 2024 年尾又經過了四年多，在後疫情時代，雖疫情不會就此消失，而轉向另一種型態威脅人們健康，然而要隨時提高警覺，勿恃疫敵之不來，正恃吾有以待之。因此第四版的增刪修訂，以符應時代潮流趨勢、社會需求嚮往、人們未來規劃所依，確有其迫切需要性。

　　第四版參考歐美學者有關生涯規劃的著作外，也借鏡從古至今先賢的論述經典所言，免得有失偏頗而生遺珠之憾。盼新版能擷取聖賢生涯智言，中西合璧而成。在整體內涵結構上，衡量實情需求，重新改寫篇章節內容，篇章節名稱均有所更動。以各篇而言，各篇名稱首字合起來構成本書立基：「人生發展」。以各章而言，新版擴充為十二章，每章名稱首字合起來形成本書架構：「人生基礎建設，生涯撒種收割」。論基礎建設原為國家為展現國力、社會安全，提升人們生活品質所進行的各項措施建設，個人生涯循此前進，做好人生各項基礎建設，生活樂觀積極進取，生命豐盛身心靈整合，而生涯籌謀規劃，人生自然正面朝上發展，往下紮根向上結果，人生目標水到渠成。經過流淚撒種的功夫，必能歡呼收割，結出生涯美果。

鄭金謀　謹序於 2024/11/25

　　本書初版問世之後，經二版修訂，迄今又隔十三年。常言道：年日更迭，日月如梭，光陰荏苒，人生幾何？計畫規劃追不上事物變化，職場熱門行業變化多端，生涯學理和實務不斷推陳出新，網路資訊知識翻新，新型科技、智慧型手機翻轉生活型態，凡此明示須再將二版翻修。隨時補充新知，與時俱進，強化生涯規劃與人生發展之關聯性，全人多元生涯開展之需要。最近臺灣各大學校院新生的生源逐年下降，以 108 至 111 學年度而言，新生來源下降總降幅為 25.7%。101 至 111 學年，大專校院學生數呈下降趨勢，自 101 學年的 135.5 萬人，逐年下降至 111 學年的 114 萬人。高等教育面臨嚴重考驗，對學生而言，關心學校、科系對以後就業的幫助，能將校園所學應用在未來職場上。根據 1111 人力銀行調查，有 68%學生認為畢業後第一份工作要能學以致用。當初選填學校系所主要考量，依序為符合個人興趣志向者、未來就業所需、剛好分數到此、父母師長期待，以及有產學合作機會等。統計數據會隨就業趨勢、經濟環境、心情壓力而逐年變動，須隨時留意 113 學年後調整科系情況。

　　如今本書第三版已整修完竣，主要修訂各章節部分內容，並增加一些新知、研究新發現，同時變更一些數據資料以符合最新發展趨勢。另增加第九章贏得一生的識時規劃，內容包含，規劃一時，掌理一生；全人規劃，認識實務；時間運籌贏得一生真愛。在增修第三版過程中，正逢新冠併發重症(COVID-19)擴散蔓延全世界，全民一起戰疫之際，特針對疫情以識時規劃因應之。期使本書結構更完整，內容更豐富合時宜。若仍有疏漏、未縝密顧全之處，尚祈先進賜予指正，便於來版修訂。

鄭金謀

序於北大特區　2020/07/20

2024/11/25 修訂

　　坊間出版生涯規劃相關之書刊不在少數，然以全方位觀點論述生涯規劃和人生發展並加以實作者卻不多見。本書從多元觀點探索生涯規劃，從初版受到一些大專開授生涯規劃相關課程之教師指定為參考用書，其接受度約略可見之。進而從人生發展觀點探討生涯規劃確實掌握其關鍵點。今嘗試圓人生之美夢，豈能不精心策劃，以達願景之實現？yes123、591、1111、104 等人力銀行常針對新鮮人求職性向興趣進行問卷調查，多數大專應屆畢業生對於當初所選學科不滿意，認為就業出路沒有保障。後悔就讀所學科系的受訪者，約半數表示因為「唸了才知道沒興趣」與「將來發展很受限」。而求職不順的社會新鮮人，其癥結在不清楚自己「要什麼」，履歷呈現不符合職務要求、薪資福利期待不符市場行情。企業雇主建議多了解產業和職務內容再做應徵，並改進待人處事的應對進退方法等。由此足見事先規劃學習職業生涯的重要。

　　本書初版問世至今已歷二年半，期間職場上熱門行業變動異常，生涯學理實務不斷推陳出新，網路資訊知識翻新，顯示需要將初版修訂，補充新知，強化生涯規劃與人生發展之相輔相成關係。務使讀者能更有系統、更新掌握生涯規劃重點、知能。在修補、翻新的過程中，深知相關資訊轉化知識，再變為個人智慧，可謂浩瀚繁瑣，規劃技巧須費時磨練，非一朝一夕所能為之。因此懷著戒慎恐懼心情修訂之，期望能創新突破個性限制，激發潛能，使再版邏輯性更強，內容更有深度、廣度，適用度、可讀性更高，方不負眾望。若仍力有未逮，心有未顧之處，尚祈先進多賜予指正。

鄭金謀

序於輔英科大　2007/07/01

2019/12/9　2024/11/25 略修

近三十年來，「生涯規劃」深受各行各業、各級學校的青睞，咸認為是團隊和個人不可或缺的成功要件。在進入 21 世紀知識經濟時代的今天，仍被視為大專青年學子當修的一門「顯學」。如今大家已逐漸能認同生涯規劃全方位的理念，人生多角化的經營藍圖，多元化的前程規劃。這些年來筆者在大專技術學院開授「生涯規劃」課，起先是必修的課，後改為選修；不拘日夜間部，選修的同學絡繹不絕。在教學多年期間，深感教學內容需具備深度、廣度、適用度，才能引發學生學習的動機。於是著手多方蒐集相關資料，選編教材內容，並參酌個人教學經驗，編寫成書，以應大專學子及有心規劃生涯者之需。

依據就業人力資源相關網站所進行的大學校院畢業生生涯規劃問卷調查，發現一半左右大學應屆畢業生不知道個人未來五年計畫，不確定未來職業方向，不知道自我生涯規劃的步驟，顯示年輕一代亟需生涯規劃輔導。就業網站發現許多求職者不懂得如何規劃未來生涯，不知如何在履歷表上描述自己的特質，以及不曉得如何有效推薦自己予職場機構。由此透過調查瞭解大學畢業生對生涯的看法，並規劃一系列對其規劃生涯有助益的輔導活動。大學生不懂得如何規劃未來生涯，關鍵在於未曾學到及演練生涯規劃的相關知能。現代年輕人素有「草莓族」的稱呼，源於抗壓力弱、職場流動性高、重視名利，輕忽內在價值。社會新鮮人通常不懂得或不認同生涯規劃，忽視生涯規劃的內在價值，不知個人興趣能力如何與職業相配合，因此實施生涯規劃教學有其急迫性。

筆者結合生涯的基本學理與實務演練，藉助教學活動，使生涯規劃不再是可望而不可即或流於空中樓閣的幻象，而是可藉由紙上作業，進而可付諸實現的產出。今以教學為導向之生涯規劃乃以教師之教導活動

為「經」，並以學生之學習活動為「緯」所交織而成的生涯活動教學歷程。此教學強調生涯可規劃性，從當下開始，慎思明辨，未雨綢繆，規劃生涯趁年少。經整理相關文獻資料，將生涯規劃教學架構列如下圖，先介紹學理的部分，引發讀者們學習動機。期望教與學齊頭並進，相得益彰。講述、啟發、自學輔導、角色扮演、經驗學習、訪談等多元教學法配合運作，教學活動多采多姿，教者稱心，學者如意。務期學理和實務相輔互成，能自圓一個人生的美夢，邁向卓越，美夢成真。

教學架構圖：

本書依生涯規劃通識需求而編訂，為學生前程設計，協助學生做好規劃未來的準備工作。教材內容力求生活化、實用性，可行性，以能引導學生注意未雨綢繆的前程計畫為原則。同時將生涯學理和工作職場作一實際印證，期能觸類旁通，舉一反三，使個人生涯多采多姿、豐盈富實。

有鑑於步入中年曾遭逢失去健康的風險，方知健康的可貴，因此何不在未失去健康的青年期，就做好健康規劃？而「銀髮人生」須從年輕時就擬妥規劃，在「人力時間銀行」儲存「老本」，到老時就能長青而發旺。所謂「全方位」生涯規劃，就是要多角化建構生涯的種種活動。現今藉助生涯教學活動，使大家都曉得全方位生涯規劃的意義。青年學子要在學業告一段落之後，能順利找到稱心適性的工作，就得先未雨綢繆，以便將來在職場上能一展所長，成為生涯的贏家。若已有工作，尚覺不滿意，需要來個生涯轉換，也該事先籌劃定妥。

本書因應大專通識課程選修生涯規劃之需求而編輯，分成四個部分（篇），第一至四部分（篇）各分三章闡述。開始闡釋人生發展與生命、生活、生涯之關聯性，人生發展生涯的意義、特性，認識生涯的基本學理和新近學理，洞悉生命與生涯之融合，生命體認嵌入生涯規劃課程。生涯規劃重點在說明為何要實施生涯規劃，如何進行生涯規劃，探討一些規劃的實際方法，可以學以致用。進行生涯規劃時，先要認識自我，增進自我了解，對人格、興趣、價值觀等都有心理測驗量表可施測。知己之外，還要知彼各行各業有清楚的認識，如此才能百戰百勝。

　　知己知彼之後，進行生涯抉擇以至生涯決定，需要培養生涯的能力，具備一般知能、專業知能及謀職技巧。藉此能無往而不利，穩操勝算。對生涯經營管理方面，抱持終身學習的態度，培養第二專長，從電腦手機網路學習，促進生涯發展以至成熟。遇到生涯困境加以突破，危機變為轉機，自我期許邁向成功的生涯，以至贏得一生識時規劃。

　　進入 21 世紀新世代，又是嶄新的一年，好的開始就是懂得生涯規劃，由紙上談兵進而知行合一，並帶給大家和諧喜悅的人生。本書所提全方位生涯理念和規劃的原則，以營造全人生涯開展，生涯贏家，或可略盡棉薄之力。若仍有疏漏之處，再版時修訂之。祝福大家一切順心，萬事如意！

鄭金謀

序於輔英科大　2005/1/1

2019/12/6、2024/11/23 略修

目錄 • Contents

人生孵夢於籌劃發展

生涯有夢，本部分描述人生孵夢於籌劃發展，日有所思，夜有所夢。人生面臨生涯問題試著孵夢，有夢想運籌措施，有效帶到夢裡，沒有任何問題能超越夢所觸及的範圍，也就藉著踏實規劃籌謀，圓一個人生的美夢，問題迎刃而解了。每個人來到世上，從生命開始到結束，可以活得很有內涵和過得有品味的生活。有人回顧一生一路走來充實而有意義，不虛度；但也有人一輩子輕輕的來，悄悄的走了，不帶走一片雲彩；也有人一生不知怎樣過的，總覺得空虛混沌抓不牢重心，以致一事無成。你要如何規劃這一生，建構一個人生的美夢或噩夢，在乎你如何對待僅有的一生。

國家有基礎建設，人生也該有基礎建設。國家為了展現國力、提升社會安全、改善人民生活，發展的基礎建設或設施(infrastructure)，是社會賴以生存發展的物質條件。可包括電網通訊、供水燃氣、交通等公共設施，以及教育科技、醫療衛生、法律文化、體育服務、垃圾處理等社會性基礎設施。知彼知己，他山之石可以攻錯，依亞洲週刊 44 期，2022/10 撰文說到中國大陸可以在過去十幾年間，建成了全球最大高鐵系統、高速公路系統、最長與最多的橋樑與隧道，背後有很多創新的艱辛，吸納了全球智慧，又善用自己的優勢，將理想落到實處，而瞄準現代化的光榮與夢想。中國大陸具有基建創新的龐大力量，擁有全球數量最多的大學理工科畢業生，每年大約有四百多萬人，他們投身在科研與實踐的不同場域，可以組成全球最大的工程師隊伍，推動中國的基建，進而出海發展一帶一路。國家展現全方位規劃基礎建設，個人也當以此借鏡，發揮創意生涯。從失敗中站起來、挫折中培養勇氣、逆境中養成堅強的毅力，累積經驗智慧，能

廣結善緣，容納異己，再接再厲，立足現在，放眼未來，終能功成名就。各行百業人士自圓人生的美夢，確有夢想運籌之配套措施。

上自執政當局，下至市井小民，國家要圓基礎建設的構想，人生要美夢成真，都得構建國家、人生的藍圖，規劃行動的方向和目標。或謂「有夢最美，希望相隨」，只要有夢想籌謀，就有希望實現美夢。事先懷抱夢想籌謀定規，生活能如意穩妥，有意義有價值。所謂「人非按規矩，不能成方圓」，有規有矩，才能畫成方圓，希望能實現。「生涯規劃」即將未雨綢繆落實於實際生活，如提前部署、前置作業。生涯規劃有理論觀念的指引，也有實際紙上的作業行動。期望讀者能腳踏實地，做任何事之前，先有規劃的概念，以往未曾做過的，現在就規劃，有一個嶄露頭角的機會。

預防大地震「前事不忘，後事之師」，以前事鑑戒今人。防範新冠肺炎疫情擴展，不斷提前部署、封城兵推，防疫之前置作業，以防群聚感染。另防備校園事件、詐騙集團手法不斷翻新，令人防不勝防。所謂「道高一尺魔高一丈」，我們須提高警覺，居安思危。隨時準備預防地震、颱風、水災、疫災、暴力詐騙等不速客之來襲。展望 2025 年來臨，世局詭譎多變，經濟貿易政治之爭，俄烏、中東戰火不歇，仍難和平落幕。而台海風波危機四伏，與其「亡羊補牢」，不如「預防重於治療」。事前的規劃準備總勝於事後的唉聲嘆氣。正如一首歌詞：「無論如何歌唱總勝嘆息，生存總勝死寂，所以應當時常喜樂。」平日生活常懷喜悅的心情，滿了歌唱，有助於身心健康。箴言有云：「喜樂的心乃是良藥，憂傷的靈使骨枯乾。」平時健康生活應對進退，未雨綢繆，提前部署，運籌帷幄，可詮釋生涯規劃之意境，透過人生孵夢，期許生涯美夢成真。

本部分主題人生孵夢於籌劃發展，先論人生活計籌生命成長，知曉人生發展之意涵，分解生涯之意境，洞悉生涯之特性，體認生命與生涯之融合，人生發展與生活生命生涯之關聯。再論生涯學理話綢繆規劃，解說生涯基本和新近學理、生涯規劃的意涵圓夢、目的良方、扮演角色等，影響生涯規劃的相關因素。後論基原真相知生涯主人，生涯規劃先認識自我，探索生涯主人真貌，依序分析人格特質、興趣、價值觀等自我的真相。

【生涯寓言】

◎ 「預言家」的故事

　　預言家在市集幫人算命。一個男人匆匆跑來，氣喘嘘嘘的說：「預言大師，你家遭小偷啦！家裡面的東西都被搬光了，現在大門還敞開著呢！」預言家聽了，急急忙忙便往家奔去。鄰居見他帶著驚慌的神色跑回來，不禁調侃他說：「你幫那麼多人算命和改運，怎麼就算不出自己的命運呢？」

◎ 「守財奴」的故事

　　守財奴變賣自己所有的財富，用來換取一大塊黃金。他把金子埋藏在牆角，每天都看好幾遍。有個僕人發現這祕密，就趁他不注意時，把金子挖出來偷走。當守財奴再前來探查黃金時，發現金子被人偷走了。他跌坐在地上，哭得聲嘶力竭。鄰人聽見了，走過來安慰他：「快別傷心了，拿顆石頭放在原處，假裝金子還在那兒。反正你也只是看看，並沒有真的使用那塊黃金呀！」

◎ 掉進枯井的驢子

　　有一天某個農夫的一頭驢子，不小心掉進一口枯井裡，農夫絞盡腦汁想辦法救出驢子，但幾個小時過去了，驢子還在井裡痛苦地哀嚎著。深思後，這位農夫決定放棄，他想這頭驢子年紀大了，不值得大費周章去把牠救出來，不過無論如何，這口井還是得填起來。於是農夫便請來左鄰右舍幫忙一起將井中的驢子埋了，以免除牠的痛苦。農夫的鄰居們人手一把鏟子，開始將泥土剷進枯井中。當這頭驢子發現苗頭不對，瞭解到自己的處境時，剛開始哭得很悽慘，但出人意料的是，一會兒後這頭驢子就安靜下來了。農夫好奇地探頭往井底一看，出現在眼前的景象令他大吃一驚：當剷進井裡的泥土落在驢子的背部時，驢子的反應令人稱奇，牠將泥土抖落在一旁，然後站到剷進的泥土堆上面，就這樣驢子將大家剷倒在牠身上的泥土全數抖落在井底，再站上去。很快這隻驢子便得意上升到井口，在眾人驚訝的表情中牠快步地跑開了。陷入生命「枯井」的脫困秘訣：將困難挫折「泥沙」抖落掉，然後站到上面去。忘記背後，努力往前向上發展。

◎ 兔子與獵狗

　　有一天獵人帶著獵狗去打獵。獵人一槍擊中一隻兔子的後腿，受傷的兔子開始拼命地奔跑。獵狗在獵人的指示下也是飛奔去追趕兔子。可是追著追著，兔子跑不見了，獵狗好悻然地回到獵人身邊，獵人就開始罵獵狗了：「你真沒用，連一隻受傷的兔子都追不到！」獵狗聽了很不服氣地回道：「我盡力而為了呀！」再說兔子帶傷跑回洞裡，牠的兄弟們都圍過來驚訝地問牠：「那隻獵狗很兇呀！你又帶了傷，怎麼跑得過牠的？」「牠是盡力而為，我可是全力以赴呀！牠沒追上我，最多挨一頓罵，而我若不全力地跑，我就沒命了呀！」現在競爭激烈、充滿危機的年代，常常要問問自己，我今天是盡力而為的「獵狗」，還是全力以赴的「兔子」？

【生涯智言】

- 財富埋藏不用只是裝飾品，賺了錢財，花費在有意義的事務上才看出其價值。天生我才必有用，認識自我潛能，學以致用方有價值。

- 生命的意義就是好好活著！尋得更高的生命，活得有盼望，名利地位、權勢聲望，都比不上這個。如此心靈自然健康，不覺空虛迷惘。

- 人在有限的時間與精力中，只能去選擇你所愛、有把握的事情去做。儘早立定自己生命更完滿、更快樂的目標，然後朝著這個目標去達成。

- 保持探索的熱情，做自己愛做的事情，別活在別人的思維，要傾聽自己心底的聲音。這些看起來很老生常談的東西，對人生很重要。

- 生涯生計規劃的主角是自己，願意隨機應變，量力適性，與家人商討應對，有求好心切，心生計策，有篤實踐履決心。

- 生涯要規劃，更要經營，起點是自己，終點也是自己，無人能代勞。

- 悲觀者抱怨風向，樂觀者期待轉向，聰明者調整風帆。

- 如果別人朝你扔石頭，不要扔回去，留著做你建高樓的基石吧。

- 很多人一開始為了夢想而忙，後來忙得忘了夢想。

Chapter **01** 人生活計籌
生命成長

本章學習目標

1. 解析人生活計籌生命成長之意涵。
2. 洞悉人生生涯發展之意義。
3. 了解生涯之由來、原意。
4. 認知生涯狹義和廣義的意涵。
5. 闡明生涯的特性。
6. 體認生命與生涯之融合。
7. 知曉生命體認嵌入學習領域之意。
8. 分解生命體認嵌入生涯規劃之情。

【引言與摘要】

　　禮記大學有云：物有本末，事有終始，知所先後，則近道矣。做任何事掌握本末始終、先後順序是相當重要的。據此順理推衍，在實際規劃生涯之前，宜對人生發展和生涯的內涵有基本的領會。本章開宗明義解析人生發展為何，其基礎工作在做好事前的規劃，人有遠慮才沒有近憂，在心智、情感、德行、身體、專業各方面發展皆然。接著說到人生生涯的發展，生涯起源，為了謀生，要汗流滿面才得餬口。探討生涯的原意，闡明廣義的生涯，涵蓋狹義的工作謀生，以及非工作的學習進修、休閒娛樂、婚姻家庭、交友理財等活動。強調生涯的全方位觀念，擴大對生涯的狹隘觀點，對生涯能有統合嶄新的認識。進而認知生涯之特性，從整體性、主動性、獨特性、終生性、階段性、順應性、時空性至前瞻性、變動性娓娓道來。論及生命體認與生涯的關係，闡釋生命體認是身心靈全人整體的體認，透過嵌入教學親身體驗，顯示生涯階段性發展，遇到生命順逆境，會體驗身心的成長，經一事長一智。以生命體認課程嵌入生涯規劃學習領域，可發現人生發展與生活、生命、生涯之關聯性。使人生有積極進取、樂觀正向的發展，豐盈生命成長，提升生命層次。

　　古今文人雅士、生涯大師常將人生、生活、生命、生涯連在一起，本章標題人生活計籌生命成長，活計指生計，元關漢卿「釘靴雨傘為活計，偷寒送暖作營生。」生活生計開拓生命成長，在章末特將人生發展與生活生命生涯繪圖連結說明，顯示其難以分離的關係。由此闡釋個人生涯籌謀部署策劃，必然孜孜不倦，盡心竭力立身處世，將其生命花在有意義的志業上，以貢獻社會和國家。有時甚至以國家興亡為己任，置個人死生於度外，尤其事關國家發展的事業，當然也牽涉個人的發展。其付出生命代價是有意義價值的，其生活忙碌盡責有著眼著力點，是積極樂觀進取正面的，受人肯定也達到自我實現的境界。這樣人生的發展是璀璨光明的，也往止於至善的途徑邁進。大至國家小至個人，將基礎建設列為首要。個人生涯籌劃各項措施活動，為著人生發展扮演多重角色，生涯孵夢至逐夢階段披荊斬棘、夙夜匪懈，達到解夢人盡其才，以至圓夢實現自我良好發展的人生。每一階段使命完成願景實現，善用光陰充實生涯知能，成為智慧人洞察天命人事而俯仰無愧。

第一節　探索人生發展之意涵

一、人生發展概述

　　讀聖賢書所學何事，以學習西方文化歐美學術之過來人身分，幾乎所學任一專業學術，都離不開歐美的標準。以人生發展而言，多少會引用如福洛德的性心理發展、皮亞傑的認知發展、艾里森的社會心理發展人生八段說、柯柏格的道德發展、馬斯洛的人生需求階層等學說。而隨著科技發展、經貿競爭、氣候變遷、疫情威脅健康、戰略政策思維等影響世局及人生發展。在 2025 年的當下有基建狂魔之稱的中國大陸在人工智慧、機器人、新能源車、北斗衛星導航、量子計算機、航天探星、船舶戰機導彈等彎道超車，讓歐美國家瞠目結舌望塵莫及、東升西降。此為國家發展對人生發展產生衝擊。所以我們除了引用歐美學者睿智的說法外，還須注重國人自古以來至今對人生發展階段所提供的經典說法。如謀定而後動，是古人很早就有的規劃意識，呂尚在太公金匱所言「先謀後事者昌，先事後謀者亡。」經過深思熟慮才經營人生，如同有的放矢，自然駕輕就熟、事半功倍。禮記中庸所言「凡事豫則立，不豫則廢」，而孔子所謂「人無遠慮，必有近憂」，實含有規劃生涯之意。推其意乃指為免憂慮患難臨近，實須對未來先作好打算，未雨綢繆是相當重要的，否則事到臨頭措手不及，就可能產生困阨憂慮。禮記大學或將人生發展從格物致知、誠意正心、修身、齊家、治國、平天下階段循序漸進，可作為籌謀人生發展的參鑑。

　　盱衡世界局勢詭譎多變，國際交往正義、秩序維持、以及未來發展軌跡，其與國家社會個人的生涯發展都有關聯。其實生涯規劃先有目標定位，我生涯主人要過甚麼樣的生活，其次要認清職場社會環境需求，認識自己的興趣專長個性價值觀等，然後制定可行的方案步驟，如三國隆中對可為規劃參考。當時諸葛亮問及劉備之志，幫其分析天下之勢及劉備的優勢，也制定了行動方案，結果三分天下（三國演義 38 回，定三分隆中決策），可視為成功的生涯規劃典範。上述禮記大學篇的修

身、齊家、治國、平天下，可為執行規劃步驟參艦，而孔子說的十五志於學、三十而立等，可含有生涯發展階段的影子。因此除了參考歐美學者有關生涯規劃的著作外，從古至今先賢的論述經典也難磨滅。

　　論及人生發展，生命要豐實有意義，須透過生涯規劃發展自我的價值觀。年輕人的自我認識、家庭、交友愛情等要事，透過科學邏輯實驗加以規劃分析，了解自己的背景、性格，而有美好的愛情觀和人生價值觀（周談輝，2003；陳梅雋，2002；蕭俊傑，2019）。阿德勒心理學之父「從絕望到希望的阿德勒幸福論」（岸見一郎，2022）說人生雖苦，但活著就有價值，值得活下去，從自卑到超越見識人生價值。由此知曉人生涉及生涯規劃，生命內涵要豐實，生涯須有具體規劃。古往今來，「生涯」的種種活動生生不息，不拘是生兒育女、養家活口，或是修身養性、遊山玩水等古今皆然。舉凡灑掃應對進退、食衣住行育樂等活動皆是生涯不可或缺之事。然而人生要活得有意義有價值，要過一個充實的人生，就須事先籌謀定規，所謂「人非按規矩不能成方圓」，有規有矩，才能畫成方圓。人生規劃期望能事事如意、五福臨門。昔時雖無「生涯規劃」之名，卻有其實。時下重功利短視近利，眼光短淺，只顧眼前利益，而忽視未來走向者大有人在。莘莘學子想一舉成名，必經歷十年寒窗之過程。驍勇善戰之士須運籌帷幄，決勝於千里之外。雖說「窈窕淑女，君子好逑」，但若無計可施，欲坐享其成，豈能成就美事？吾人希冀品嘗美好果實，得先辛苦栽種，要怎樣收成，先怎樣栽。當今物質文明科技發達一日千里，若無人們孜孜不倦、銳力經營，其成就豈能從天掉下來？可見豐實的生命是人們努力籌謀規劃生涯的結果。凡事前先妥善預備，則必能穩妥立足於世，若不預備好就要承擔惡果。

　　提起精神科醫師弗蘭克(Viktor Frankl)所著《從集中營說存在主義》一書，敘述他在集中營所經歷許多不是常人能忍受的身體與心靈折磨之處境，卻能依憑對妻子強烈的愛與思念，作為生命意義的核心，使他能超越所處困境而存活下來。而提出人面對苦難時，若能參透「為何」，則能迎接「任何」，此時痛苦將會賦予意義，而能轉化態度面對所有的

苦難。他也觀察到集中營有許多無法承受痛苦而自殺的犯人，是因為感到對生命的絕望，無法從苦難中發現意義，而喪失了面對生命的勇氣。由此可知人生意義的發現，是個人面對生命苦難的重要內在力量來源。我們若發現人生發展、生命、生涯規劃的意義，則必能未雨綢繆、堅強地活下去，並活出有意義的人生。

二、人生生涯的發展

　　關於生涯的起源，參照舊約創世記前三章的記載。起初造物主按照自己的形像和樣式創造了亞當，然後從亞當身上取出一根肋骨創造了夏娃，接著把他倆安置在東方的伊甸園，讓他們修理看守。他們可隨意（自由意志）享受伊甸園中各種樹上的果子。在那時不愁吃，沒有謀生的問題，無須勞苦、打拼。後來撒旦魔鬼化身一條蛇引誘夏娃，結果罪惡進來了，人未聽從造物主的吩咐，吃了善惡知識樹的果子，導致人被趕出了伊甸園。從此人一生下來就要面對生存環境，為衣食憂慮，為生活打拼，汗流滿面才能餬口。同時學習謀生技能，有一連串舉動發生，為防止敵人侵犯而發明了銅鐵利刃等防衛武器；要養家活口，使生命得以繁衍，而有畜牧種田農事稼穡等；為消遣休閒娛樂而發明了音樂器具。如此生涯代代相傳，生生不息。

　　從古書探究「生涯」之原意，莊子「養生主」：「吾生也有涯，而知也無涯，以有涯隨無涯，殆已！」此處「生」和「涯」分開，若合起來說明人生是有限的，而知識是無窮盡的，個人想要以有限的人生來追逐無窮盡的知識，是相當疲困耗力的事。生涯二字連在一起，見於古詩詞，引用如唐初薛稷「客心驚落木，夜坐聽秋風。朝日看容鬢，生涯在鏡中。」杜甫「四十明朝過，飛騰暮景斜。誰能更拘束，爛醉是生涯。」白居易「生涯隨日過，世事何時畢。」沈佺期「生涯在王事，客鬢各蹉跎。」元稹「非無殄殘法，念爾有生涯。」劉長卿「生涯豈料承優詔，世事空知學醉歌。」中唐楊巨源「世上無窮事，生涯莫廢詩。何曾好風月，不是憶君時。」元末藍仁「漁父空頭白，生涯一舸微。欲

浮滄海去，又逐暮潮歸。」清孫肇瑞「事業一竿竹，生涯百斛船。」弘曆「後溪水已漲，前溪路復幽。蓑笠一身雨，生涯半葉舟。」韓偓「淒涼身事夏課畢，濩落生涯秋風高。」陸游「新來有個生涯別，買斷煙波不用錢。」張炎「細雨一犁春意，　西風萬寶生涯。」辛棄疾「閒意態，細生涯。」楊炎正「問漁樵、學作老生涯，從今日。」以上所引詩詞多與人生發展的困頓憂戚或順遂如意有關。可把「生涯」看成「人生的極限（大限）」（金樹人，2023），生涯有限而知識無窮，利用有限的今生，除學專業技能顧及生計謀生執行事業工作，還需發揮潛能實現個人抱負，感悟生涯多元發展充實而有價值，乃生涯發展的至上境界。

　　依上述自有人類以來，生涯從古至今，無論何人一生下來就得面對為現實生活生計而有美好的發展，解決謀生就業家計的問題。由探索生涯詩詞，生涯的起源和原意，吾人可以歸納生涯的一些要點。

1.　生有涯而知無涯，把握有限的今生，發展天賦才能，多學習謀生技巧，善盡為人的本分，扮演好適切的角色，值得花功夫發展生涯。進而充實生涯內涵，不容一生空洞留白，此確是人生發展的重心。

2.　人生著眼點擺在生涯的發展，為圓一個人生的美夢，自許一個豐盈的生命，就得事先做好規劃生涯的前置作業。既知天下沒有不勞而獲之事，就得趁早起手籌謀生涯時段的發展，免得馬齒徒增。

3.　人要傳宗接代，生生不息，總得經歷人生酸甜苦辣，順境逆境，悲歡離合，陰晴圓缺等種種過程，因此人生要活下去，活得有尊嚴有價值，就得規劃生涯事，即籌謀生計、生業、活計、志業職事，此為人一生必要面對的生活林林總總的事物。古今中外生涯有成者不勝枚舉，未經一番寒徹骨，焉得梅花撲鼻香？欲成為生涯贏家得歷經辛苦歲月，才得以功成名就。人生起始規劃未來的生涯發展，不至蹉跎歲月、一事無成而徒增悲嘆。

第二節　分解生涯之意境

一、生涯之廣狹意涵

　　生涯係每個人一輩子的生活，人要生存過好日子就得流汗打拼奮鬥工作，由此論及生涯的意涵，與生活、生存、生計分不開。探討生涯(career)的原意，早在十六世紀末的文獻上出現。當時 career 係指人們參加賽跑的場所或路徑，或運動員搏鬥的競技場；接著逐漸演變成人員進出或貨物運送所經過的通路或道路。而依據牛津英語辭典(The Oxford English Dictionary)，十九世紀之後英語 career 受到法語 carrier（要邊走邊找的路），源於拉丁語 carrus（車道）的影響，生涯之意義進而演變成「專家或企業僱用的人，在所屬的領域內升遷或進展的路徑」，其意沿用至今。由此得知生涯(career)一詞，原意為車行的方向或「道路」，如同在馬場上馳騁競技，隱含有未知、冒險、犯難的精神，可引申為一個人一生中該行的道路或進展的途徑（羅文基等，1995）。也可說是個人透過工作進行的績效競爭或進展升遷的途徑。其實 career 若用中文詞彙中的「生涯」或「生計」來表達，都不是很恰當的；生涯的意思有過之，生計的意思似有不及。比較貼近的詞大概是「志向」或「志業」（金樹人，2023）。或可謂生涯即生計、從事職業、生活、活出生命的意義（林一真等，2007）。從上所述，生涯依原意分析，可謂道路方向，意指人一生有軌跡可循的謀生之路；也可解釋為個人一生從工作志業進展中，所應走的道路方向或生活方式。

　　各家對生涯的說法各有特色，其實都隱含廣義或狹義的內涵。底下分別敘述狹義和廣義的生涯。

（一）狹義的生涯

　　從狹義來講，生涯是指職業、工作、生計。以職業工作言，個人在求職、求才的需求與供給的勞動市場中，從許多競爭者中嶄露頭角擁有

一席之地。一般論及生涯總是脫不開事業或行業，即一個人終身所從事的職業或工作，那是指狹義的生涯。換言之，職業或事業乃是一種一連串能帶給當事人工作滿足或激勵，或能促使個人發揮專有能力的終身職務。此職業需要經過專業訓練，進而當作一生發展的事業，如職業婦女(career woman)，指視事業重於一切的女性。

狹義生涯意指「生計」。民生主義說到：「民生是指人民的生活、社會的生存、國民的生計、民眾的生命。」生計多半涉及養家活口的民生問題，與食衣住行育樂有關的種種活動，也涉及有關工作性質的活動經驗，如人為五斗米折腰。生涯又可稱為「生業」，一個人用來謀生的事業，相當於「生計」，個人為謀生之計。如唐朝白居易所云：「料錢隨月用，生計逐日營。」生計是用以滿足或維繫生活的最基本需求，像一日之計在於晨，晨起開門七件大事：柴米油鹽醬醋茶，都與生計有關。

前述生涯的起源，人類在「失樂園」後，就得面對謀生維持生計的問題，此為率先考慮的職業或工作之狹義生涯。

（二） 廣義的生涯

廣義而言，生涯含有多元化、全方位、宏觀、整體的講究。此意味個人在人生中透過工作所進行的自我實現過程，除生計外，還涉及非工作謀生的活動。由此生涯乃是伴隨個人一生所有的學習、工作、婚姻、家庭、職位、角色等之活動總稱。若推究生涯的意義，則當比傳統所謂「男怕入錯行，女怕嫁錯郎」中的「行」（即事業或工作）還要廣泛。生涯係指個人一生中所從事的工作或職業及所擔任之職位或角色；同時亦涉及其他維持生活所需之非工作或職業之活動經驗，如休閒、旅遊、婚姻家庭、人際關係、網路互聯等。

研究生涯的大師舒波(D. E. Super)認為生涯係指個人生活中各種事件的統合，它含蓋了人一生中各種職業和生活所扮演的角色，如兒女、學生、公民、工作者、休閒者、配偶、家管、父母、退休者等，由此顯出個人獨特的自我發展組型。顯然其生涯含有廣義解說。「生涯是一個

人在其職前、職業及退休後的生涯中，所擁有的各種重要職位，角色的總合。」（楊朝祥，1989），「生涯是一個人一生中所從事的工作，及其擔任的職務、角色，但同時也涉及其他非工作或職業的活動。」（林幸台，1987），生涯是指在行業(vacation)、職業(occupation)及工作(job)中所涉及的各種活動及職位，以及與個人謀職工作生涯有關的所有活動(Zunker,1998, 2002, 2006, 2015)。由此可見生涯的廣義說法。

　　生涯是含蓋人生的種種過程，除了個人終身所從事的職業之外，尚包括家居、學習、休閒、旅遊、人際關係等活動，此為廣義（多元）的生涯。以家居生活而言，和家人的相處融洽愉快，增添生活情趣，對生涯發展非常重要。在學習方面，即便活到老、學到老，還是有學不完的知識，因此須時刻掌握學習機會，不斷汲取新知時識，方不致被時代所淘汰。在休閒生活方面，打球、橋藝、聽音樂、品茗、修身養性等皆有益生涯。從民國 90 年開始週休二日以來，休閒旅遊成為必經的生涯；到野外踏青，或到旅遊據點飽覽景色者是必然趨勢；也有利用較長假期前往國外旅行，所謂「讀萬卷書，行萬里路」對個人生涯的進展亦相當值得推廣的。由此對應個人所扮演的生涯角色逐漸增多，如親人、學者、社會人、工作人、健康人、理財人、信修人、退休人、鰥寡孤獨者等（修自蔡稔惠，2000）。在生涯各面，有「學習生涯」、「家居生涯」、「休閒生涯」、「網紅生涯」、「旅遊生涯」、「藝術生涯」、「音樂生涯」、「探險生涯」、「軍戎生涯」、「外交生涯」、「寫作生涯」、「主播生涯」等，都可說是整體生涯的一部分。生活有時強調某一方面生涯的重要，有時將某一經常從事的活動視為生活的部分，或個人在某一方面的表現傑出視為生涯不可少的一部分，凡此皆為廣義生涯不可或缺者。

　　由上述進而領悟生活、生命與生涯之關係。舒波(Super, 1990)曾提生活（生命）－生涯發展論(life-career development theory)，特從生活（生命）廣度(life-span)與生活（生命）空間(life-space)探討生涯的發展，將生活（生命）與生涯連在一起，此或可說明生活（生命）與生涯（廣義）的關係。確認生涯和生命意義的關聯，從這個向度上，可定義

生涯就是生命意義實踐的歷程（林清文，2000）。其實生命、生活、生涯關係是一體的，有怎樣的生命，就會有怎樣的生活，有怎樣的生活，就有怎樣的生涯。體認生命的崇高意義，就會過高品質的生活；高品質的生活，也可反映廣義、宏觀、多元的生涯。

詩詞文人從生活的體驗中，將「生涯」視為「生活」，或者「生活的方式」。如「湖上寄生涯」、「弓矢是生涯」等。一個人要使生活充實而有意義，就需要對「生涯」有較宏觀的認識。而宏觀的生涯，不以微觀的生涯（以現在為立足點進行的生涯活動）為足，乃放眼未來方向，發展多面的生涯活動。而這些都較偏重廣義的解釋。

生涯廣義的解釋可以含蓋狹義的工作或職業的活動，以及非工作或職業的活動。廣義的生涯確實包含人生的種種活動，生涯面臨競爭與合作，讓人容易瞭解。人生可謂種種活動的連續，而工作正是生活動作的重心。我們規劃今後的生涯，意味著策劃自己的人生生涯種種活動。藉由體認環境的變化，評估自己的能力、興趣、性向，在以工作為主軸核心下，規劃自己的多元人生。如此才能掌握整體生涯或宏觀生涯、多元生涯、全方位生涯的精隨。

本書強調生涯的全方位觀念，一來擴大一般人對生涯的狹隘觀點，二來對生涯能有一個統合嶄新的認識。從整合的生涯而言，生涯符合多元化社會需求，個體欲求身心各方面均衡發展，不能沒有全方位觀念。同時要能安身立命，也非有全方位觀念不可。在當前世代，青年學子除會唸書外，還要學會待人處世，懂得修身養性，如何休閒旅遊，期望將來能有美好的婚姻、幸福的家庭，同時要知道如何經營理財、擴展人際關係等。凡此皆是全方位生涯所含蓋者。

二、生涯的實像

生涯從人生發展的階段或過程，可發現一些值得我們深思之處，在生涯的現象背後究竟隱藏甚麼樣的訊息，意即其實像為何。人孜孜不倦十年寒窗無人問，其實為的是一舉成名天下知，其背後動機是在榮宗耀

祖，其才華獲得世人肯定。或許生涯現象或表象是一個境界，其背後隱含著另一較高的境界。如王國維在《人間詞話》說古今之成大事業、大學問者，必經過三種境界：一、昨夜西風凋碧樹，獨上高樓，望盡天涯路。二、衣帶漸寬終不悔，為伊消得人憔悴。三、眾裡尋他千百度，驀然回首，那人卻在燈火闌珊處。而蔣勳在《感覺宋詞》解說王國維的三種境界為：一、看山是山，看水是水。二、看山不是山，看水不是水。三、看山還是山，看水還是水。生涯進到較高的境界，表示較接近生涯的實像，顯示人生發展達到較高的水準。生涯如懂得把需要做的事情做好，是一種境界，而更懂得不去做不需要做的事情，是另一種境界，這便是人生的智慧。經歷人生的酸甜苦辣過程是一種境界，而懂得如何處在卑賤地位或如何處在富餘境地，或飽足或飢餓或有餘或缺乏，隨事隨在都學得祕訣（酌參腓利比書四章 12 節），是較高的境界。生涯苦難折磨是表象或虛像，有如化妝的祝福，而祝福恩典是實像真相。

從表面看生涯是虛幻或不存在的，只有在你主動其追尋，直至眾裏尋它千百度，它才存在。其實生涯有其表顯性，看得見的一面；也有隱性看不見的另一面。看得見是暫時的，看不見是長遠的。原來生涯的實像似乎是看不見，需要我們主動去追尋人活著究竟有何目的和意義，人不只是尋求豐衣足食終身志業，還要尋到更隱藏在生涯背後的實像，如此覓得人生真諦生命充實，生涯發展才有目的和意義。

第三節　洞悉生涯之特性

生涯具有豐富的內涵與範圍，兼具多方面的特性。從整理有關生涯意義的資料，歸納生涯的特性如下。

一、整體性

依照生涯廣義來講，含蓋人一生的發展過程，可視為個人各方面的發展，不應單指某一面的專長，而應整體來考量各方面發展。唯有從整

體來評估一個人的表現，才不致失之偏頗。像人的一身是整體的，任何一部分都是不可少的、不能分割的一樣。「正如我們一個身體上有好些肢體，但肢體不都有一樣的功用」（羅馬書 12 章 4 節）；「就如身體是一個，卻有許多肢體，而且身體上一切的肢體雖多，仍是一個身體」（哥林多前書 12 章 12 節）。生涯雖有枝枝節節，卻如身體是一整體。

二、主動性

個人主觀意識所認定的存在，生涯只有在個人尋求的時候，才存在的（劉玉玲，2007），隱含人是生涯的主動塑造者。個人主動尋求生涯之時，其存在是自然的趨勢。從現象學講，生涯的存在立基於個人主動去追尋，規劃未來發展的藍圖，而非被動受制於環境的脅迫而有作為。

三、獨特（差異）性

每個人的生涯發展是獨一無二的，所謂一樣的米，養百樣的人，人心之不同各如其面，每個人都有與眾不同的個性，相處見面時都會表現獨特的風格，這也是表現其生涯獨特的一面。有的人「嗜讀如命」，每天手不釋卷，孜孜不倦於研究，其生涯大部分是從事研究工作。有的從事公關工作，善交際溝通卻嗜酒如命，每天離不開應酬，酒逢知己千杯少，其生涯之獨特性與眾不同。有人認為「人生如夢」，「今朝有酒今朝醉，明日愁來明日當」，要及時行樂。有人卻認為「我的未來不是夢」，「美好未來不是夢」，要及時行善，顯示人對生涯有認知上的差異。

四、終生（身）性

通常一個人接受教育，養成某一種技術，是為了將來適合從事某一種工作，就是要找到一個終身的事業、志業。狹義的生涯一旦找到人所稱羨的工作後，則會長期的在該項工作崗位上發展長才。譬如公務員、教師、醫師、會計師，一旦為師，就終身為師。似乎不想再嘗試其他工作，因可能認定這是「鐵飯碗」，就不輕易辭掉。當然也有半路出家或見異思遷的，不過一說到職業生涯，大都含有可終身從事的工作之意。

五、階段（發展）性

　　生涯隨著當事人年齡的增加，勢必有不同的發展歷程。按行為發展的原則看，人一生的發展是連續不斷的，在發展歷程中，呈現階段性。青少年期的試探階段發展到成年期的建立階段，然後是中年期的維持階段，在此顯示生涯是隨著年齡經驗、見識的累增而不斷發展，因此生涯具有發展性。而發展是有方向性，是生活各種事態的連續演進方向。生命其實是每一瞬間的延續，要充分享受每一瞬間，就得隨時充實每一階段連續性發展，方有成就感。

六、時空性

　　時間方面，生涯發展是一生當中連續不斷的過程；空間方面，生涯係以事業為主軸，也包括其他與工作有關的角色（金樹人，2011）。生涯乃是由時間和空間所交織而成的產物。生在戰時變亂的上一代常謂生不逢時，而生在承平安定富庶的這一代則謂生逢其時。嶄新的下一代得天厚愛，資源豐富享福前所未有，與這一代、上一代時空背景難同日而語。在邁入 21 世紀 20 年代的今天，人工智能手機網路不斷推陳出新，若生涯要不斷發展，則須掌握時空環境，因時而制宜，因地而制宜。

七、順應性

　　每個人的一生都會遭遇各種不同的環境，不拘是順境或逆境，欲生存發展就必須適應之。所謂適者生存、隨遇而安，生涯是一輩子的事，就必須隨著所遭遇的環境（如疫情）而成長。實際生涯要如此經得起考驗，因個人在任何境遇都要接受挑戰，唯有順應潮流，但不隨波逐流，才不知不覺促進個人的成長。

八、前瞻（預測）性

　　生涯放眼未來，並非空中樓閣或遙不可及，而乃像栽培孩子從小到大，經過幾年的時光，他能成為一個有用的人才。好比投資績優股或海

外基金，如科技、綠色環保能源基金看好，看準會有勝算把握，則經過多年之後，達成所願，美夢成真。生涯規劃其實和未來展望不可分，要進行規劃，就得預測未來會有怎樣的演變。在詭譎多變的總統、立委大選，執政黨操弄兩國論而慘勝。而對岸出動戰機戰艦，通過海峽中線，接二連三演習對台獨的恫嚇威懾。或謂對未來要有前瞻性預測，2024年美總統大選，預測川普會重返白宮，果然應驗。然而個人須對未來生涯懷有前瞻的眼光，展望未來，能事先規劃，則前程似錦、心想事成。

九、不確定（變動）性

　　生涯不確定感是當代青年在面對人生發展任務時普遍經歷的心理體驗。生涯是變動的，常常計畫趕不上變化，我們若能以積極好奇、開放創意的正向態度，適時盤點自己的職業能力，覺察內外在環境訊息，進行彈性調整，透過資訊蒐集與採取行動為自己創造新的可能性。可善用機緣採取職涯行動(https://vocus.cc/, 2022/12)，積極面對生涯不確定性。

第四節　體認生命與生涯之融合

一、生命的意涵

　　參考古今名哲對生命意義、人生價值之解讀。俄國大文豪托爾斯泰說得好：「生命的意義不是一個哲學或理性思辯的問題，而是一個人所過的具體生活－當你過的生活是無意義之時，你的生命就是無意義的；而當你過的生活是有意義之時，你的生命就是有意義的。」小說家屠格涅夫說：「一個人應當好好的安排生活，要使每一刻時光都有意義。」一位作家說：「生命是一支越燃越高的蠟燭，是一份來自上帝的禮物，是一筆留給後代的遺產。」精神科醫生弗蘭克說：「人應為意義而生，也應為意義而死。我們不該追問生命有何意義，而該認清自己無時無刻

不在接受生命的追問。到頭來我們終將發現生命的終極意義，就在探索人生問題的正確答案，完成生命不斷安排給每個人的使命。」哲學家尼采也說：「要參透（生命）為何（如此）？才能迎接任何（如生命的改變）。」而傅佩榮教授提及「如何擺脫外在我的束縛，調整內在我的成見，讓心靈的自我展現，活出一個有愛無礙的人生呢？這是對每一個人的挑戰。」確實生命有其內涵崇高的意境，有待完成天賦使命。

生命是個體從出生到死亡的區間，使生物活下去的基本元素，是奧妙的難以測透得盡。也是一口氣，各種生物依賴它，人類一輩子靠它生存於世上，沒有它就沒有多采多姿的生活。生命是有限的，體會生命的酸甜苦辣、實現自己的夢想期待，為自己的生命做最適當的安排。生命也是無限的，生活期間與他人及事物所互動的經驗、各種形式的創作、精神及價值，將以不同的方式延續下去，影響未來。然而有生就有死，此生命係物質會朽壞、短暫的，而非物質、不朽壞、永遠的生命，此涉及信仰認知的範疇。依據權威經書的說法，可將生命之內涵及類層扼要說明。論及人的生命有身體、魂魄、靈性三層次。靈性(zoe)的生命，指神聖最高的生命；魂魄(psuche)的生命，人與生具來親生的生命，精神心理的生命。身體(bios)的生命，肉身的生命，所謂身體髮膚受之父母，對身體的生命之保養顧惜，希望能延年益壽，長命百歲。縱使能活到 120 歲，肉身還是會朽壞，因此談生命分解不僅要注重身體養生，還要認知魂魄生命、靈性生命。雖有身體、魂魄及靈性三類層生命，但身心靈是整體的不可分離。

二、生命體認的意涵

生命體認(realization)或體驗(experience)透過生命教育分解讓學生親身察驗認識，觀察日常生活中生老病死的現象，人生病時體認健康的重要，思考生命的價值，探索人生的無常、目的、價值與真諦。

（一）尊重生命、對生命負責，建立健康的人生觀

　　生命體認的意義在於透過教育解說的過程與教學，使學生認識生命的種類和意義，進而能夠關懷生命和尊重生命（胡夢鯨，2000）。生命體認係教師透過有關生命課程，引發學生探討人生價值觀、探索生命意義之興致，進而培養尊重生命、愛惜生命的態度。在不增加學生課業負擔原則下，融入公民道德、倫理、兩性教育等生命相關課程，以生活化和體驗式的推動方式進行。生命教育的提倡背景與暴力、毒品濫用、愛滋病有些關係。多年來暴力事件層出不窮，年齡層也逐年下降，暴力通常涉及不尊重與傷害他人生命。另有不愛惜生命的自我傷害或自殺。欲制止暴力或自殺、毒品濫用等行為，就要給他們一個正向而積極的生命教育。治本之道不在於防堵、監測、打擊犯罪或建立通報系統，而在於防患未然，建立正面的人生觀以及家庭社會的互愛互助。而真正的生命體認教育應從家庭、學校、社會各方面著手，幫助青少年從小開始探索與認識生命的意義、尊重與珍惜生命的價值，熱愛並發展每個人獨特的生命，並將自己的生命與天地人之間建立美好的共存共融關係。由此一般學校的生命體認教育強調珍惜身體生命，因身體髮膚受之父母，不可自我毀傷及毀傷別人，自己身心健康，推己及人，愛屋及烏，也能讓別人有健康的身心，建立健康的人生觀。

（二）感受人生哲學、道德、宗教的整合

　　21 世紀的學校教育當以生命教育為基石。學校應透過有形與無形的生命體認課程來整合人生哲學、宗教教育與道德教育。追求探問生命的意義、目標與理想，這是屬於人生與宗教哲學所關懷的課題。人生除了食衣住行育樂，政治經濟社會等問題之外，還有生死意義問題有待了悟。因此教育整體的目標不該只是幫助孩子找到一份好工作或職業，而更該教導他們體悟人生的意義、追求人生的理想，從而面對人生的各種挑戰。培養成熟的道德思維與擇善的能力。道德融合哲學的思辨深度與理性反省，能做到說理而不說教，成熟而具自律精神。將價值理念內在化（誠於中），落實於外在的實踐（形於外）整合知情意行。（修自心靈

重建與生命教育，生命教育網站）。由認知生命的意義開始，進而喜愛和願意配合認知生命的涵義和類層，並實際生活身體力行。因此生命體認教育不僅重視有形的身體生命，而且強調無形的靈性、精神生命。

（三） 體認生命彼此尊重和獨特發展

　　生命體認教育的意義是一種有關深化人之所以為人的人生意義、內化價值理想、與實化行動力的教育。透過具生命內涵課程的教學與體驗的歷程，讓學生認識生命的意義與價值，進而欣賞生命、珍惜生命；學習包容，接納並尊重他人的生命，營造出一個至高往上超越，天人合一的生命。同時體會到人命和己命同等重要；進而認識欣賞，尊重愛惜每一生命的個別獨特與生俱來。每個人都有差異性，有獨特的生命，藉體認生命教育而發展其獨特的生命潛能。由此強調藉彼此尊重外在身體的生命，進而深入內在精神、靈性的生命。

（四） 受良心引導，注重情意、身心安頓

　　生命體認的基礎建立在自尊、受良心的引導、意志自由與人我關係之上。在生命體認的內涵上，涉及倫理、宗教、生死等範疇。每一個人都必須瞭解自己生命的意義以及存在的價值，肯定自己、接受痛苦與困難，在工作中完成使命，並明白生死的內涵。我們避免陷入謬思，能走出疑難困境，如此才能真正享受生命，活出生命之光與熱。2025 年當下年輕人宜擺脫草莓族、藍莓族之戲稱，不受速食文化左右，增強抗壓力性，培養挫折容忍力，而關注情緒智理，由此顯示生命體認的重要。不管我們的職業是醫師、律師、教師或企業領袖、員工，除重視職務的完成外，還要注重個人生命層面的提升；不僅注意個人職業為了養家活口，還要注重精神、靈性生命的發展。生命體認強調教育應引導學生思考與生命內涵相關的終極關懷與身心安頓，身心靈整體的課題。

（五）重全人關懷、生活體驗、生死整體發展

　　生命體認教育是一種「全人教育」、「全人關懷」的理念；教育的目的不單是培養學生成「材」，而更重要的是培養學生成「人」（吳庶琛，2000；載於林治平，2001）。生命是從生到死一連串改變的歷程，因此生命體認教育應同時包含生與死的教育，兩者在了解生命的意義皆有其重要性與必要性。生命是整體的發展，無法嚴格的區分開來（張美蘭，2000）。可見生命體認教育是關係整個人一生的生存與死亡教育。

　　關於體驗活動的設計，上課的教材是靜態的教學，而體驗活動的設計卻是有趣又具啟發性的動態課程。透過各種情境的模擬，讓學生直接參與及感受到所模擬情境人物的喜、怒、哀、樂等情緒。學生有了這種情緒就更能體驗別人在某種情境下的需要，更能與別人有良好的互動，進而懂得珍惜生命。體驗生命的孕育，珍惜生命的價值。教育部每年頒獎鼓勵生命教育績優學校人員，規劃活動協助學生珍惜可貴生命，發現生命價值意義（參見教育部生命教育全球資訊網）。例如：設計「生命的辨識」、「生命的孕育」、「意外的人生」、「口繪人生」、「墓誌銘」、「環保人生」、「分享人生」、「和好人生」、「成人禮」、「淨之旅」等活動。學生不但可瞭解人生的價值與意義，也可體會一些殘障者在失去雙手時的不便，進而以更寬容的態度來面對不同人生的境遇。一般人只能看到一個呱呱落地的小嬰孩，樣子可愛討人喜歡，但除了當過媽媽嘗過懷孕之苦與生產之痛外，一般人難以體會。做過「生命的孕育」體驗課程的學生更能體會父母的辛苦，更會珍惜自己的出生是一件艱難的事。伊甸社福基金會舉辦大學生坐輪椅體驗身障者之行動不便，便是基於體認生命教育著重全人關懷、生活難易、生死整體而設計的活動。

（六）提升生命層次、生活品質

　　身體髮膚，受之父母，不敢毀傷，此為顧惜保養從父母而得的肉身生命。聖經明言「從肉身生的就是肉身，從靈生的就是靈」，意味人除了肉身生命之外，還有靈生或重生的層面。「這等人不是從血氣生的，

不是從情欲生的，也不是從人意生的，乃是從神生的。」（約翰福音 1章 13 節）可見重生就是在人肉身生命之外，得著崇高、神聖的生命。這不是俗世教育所能教成的，乃需要藉助信仰力量，教導人重視更高層的生命，提升更高品質的生活。生命體認的落實或可藉助於如英國教育學者所提的靈性教育方案(The Spiritual Education Project)，靈性的發展可協助人類超越個人的生物性（吳庶琛，2000；載於林治平，2001）。足見生命體認是可藉助信仰力量提升生命之層次。由生命教育體認的意涵，可發現個人尊重生命，實現自我願望與尊人生命的態度，設身處地推己及人。提升生命層次和生活品質，仰無愧於天，俯不怍於人。由外而內，從身體生命深入精神、靈性生命，由養身進而養心、修靈。

三、修訂生命體認課程規劃

　　透過生命體認使全人達到自我實現的境界。生命體認並非只著重珍惜身體的生命，如勸導那些活得痛苦不想久留的人重視生命的價值，而是更要教導學子除了保養顧惜身體生命，注意養生外，還須兼顧精神、魂魄生命，良心、靈性生命。生命教育體認課程設計，可溯及 1998 年 2 月台中曉明女中在前教育廳長陳英豪的指導下，成立生命教育中心，從六年的倫理教育課程中，經反覆討論與修正後，提出第一階段的生命教育課程單元。後在孫效智、林思伶等教授指導下，結合了全省各高中十位老師，完成 12 單元的生命教育教材與教師手冊（錢永鎮，2000；載於林治平，2001）。單元名稱，國一欣賞生命、做我真好。國二生於憂患（面對無常）、應變與生存。國三敬業樂群、信仰與人生。高一良心的培養、人活在關係中。高二思考是智慧的開端（能思與會辨）、生死尊嚴。高三社會關懷與社會正義、全球倫理與宗教（存異求同建構立體的生命）。此國高中六年一貫教材設計可提供今 2025 年生命體驗課程規劃參考。進而可做修訂，增強生命課程規劃內涵。生命體認參考研究論文，生命線雲端系統可以協助組織度過疫情等自然災害挑戰，未來又能應用社群媒體與資訊科技，推廣生命體認、自殺防治等是值得深思的

方向（張春玉，2022）。生命教育課程含生涯、倫理、死亡等三面之課程內涵，生涯教育課程內涵之需求高於倫理教育，倫理教育又高於死亡教育（蕭燕萍，2000）。得榮社會福利基金會曾規劃生命教育課程編輯工作，筆者和內人參與文書處理、討論和編輯。以編妥的高中生命教育課程「良心的培養」（注重靈性）、「生死尊嚴」（注重身體生命）、「社會關懷與社會正義」（注重精神心理）為例，可見注重全人身心靈規劃發展，為節省篇幅，原表格經修訂簡述。原生命教育以生命體認稱之，或者較為實際，能身體力行之。由此得知規劃課程以全人發展為標的，參考範例發現生死尊嚴重視身體發展的過程，社會關懷與社會正義重在精神心理的發展歷程，而良心的培養則關注靈性發展歷練。由修訂生命體認課程規劃，如表 1-1，可為生涯規劃重視全人身心靈之發展參考。

表 1-1　修訂生命體認課程規劃

課程主題規劃要項	良心的培養（靈性）	生死尊嚴（身體）	社會關懷與社會正義（心魂）
課程編排意義	欣賞生命掌握良心可塑性，正確價值觀，良心培養，保守真正自我的軟體工程。	認清死亡真面目，經死蔭幽谷絕處逢生，展現生命活力。人規劃有限今生，活得有尊嚴有品味，能正視死亡尊嚴。	建立對社會關心及情境人物關懷之健全意念，正視社會問題，對公平正義具備正確理念，表現關懷情操於實際社會生活。
單元架構名稱	良心寫真。失去樂園之後。良心進化的工程。	眺望生命的地平線。行過死蔭幽谷。生命吞滅死亡。	四海之內皆兄弟。有愛無礙。不信正義喚不回。

表 1-1　修訂生命體認課程規劃（續）

課程主題規劃要項	良心的培養（靈性）	生死尊嚴（身體）	社會關懷與社會正義（心魂）
單元教學目標	**認知方面**：認識良心內涵，失落原因及現象，良心無虧清潔敏銳。 **情意方面**：珍惜良心價值、群己物我天人和諧關係，正視良心失落後果。 **技能方面**：辨別良心聲音、操練敏銳的良心功能。	**認知方面**：認識死亡自然現象意義，臨終情境與安寧療護及喪禮，生命尊嚴可吞滅死亡事實。 **情意方面**：坦然接受死亡事實與情境，正確表達臨終關懷，熱愛生命與人同分享憂與樂。 **技能方面**：適切表達對死亡感受，給臨終親友合適照顧，對生命的責任感。	**認知方面**：認識人類社會是生命共同體，社會問題及未來趨勢，社會正義本質及實現的方法。 **情意方面**：珍惜與群體共同成長機會，對弱勢者的同理心，珍惜社會正義價值增進社會福祉。 **技能方面**：建立人我間交契，充實智能並提升道德層次社會責任感。
教學內容重點提示	闡述認知，概述喚起學習熱忱。	結語激發學生對課程內容有統整概念。	故事選讀、佳文共賞、輔助活動、體驗活動。
教學方法	講述、問題澄清體驗、創意分享。	講述、問題澄清探討、體驗、創意分享。	講述、問題探討、團體體驗、創意分享。

第五節　人生發展與生活生命生涯之關聯

　　前列修訂生命體認課程規劃，闡述教學要項單元主題、單元架構名稱、單元教學目標認知情意技能方面、教學內容重點、教學方法等。在教學實例解說：以「良心寫真」為例，良心的存在─培養良心的前提呼

喚現象—預警、監察功能；感覺現象—賞罰功能。良心的意義—道德、自我、信仰與人性。良心的特質　1.主觀性：只在我之中，對我而存在，不受客觀制裁或報償影響。2.權威性：正義的執行者。3.絕對性：強調無條件的當為與順從。良心的來源有先天論、神賦論；還有原罪觀。可藉助信仰的力量、動力論、避免錯誤的自我形象、互動論、情境失調說；選擇適當的環境等發揮良心該有的功能。良心意念的形成主要來自愛與安全；來自生活週遭的責備；感覺敏銳。良心感覺的種類有道德上的感覺有「神賦論」、「原罪說」。價值上的感覺為「改善自我」。態度上的感覺有怠惰說；意念上的感覺有尋求真理的光照、與自己和好。良心的功能涉及1.判斷（預警）—指示燈或導航員。2.規正（監督）—紅綠燈或防盜警鈴。3.法律（賞罰）—檢察官或法官。此外，生死尊嚴、社會關懷與社會正義可以此類推，為使生命層次提升，從身體進展到心魂層面，再進展到靈性層面。生命價值提升了，生活有重心，樂觀積極進取，生涯跟著有向上發展，規劃籌謀，從孵夢到逐夢，再到解夢，直至圓夢成真，則人生發展璀璨光明、功成名就。

　　本節進而修訂生命教育體認嵌入生涯規劃課程中（鄭金謀，2001），闡釋人生發展與生活生命生涯之關聯。課程內容規劃為未雨綢繆、知己知彼、知能齊備、抉擇關口、全方經營、逆境順心、美夢成真等主題，並擬採多元教學方法，諸如講授、體驗、討論、創意思考、角色扮演等。規劃生涯教育適當課程，原表格修訂簡述如表　1-2。藉此使學生了解生涯正確理念，掌握系統規劃方法，發展生涯能力，知能齊備，未雨綢繆，做好職涯準備及調適身心因應工作，以備將來職場不時之需。

表 1-2 修訂生命體認嵌入「生涯規劃」課程設計

主題	教學目標	教學內容重點	教學法
未雨綢繆	認識生涯意義珍惜生命預作規劃。	介紹生涯之意義、理論，生涯與生命之關係，有怎樣的生命就有怎樣的生涯。生涯著重未雨綢繆，自行規劃做好事前準備功夫，以實現願景，不致留下遺憾。	講述、體驗角色扮演、創意分享。
知己知彼	認識性格能力興趣價值、工作職場。	認識個性、能力興趣、價值觀等，知己進而善用己之能源。認知工作世界，了解各行各業所需知能，達到知彼功夫，進而匹配人與事，務使全人能與工作緊密結合。	多元智慧、講述、體驗角色扮演。
知能齊備	認養生活所需知能，適應多元謀職技巧。	擁有正當職業實現個人願景，知能齊備一般的知能、專業的知能、謀職的技巧等。配合全人教育所需的各方知能，平時就要善自培養，裝備齊全以應付職場之需。	多元智慧、講述、體驗角色扮演。
抉擇關口	面對抉擇關鍵時刻作正確決定當機立斷。	知己知彼之後就要作決定，在各行各業找出符合個性特質之職業。面對抉擇能當機立斷、臨危不亂，藉助對生涯資訊的理解，清楚掌握決策行動的方向。	講述、體驗角色扮演、創意分享。
全方經營	知生涯全方位的經營規劃全方位生涯經營。	生涯經營全方位理念，以全人為導向，以提升生命層次為目標。在實際規劃時著手職業和非職業兩面的活動，務期生涯多元化發展，配合全人身心靈之教育。	講述、體驗角色扮演、創意分享。

表 1-2　修訂生命體認嵌入「生涯規劃」課程設計（續）

主題	教學目標	教學內容重點	教學法
逆境順心	知曉生命常變理解生涯順逆	知悉人生處順境逆境都是不可少的必經歷程，而逆境順心更能促進個人成長。生命要提升其層次，並豐實其內涵，須有橫逆艱困來考驗，人生才能呈現彩虹。	多元智慧、講述、體驗角色扮演。
美夢成真	知曉成功需付出代價美夢成真為生涯的贏家。	成功的生涯為人所嚮往，需培養成功的諸多特性。以生涯經營有成人物作個人效法的榜樣，舜何人也，予何人也，有為者亦若是。豐實生命可實現。	講述、體驗角色扮演、創意分享。

　　由上所述可發現生命體認嵌入生涯規劃之教學中，讓生涯規劃注入生命活力，也讓生命內涵透過規劃而展現豐實有意義。

　　本章綜合前述，特將人生發展與生活、生命、生涯之關聯繪圖顯示，如圖 1-1，也可解說各篇章的名稱意涵。

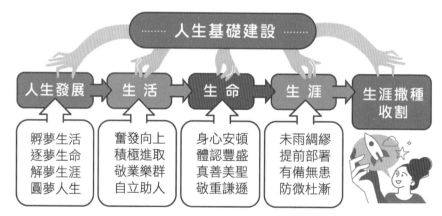

圖 1.1　人生發展與生活、生命、生涯之關聯

課後問題探討

1. 生涯的原意為何？
2. 如何區別廣義的生涯與狹義的生涯？
3. 闡述生命與生涯有何關聯？
4. 人生發展與生涯有何關聯？
5. 略述生涯有哪些特性？
6. 生命體認與生涯規劃有何關係？
7. 說明人生發展與生活、生命、生涯之關聯為何？

生涯活動 ❶　我的人生發展與生涯報告

1. 我心目中的人生發展是什麼？

2. 為什麼人生發展需要從規劃生涯著眼？

3. 我的人生發展到現在，請描述對生涯的認知為何？以及描繪心目中景仰的人物，其人生發展有何值得學習的特點？

4. 分解人生發展與生活、生命、生涯之連帶關係。

生涯活動 ❷ 【放牛班的春天】影片賞析感言

（取材自 http://www.warnermusic.com.tw/）

　　新老師馬修，面對的不是普通學生，而是一群被大人放棄的野男孩：有來自低收入家庭的，有過度頑劣被趕出來的，還有雙親戰死的孤兒。而輔育院院長崇尚「鐵的紀律」，凡調皮搗蛋者，皆關禁閉，校園儼然成為地獄。菜鳥老師雖然常被整得團團轉，但仍選擇背叛院長之意旨，硬是要將學生組一個合唱團。馬修用音樂啟發孩子的潛能，還教導生命的真諦。夏天過了，野男孩個個成為發光的小天使，並擁有一生受用不盡的珍貴寶藏。1 位好老師，勝過 100 個好警察！正因他們的不放棄，挖出叛逆外表下的善良和潛力，小天使才能高聲歡唱生命之歌。即使沒有父母朝夕相處，卻擁有馬修這般讓人感念一輩子的好老師，誰說問題孩子沒有希望呢？

　　請分享這部影片帶給你甚麼感受？是否對你的生涯規劃有影響呢？

生涯活動 ❸　生涯的實像

　　生涯從人生發展的階段或過程，可發現一些值得我們深思之處，在生涯的現象背後究竟隱藏甚麼樣的訊息，意即其實像為何？人孜孜不倦十年寒窗無人問，為的是一舉成名天下知，其背後動機在榮宗耀祖，其才華獲得世人肯定。那些為我們所獨有的，使我們覺得自己有價值的感覺，往往只是電光石火的一瞬，要是我們不懂得抓住和品嚐這一瞬，我們便沒有成長，也沒有興奮。(https://vocus.cc/)用舊式的相機拍照，對焦後的成像是顛倒的。這使人想到你現在看到的就是「實像」嗎？會不會你自以為「頂天立地」，其實根本是個「虛像」？人其實不易覺察自己的盲點，不易分辨自己看到的究竟是「實像」或「虛像」；除非真能處在另一個維度，自提其神於太虛，俯身自瞰；如其不然，可能處於盲目的狀態。可能須脫離「人的維度」之侷限，俯伏謙卑在至高者前，才能領悟另一維度的實像。

　　可參考前所論述，分組討論，分享你對生涯實像的看法，也可舉實例說明想法。討論告一段落後，各組再選一代表報告。

生涯活動 ❹ 生涯孵夢試驗

疫情期間，很多人都噩夢連連，多人出現夜驚狀況，夢對心理健康是有幫助的，無論美夢或是惡夢都有意義，可以透過夢的解析，了解潛意識的訊息（健康醫療網，2021）。夢可是通往潛意識的橋樑。潛意識是我們平常生活不會意識到的，如當下忽略的訊息、壓抑的慾望、可能不想接觸與面對的事物等，這些訊息可能內心藏了起來。夢可像是夜晚的清道夫，用不同於白天的特殊方式幫我們整理一天龐雜的資訊。不過孵夢採自然方式，無須假柔造作，順其自然，壓抑獲得紓解。

生涯孵夢按部就班，想要孵出美夢，睡前可以多想自己想做的事情，多想愉悅的事物，多朝積極正向的方向前進，避免睡前接收憤怒、擔憂、恐懼的訊息，以免引發恐懼、焦慮的情感貨情緒。類似向你的夢境許願，給你一個方向，幫助你更了解自己的現狀。讓深內在、潛意識的自己，透過夢境的畫面，觀察煩惱的所在。要先有意識地將困擾的問題帶進夢中。透過夢境獲得啟發，可以在睡前，寫下想要孵夢的原因，和希望能解決的問題。睡前寫下來，或者思考自己想解決的困擾，整理目前已經知道的情況。針對困擾提問，為什麼無法如期達成計畫？我該如何？重複在心中默念問句，讓自己逐漸進入睡眠與夢境。不論你做什麼夢，醒來馬上紀錄，有時夢醒，或許突然知道夢所傳達的部分意思，或夢可能有許多情境與故事，或以另一樣貌出現。

你可參酌上述說法為個人生涯孵夢。若是真的孵不出夢來，也不用勉強，只要心中有夢，希望相隨。細想從孵夢、逐夢至解夢、圓夢自己可參與的過程。

生涯活動 ❺　生命的回顧、願景的統整

　　請先回顧自己的生命經歷，描繪自己過去的生命旅程，並統整自我的願景，為未來生涯規劃畫下一幅美好藍圖。

第 1 週：　寫下自己的生命回顧，然後找好要回應的對象。

第 2 週：　發表自己的生命回顧，然後請上週選擇要回應你的同學回應你發表的內容。

第 3 週：　畫一條屬於自己的生命曲線，分人生學習階段（小學／國中／高中）畫出每個開心及不開心的時刻。

　　　　　譬如：「畢業」那天，解脫綑綁的時刻；高中職生活充滿快樂的回憶；出現小插曲－被好朋友背叛、不諒解，好難過等。

第 4 週：寫出人生中的三件大事。

　　　　　譬如：受到國中、高中職老師影響和鼓勵，對數理產生興趣，同時也影響在大學時選擇就讀數理相關科系與選修教育學程；高中職畢業後，第一次離開家，五味雜陳，學習獨立自主，遇到挫折，無論生病、受傷、受委屈時，學會獨自面對。

　　藉由這樣一個月的生命回顧，同學們是否看到了過去生活珍貴的點點滴滴，也發現影響自己最深遠的是什麼事呢？希望藉由這樣的生命旅程回顧，可以幫助你面對未來更有想法、不再感到迷惘。

02 生涯學理話綢繆規劃

Life-Career Planning & Development

本章學習目標

1. 解説生涯類型論人格與職業的配合。
2. 領會生涯角色、生涯彩虹。
3. 認識生涯學習需求動力論之要點。
4. 知曉訊息認知與生涯自我效能之關聯。
5. 洞悉職涯調適規範論。
6. 解析新近的生涯學理。
7. 伸縮生涯規劃的真義、圓夢。
8. 分述生涯規劃之目的、良方。
9. 明瞭生涯規劃在個人心靈所扮演的角色。
10. 理解影響生涯規劃之內外在因素。

【引言與摘要】

　　本章接續前述人生活計籌生命成長，人生發展構建生涯架構，進而闡述生涯的主要學理。在基本的學理上，發展階段論著重一生的發展，階段性發展的任務。類型媒契論強調職業和個性的契合。學習需求動力論重視生涯發展的過程須不斷學習，需求強弱和職業分類關係密切，強化職業選擇之內在動力。至於認知效能決定論強調認知訊息處理之系統運作，自我效能增強生涯決定。而職涯調適論強調個人特質與工作適應之聯結，行動規範論透過組織規範生涯正確行動。再述新近的學理，生涯建構論聚焦個人是生涯的主人，自行建構其生涯，自主性職業選擇決定方向。生涯混沌說強調生涯發展的混沌本質，無法提前預知卻可決定，混沌中醞釀著定數。生涯流動說聚焦自然界無規律且無不變的現狀事務，探討工作多重經驗的複雜現象，覺察經驗流動背後隱藏的意義，也可尋到秩序法則不變性，作擇業生涯決定。

　　接著在闡明生涯規劃之意涵時，先描繪生涯規劃之樣貌、例證、圓夢、夢想實現、信念。後闡釋生涯規劃之真義，以立定志願夢想願景、未雨綢繆提前部署、妥善安排籌謀預定加以說明。2020 年新冠病毒防疫期間，提超前部署，防爆封城兵推，隱含生涯規劃防疫、保命之意。生涯規劃的重點擺在目的和方法上，目的在激發潛能，找到適性工作，突破內外障礙，使人生充實而有意義。規劃良方如採用進階規劃法，按部就班循序漸進。胸竹腹綸法胸懷未來生涯形象，腹中含有規劃治理，能實現夢想。在 2024 年尾，2025 年開始之後，規劃持續進展，執行後檢討改進修正。生涯規劃扮演的角色，融入相關學習領域、融入課程教學研究，在心靈震撼上扮演的角色有其現實性、限制性。規劃部署的人生朝正向途徑發展，生命自然豐盛盈滿。終述影響生涯規劃有內在自我和外在環境物質因素。內在因素涉及生涯主人的人格興趣能力價值觀，外在因素涉及政經社會生態科技現況，內外在因素交融影響生涯規劃，謹慎察覺事出有因，因應所需，需適時規劃勝券在握。

第一節　概觀生涯之學理

一、基本的生涯學理

　　基本的生涯學理，大致是在 20 世紀中末發展興起的生涯理論。涉及解析生涯發展、職業選擇、職涯抉擇、生涯決定等生涯的學說，眾說紛紜莫衷一是。有類型特質論、一生發展論、特殊焦點論，如心理動力觀、父母影響論、社會學習論、生涯決策論等(Richard S. Sharf,1997)。另有聚焦於內容、過程、內容及過程的學理，如全人發展、生涯決策學習論、社會認知生涯論、認知訊息處理、人格發展與生涯抉擇、發展情境論等(Wendy Patton & Mary McMahon, 1999)。彙整生涯學理，分成發展階段論、特質類型論、學習需求動力論、認知效能決定論、工作適應與行動規範論。扼要說明如下。

（一）發展階段論(development/ stage theory)

1. 舒波(Super,1984,1990)著重一生發展的生涯論

(1) 理論基礎：舒波擷取 Havighurst 提出的發展任務論觀點，探討工作之前及實際工作的任務。以長期追蹤研究，參酌有關人格形成、發展與轉變的論述，漸成一完整的生涯發展理論。他採用心理評量工具，如職業興趣量表以增進自我了解。主張每種職業需要特別的能力、興趣與人格組型來承擔，但每個人可從事許多不同的職業，不同的個人也可從事同樣的職業，由此奠定發展論的基礎。個人的職業偏好與自我觀念會隨環境、時間與經驗而改變，個人的職業或生涯發展模式受父母社經地位、個人心理能力、人格特質和際遇的影響極大。而職業的選擇與適應是一種持續不斷的過程，由此構成一系列的生活階段。生活階段的發展程度，端賴個人能力、興趣、成熟度與自我觀念的發展如何而定。

(2) 生涯三層面：舒波注重個人發展階段中自我觀念的發展，不同的發展階段有不同的生活角色與發展任務，並以不同發展階段所滋

生的生涯議題及問題為解決的課題。舒波認為人生的整體發展是由三個層面所構成，即時間(time)、範圍(breadth or scope)、深度(depth)等。其中時間（長度）是指一個人的生命旅程長短或年齡階段，大致可以區分為：成長(growth)、探索(exploration)、建立(establishment)、維持(maintenance)、衰退(decline)等五個階段。範圍（寬度）是指一個人終身所扮演的角色或職任，人可能無法增加生命的長度，但可以開拓範圍，增加生命的寬度，扮演多重角色，身兼數職。深度（高度）指個人在工作生活上所扮演角色涉入的程度，涉入愈深，愈能展現生命的不可測度。由此長度、寬度、高度組成生涯的立體圖，可多采多姿，構成一幅生涯彩虹(life-career rainbow)圖。如圖 2-1 可謂人生一幅完美的立體圖。

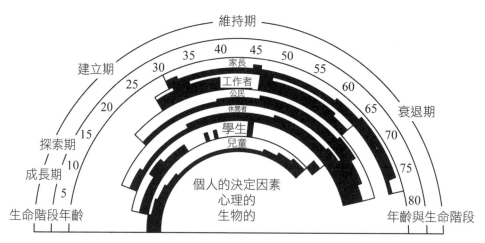

圖 2-1 生涯彩虹(life-career rainbow)

(3) 發展階段與任務：舒波強調生涯發展和身體動作、心理情緒發展一樣，都是每個人整體發展的一部分，而且從嬰幼兒期就起始了生涯。他以人類發展階段為基礎，將生涯發展依年齡不同分為五個階段。不同的階段有不同的生涯特點、發展重點和任務。在個人角色與發展過程中，隨年齡的增長而扮演著不同的角色，但角色的消長除與年齡及社會期望有關外，與個人所涉入的時間及情

緒狀態也有關連。每一個階段都扮演著顯要角色(role salience)，如 15~20 歲顯要角色為學生；30 歲是家長；45 歲時，工作角色突然中斷，又恢復了學生角色，公民與休閒的角色也逐漸增加，此正面臨「中年危機」(midlife crisis)，而危機也是一種轉機。面對問題必須再學習、再調適才有可能處理職業與家庭生活中所產生的問題。亦即若某一個角色因某些因素而不顯著時，其他角色可能就會特別突顯，以重新調整並展現個人的能力、興趣與價值觀。而各個角色彼此間又有相關，因此在扮演每一個角色時必須十分用心，才能使生涯發展完整以至成熟。在發展歷程中，每階段都有一些特殊的發展任務需要完成。發展任務係指在階段上應有的發展或成就水準，社會對各發展階段中的個人，於準備或參與活動的歷程中所持的期望。各階段的發展任務又呈現「成長－探索－建立－維持－衰退」不斷循環狀(Super, 1984)。個體從成長、試探到維持、衰退，從這一連串的發展歷程，可以顯示生涯發展的成熟程度。

(4) 理論驗證：生涯發展論曾獲實證研究普遍支持(Osipow, 1983)。美國在七十年代開始推展生涯教育時亦曾受其影響。舒波的生涯發展論對中年期與老年期的發展及適應社會變遷，提出一些關鍵概念，如「中年危機」等，讓學者有研究的空間。然而生涯發展論似乎較忽略經濟與社會文化因素對發展的影響，且學習與職業之相關亦有深入研究的必要。而生涯發展論所涉及的範圍過於廣泛，如人格發展、生活方式、適應行為等皆包含在內，且各變項間關係過於複雜，有待執簡馭繁。

2. **霍爾(Hal1,1976)的四段發展論**

(1) 探索期(exploration stage)：為自我檢查、嘗試角色及尋找職業的的時期。探索期的後半段為「試驗期」，在此時期個人將找尋適當的工作，並嘗試將其作為生活中的主要職責。個人可能會改變幾次工作，其目的在於希望自己的需求、關注能和某種特殊工作的要求及利益相配合。

(2) 確立期(establishment stage)：在處於青春期的同時，個人會以澄清自我概念的作法去尋求建立自己的特性。因此這時期也稱為「進入成人世界」的時期。包含了成就與升遷，個人關心本身在組織中的表現與成就。此時期乃是個人對組織、事業和人們表示忠誠及給予承諾的時期，亦是呈現大事底定的時期。

(3) 維持期(maintenance stage)：個人強烈的依附於組織，失去選擇某些工作的彈性與機會，不可能達到其個人事業生涯的顛峰。個人可能會遭遇所謂的「中年危機」。由於此時期個人會相當在意身體機能的老化、接近死亡、對事業的成功有限、意識到所有的目標可能都達不到、工作與家庭關係發生變化、覺得被群體冷落排斥，及逐漸變得落伍等。此時期依每個人如何應付危機情況不同，可能會有成長、維持或停滯不前的情況發生。

(4) 衰退期(decline career stage)：面臨退休問題，如果一個人覺得還不準備退休，不同意強迫退休時，便產生了身心適應上的問題。退休、老化、健康等問題接踵而至，都在考驗生涯成熟度。

3. **史確(Schein, 1978)強調生涯階段與任務觀點**

(1) 生命發展的基礎：史確認為生涯週期的階段和任務與生命發展有著密切關係，因為兩者都和年齡及文化規範有關聯。但生涯發展與生命發展仍有區別，每個人都有生命、生活，但並非都會有其生涯或事業生涯。史確從社會及生物層面探討個體發展和任務，認為生涯發展的第一個重要時期從青春期（18 歲左右）至 30 歲之前，亦即個人離開家庭創建獨立的成人世界之時。期間奠定自己的事業和家庭，個人精力充沛、熱誠、有理想，對自己肯定、有信心，但還需有反省重估。

(2) 生涯週期的階段與任務：著重個人在機構內的生涯發展情形。在0~21 歲，角色是學生、求職者等，特定任務是奠定基礎，獲得適當的教育與訓練；面對的課題為發現個人能力、需求和興趣、找尋典範、蒐集正確資訊，從工讀發現事業興趣。初進工作世界16~25 歲，角色是新手、新進人員，調整需求，第一份工作的抉

擇。基本訓練角色為受訓人、新人等，適應例行工作，儘快了解組織文化。生涯早期的工作世界 17~30 歲，角色為新進專職工作者，決定是否留在原組織，有效率工作。生涯中期的工作者 25~35 歲，專職工作者、督導、經理，專長投入，發展長程規劃，處理挫折，謹慎評估決定下一步。進入 30 歲，大部分人會為自己事業生涯作一評估，重估事業的久暫，個人可能就此穩定或轉向。此時重要工作是：事業的開創、婚姻的經營、子女的養育、理財及其他任務的完成。生涯中期是 35~45 歲，重估進展，找工作良師，評估未來生涯。45 歲左右進入中年，可能有的會面臨職業轉換或危機處理，對生活事業投入相當深，有的仍不滿個人才華潛能未受賞識。此期的作法和年輕人的夢想希望顯然不同，已顯得穩重成熟。中年之後至退休之前，個人需要面對孩子長大成人並離去，與配偶建立新的親密關係及生活型態。60 歲之後，評估事業生涯，要面對從工作行列退下來，因身心功能和社會角色的改變，個人面臨生涯的另一個轉換和不確定階段，要處理漸衰的體力，及無法逃避健康、疾病、退休等問題。退休之後適應巨變，卻要實現生涯願景，維護個人尊嚴價值。

4. 人一生發展各階段的描繪

孔子自述一生生涯：「吾十有五而志於學，三十而立，四十而不惑，五十而知天命，六十而耳順，七十而從心所欲不逾矩。」人的一生，大致少年 15、20 時在求學階段，是學業奠基時期。學成之後，回饋社會時期，進入就業市場，接受環境考驗。30 歲可為人生一個關鍵時刻。在 30 歲前還在「摸索」階段，三十而立，創立事業不斷累積經驗，40 歲以後，真正發揮個人才智，生涯發展創造高峰。大專畢業青年可為自己訂立四個十年計畫。第一個十年，立志嘗試建立個人志業，培養個人事業興趣。第二個十年，在既定的事業上力爭上游，奮鬥不懈，以贏得青睞，並建立初步的功名事業。第三個十年，以既有的成就為基礎，繼續努力以創造個人事業的高

峰成就，並回饋社會，為社會貢獻才能。第四個十年，維繫既有成就，增加人生閱歷，磨練待人處世技巧，期能表現個性圓融純熟的特質。依此可自行擬訂一套多個十年計畫並實施。

（二）特質類型論(trait-factor typology theory)

有關特質類型論，乃就生涯抉擇或職業選擇所考慮的個性特質或人格類型加以媒契整合之，也可稱為媒契論(matching theory)。

1. 特質論強調個性與職業的匹配

特質論著眼於個人特質與特定職業需求相配合。透過心理測驗來測量工作相關的因素，以預估未來工作成功的機率。其特色在假設個人都具有獨特的能力或特質組型，可加以客觀測量，並與各不同類型之工作需求相匹配。然而測驗有其限制，不能過分依賴測驗結果來預測個人未來生涯的走向。假定每個人依據現有的能力，擬訂單一的生涯目標及生涯決策，往往會忽略了生涯發展過程中其他應考慮的內外在因素，如個人興趣、他人關注等。所謂人各有志，各有不同的志趣，但志趣並非單一的，人還有興趣廣泛的一面。此論對個人提供有關職業資訊的服務，使個人對職業有正確的態度與認識，進而作正確的職業選擇，對職業輔導確有貢獻之處。

2. 霍南(Holland, 1985)的類型論將職業分類與人格類型相對應

(1) 立論基礎：類型論由特質論衍生出來，並加以發揚光大。霍南認為生涯選擇是個人在認同特定的職業類型後，面對工作世界表露其人格特質；自我與職業之間的一致性，則構成了個人典型風格(modal personal style)。此風格類型是經由個人的遺傳、父母對待子女的態度特質、個人對生活環境的反應等形成的。而個人能力、潛能與專長係隨著年齡的增長，從早期的親子活動及對童年玩伴的偏好興趣，逐漸發展開來，其人格類型與職業環境呈現不同的面貌。他特別強調自我認識對追尋職業滿足與穩定的重要性。類型論源於人格心理學，視職業選擇為個人人格的延伸，並

以職業生活的範疇說明個人行為型態的實際表現。其研究重在如何為每個人找出適合其人格獨特性的工作類型，以產生某種程度的契合。其實人格會影響職業的選擇；一種職業就好比一種生活方式、生活環境，由此可形成多數人對職業的刻板印象。個人對職業的滿意度、穩定性、成就感，取決於個人的個性特質和職業生活方式之間的適配程度。兩者愈適配，則成就感愈高。

(2) 六種類型及特色：霍南研究發現人格特質可區分六種類型：實際（實用）型(Realistic)、探究型(Investigative)、藝術型(Artistic)、社會型(Social)、企業型(Enterprising)、及事務（傳統、保守）型(Conventional)等。多數人均可被歸納為六類型中的一種，其實並非僅可歸為一類型，而每一類型有其不同的職業環境；每一職業環境均有相對應的人格類型支配著。人們尋求適合其人格類型的環境，以培養或訓練所需的技巧和能力，並表現其態度和價值觀，同時扮演相當一致的角色。個人人格特質與所處環境交互作用的結果，出現相對應的職業類型，並在職業生涯方面扮演適切的角色。六種人格類型可用六角形來加以表示，由此可看出相對的類型和相鄰類型關係，以及每一類型特色。如圖 2-2 所示。

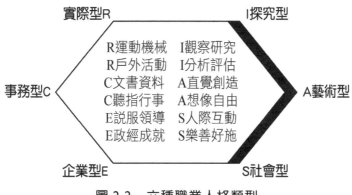

圖 2-2　六種職業人格類型

底下畫表說明各類型的人格特色及典型職業。如表 2-1 所示。

表 2-1　職業人格類型特色

類型	人格特色（行為表現）	典型職業
實際或實用型 R	坦率自然、謙虛有禮、順從害羞、穩健堅毅、節儉踏實、務實，偏重體力活動，喜歡運動，機械能力較強。偏愛實用性的職業或情境，避免社會性的職業或情境。以具體實際的能力解決工作問題，較缺乏人際關係方面的能力。重視具體的事物或個人明確的需求，如金錢、權力、地位等。	一般勞工、工匠、農夫、機械員、電器修理員、工程技師
探究型 I	喜歡動腦筋、敏於思考、分析、判斷評估，可以從事學術研究工作。具有謹慎精確、批評好奇、內向獨立、條理分析、謙遜保守、聰明理性等特徵。其行為表現喜愛研究性的職業或情境，以研究的能力解決工作問題，自覺好學、有自信、重視科學，但較缺乏領導的才能。	物理學家、化學家、心理學家、演辯家、工程技師、數學家
藝術型 A	重視美感、富幻想、直覺的，有豐富的想像力和創造力，可從事文學、音樂、美術方面的創作。具有直覺想像、衝動、獨立、無秩序、情緒化、理想化、不順從、有創意、富有表情、不重實際的特性。重視審美的特質。喜愛藝術性的職業，擁有藝術與音樂表演、寫作語言方面的能力。	音樂演奏者、畫家、室內設計裝璜員、歌唱家、園藝人員、劇作家、小說家
社會型 S	喜歡與人接觸交往，助人為樂，社交能力較強。具有友善慷慨、助人仁慈、負責圓滑、善解人意、說服他人、富洞察力等特性。其行為表現為喜愛社會型的職業或情境，並以社交方面的能力解決工作的問題，但缺乏機械與科學能力。有教導別人的能力，且重視社會與倫理的活動問題。	社會工作者、輔導員、教師、教授、護理師、醫師、傳教師
企業型 E	有說服、領導能力，在政治經濟方面嶄露頭角。具有冒險野心、獨立判斷、樂觀自信、追求享樂、精力充沛、善於社交、獲取尊嚴、知名度等特性。喜歡企業性質的職業或環境，會以企業管理能力解決工作方面的問題。重視政治與經濟上的成就。	行銷員、民意代表、經理、出納員、銀行行員、政治家

表 2-1 職業人格類型特色（續）

類型	人格特色（行為表現）	典型職業
事務或保守型 C	依規矩行事，喜歡處理文書資料，較為拘謹含蓄順從。謹慎保守、服從規律、堅毅穩重、有效率、但缺乏想像力等特性。喜歡傳統性質的職業與情境，會以傳統的能力來解決工作方面的問題。喜順從別人、過規律的生活。有文書整理與表現數據能力，並重視按部就班經濟上的成就。	資訊處理人員、辦公室祕書、出納、行政助理

(3) 類型評論：此類型論強調個性差異，尊重個人自主性和選擇權，其簡明清晰的分類方式提供個人探索職業適性的參考架構。然人格類型除霍南所區分的六種類型外，或許尚有其他類型，如年輕人超越傳統類型，對日後職業的選擇或許有另類的發展。特質類型論闡述人格與職業的適配，確有其理論依據和事實佐證。若從全方位角度言，除職業外，其他如進修、健康、人際、婚姻、家庭、理財、休閒等的規劃是否和人格有密切關聯可深入探索。

（三） 學習需求動力論(learning, need, psychodynamic theory)

1. 社會學習論重視生涯選擇中學習的過程

(1) 影響生涯學習之因素：社會學習論為班都拉(A. Bandura)所創，強調個人獨特的學習經驗對人格與行為的影響。個人的學習經驗有工具式學習、聯結式學習以及獨特的經驗，而由於獨特的經驗才能轉化消極的制約學習為主動歷練。社會學習論者克魯伯(J. D. Krumboltz)認為生涯發展的過程所涉及的學習因素，如遺傳天賦、特殊才能，可能限制或影響個人學習的經驗與選擇的自由。而環境情況或特殊事件，如教育訓練機會、社會政策、社會變遷、家庭等非個人所能控制的因素，這些對個人的生涯學習與職業抉擇有重大影響，常超出個人能控制的影響因素。而個人所發展的任務或工作技能，如解決問題技巧、工作習慣、情緒反應、

認知歷程等都會影響其生涯抉擇,而使生涯發展歷程不斷演進。每個人在一生中獨特的直接或間接學習經驗,會發展成基本的影響力量,而左右其生涯選擇。克魯伯進而指出影響個人對職業抉擇的因素,包括遺傳、環境事件、學習經驗、認知與情緒反應和技能等(Mitchell & Krumboltz, 1990)。這些影響因素交互作用的結果相當能產生對個人自我表現的評估或推論(generalization),包含興趣、偏好、工作價值觀等,均為學習的結果,為生涯抉擇的重要關鍵。對環境與未來發展所做的評估與推論,還有個人對自我與對俗世的概觀是否正確完整,須視學習的經驗而定。而工作取向的技能,包含適應環境的認知、操作能力與情緒反應、及自我評量對未來事件的預測能力。其中與職業抉擇有關的,有價值觀念的澄清、目標的決定、尋找不同的解決途徑、蒐集資料、預測、計畫等。在行動上綜合各種學習經驗,對自我及環境進行的評估與推論,以及處理事務的能力,進而採取實際的行動。

(2) 生涯學習之評論:此論從個人遺傳及環境學習的認知,相當對生涯決策提供化繁為簡的過程,對後學者作決策時提供簡明做法可有助益。在社會學習模式中,影響偏好的因素由認知歷程、環境中的相互作用、遺傳的個人特質等構成。在職業生涯偏好的發展也涉及遺傳和環境的因素,如一個籃球教練在訓練選手們的技巧時,以身材高的選手和矮的選手作比較,當然前者較有機會出線。其他影響職業偏好的正面因素,如肯定的言詞和印象,書刊以富有魅力的言詞描述某職業特色,會引起個人對該職業的正向反應。社會學習論的實用價值高,對職業試探與決策能力的學習已有系統的步驟與方法,可供輔導員設計適切的訓練計畫,培養本身自我評量或作決策能力。近來又與認知行為學派相連接,對個人內在認知歷程作深入研究,頗有價值性。另發展一連串的團體方式來進行訓練及研習,提高個人決策能力,以增進生涯決策的發展成效頗佳。本理論雖將許多決策觀點,作一統整的探討,但對個人在抉擇歷程中的心理反應卻未深入研究,尚待推敲。

　　社會學習論強調選擇歷程與篩揀歷程，及社會體制對生涯選擇與發展的影響，影響職業選擇與發展的心理、經濟、及社會因素，都值得探索。個人對於職業選擇，係透過家庭影響、社會地位、關係、角色特質，加上生理因素，決定個人的職業偏好，而依此作選擇。篩揀過程是由社會相關的因素影響與生態的條件來決定，如資源、地理氣候等。一個生長於鄉村，為家計著想的人可能傾向選擇農業。在以工商為主的經濟發展，務農人口有老化現象，政府雖重視經濟成長，但不夠鼓勵農作或機械化生產，年輕人留在農村的鳳毛麟角，須對社會學習論作一適當補正。

2. **需求論認為早年經驗與個人需求強弱、職業分類相關**

(1) 立論基礎：羅伊(Ann Roe)依據其從事臨床心理學的經驗及早年對有關各類傑出人物的適應、創意、智力等特質的研究結果，綜合精神分析論、墨瑞(G. Murray)的人格理論與人本心理學馬斯洛(A.Maslow)的需求層次論，構成其需求論。早期親子關係、環境中的經驗、遺傳特性的結合，決定需求結構的發展。認為早年經驗會增強或削弱個人高層次的需求，進而影響個人的生涯發展。個人經由與他人的互動，或不與他人互動有關的活動，學習去滿足各樣發展的需求。職業的選擇主要是涉及人際導向的職業，如服務業，或非人際導向的職業，如科技相關的行業。至於需求的強度是激勵個人尋求職業結構中階級層次的主要決定因素。

(2) 早年經驗、父母教養與職業分類：根據羅伊(Roe,1984)的看法，父母在孩子的成長過程中對孩子接納或拒絕，家中氣氛是溫暖的或是冷漠的，自由放任或保守嚴厲，會在孩子所做的職業選擇上加以回應。羅伊強調早期經驗對日後的職業選擇與行為的影響，以及個人心理能力的運作會影響個人生涯能力的發展。而心理能力的發展方向又受遺傳與環境的交互影響，尤其早年遭遇的挫折與滿足的經驗對其心理需求的發展有重大的作用。而需求的滿足程度與個人早期經驗息息相關，若需求獲得滿足，則會成為有意

識的動力來源。若高層次的需求如自我實現、審美、領悟人生真諦等，不能獲得滿足時，則這種需求將會消失而不再發展。如果低層次的需求（如生理、安全等）未獲滿足，將會驅使人去滿足此等需要來維持生存，而間接地妨礙了高層次需求的發展。羅伊認為需求滿足的發展情形與個人早期家庭氣氛及成年後的職業選擇有密切的關係。由此親子間的互動關係應可分為三類：A.心繫子女(emotional concentration on child)、B.逃避(avoidance)、C.接納(acceptance)；再配合父母管教的溫暖或冷漠，而形成六種情況：A1.過度保護，對子女有高期望，只有子女達到了要求才給予認同；A2.過度要求，對子女劃出「標準行為」的規範，當子女的行為合乎標準時，才會施予獎勵。B1.拒絕型父母，只滿足子女生理方面的需求，卻忽略了心理上的需求。B2.忽略型父母，趨向冷漠，對兒女不聞不問。C1.關愛型父母，不僅能滿足子女的需求，而且也會鼓勵、支持子女發展獨立主動性。C2.容忍型父母，多採取自由縱容，任其發展的態度。

(3) 需求論評述：羅伊認為早年經驗會增強或削弱個人高層次的需求，進而影響個人的生涯發展。我們所選擇的工作環境偏於人際導向或非人際導向，往往會反映出幼年時的家庭氣氛。如果我們從小生活的環境是充滿了溫暖、關愛、接納或保護的，就可能選擇與人有關的職業（人際導向），包括服務、商業、文化、藝術與娛樂、或行政等。如果我們生長的環境是一個冷漠、忽略、拒絕、或過度要求的家庭，便可能會選擇科技、戶外活動或科學類的職業（非人際導向），因為這些職業的研究範圍，是以事、物和觀念為主，不太需要和人有直接、頻繁的接觸。上述的服務、商業交易、行政、科技、戶外活動、科學、文化和藝術娛樂等構成八大職業組群。此種分類簡明易懂，但事實上不見得職業的選擇都照此模式，因為早年家庭不和諧的，父母冷漠的，孩子卻選擇人際導向的職業，也是一種反向發展。也有早期家庭溫暖和諧互動的，卻選了非人際導向的職業，為要嘗試非典型的發展。

3. 心理動力論強調內在動力對職業選擇的重要

(1) 立論基礎：心理動力指以動機、願望、需求、驅力等內在行為來詮釋生涯選擇的理論。此論起源於精神分析論，視工作為滿足衝動和昇華願望的方法。福洛德雖承認工作對社會的重要性，卻並不特別重視職業方面的問題，甚至認為工作對個人而言，是一個不愉快但仍需完成的責任。後來新福洛德學派卻十分重視工作的意義，並認為它是滿足需要且促成個體心理發展的要素，如鮑丁(Bordin,1984)等人強調個人內在動力和需要的動態心理因素對個人選擇職業歷程的重要性。職業選擇是為了滿足一些早期所建立的需求。個人選擇職業時，要考慮精神分析論所提需求的滿足層面。以口欲攻擊層面(oral aggressive dimension)而言，切、咬、吞的滿足，與咀嚼和咬食時牙齒的使用有關，而切割「啃咬」文字，如一般咬文嚼字的作家，為文攻擊謾罵人，不留情面。口頭攻擊層面的人亦會藉使用如切割物體的工具得到需求的滿足。政論性節目名嘴對不同理念攻擊謾罵司空見慣。進而另有操縱層面(manipulative dimension)，乃由物質的操縱層面推測其心理的層面。操縱層面有生理性的，使用身體力量或機器；還有心理性的，如以心狠手段來影響或控制他人。操縱層面的假設，以操縱或控制他人為滿足的人，會尋找一些工作來獲取需求的滿足。

　　心理動力論認為人格與工作或生計的關係，可用「遊戲」扮演的角色來說明。遊戲是一種表達自我、實現願望的方式，也是一種需要，此種需要會刺激個人在尋求自我滿足的職業，把工作與遊戲揉合成一體。而在此發展過程中，最主要的關鍵在於個人人格發展歷程中對雙親的認同作用，若親子雙方交互關係良好，則外在要求與遊戲的需要滿足，融合在一起，工作即成為愉快有趣的經驗；否則將會使工作變成無趣的負擔。部分精神分析學者發現，職業適應困難的原因與早期所認同的對象及程度有關，由於認同作用的結果，個人對職業的價值觀和態度與認同的對象相

去不遠；認同作用愈顯著，其相似度愈高，對個人生涯角色的選擇愈影響重大。若與認同對象有衝突，則需再解析才能了解。

(2) 理論評述：此論採精神分析論的說法，強調內在動力、潛意識、本能對生涯發展的影響，是有其貢獻。心理動力論認為工作是一種昇華作用，其基本驅力不限於福洛德所提性方面的動力，應擴及其他需求。鮑丁等人假定職業是用以滿足個人的需要，如果個人有自由選擇的機會，必定會選擇以自我喜好的方式來尋求滿足需要又免於焦慮的職業。亦即在選擇的過程中，每個人早期經驗所形成的適應體系、需要等人格結構，乃重要的心理動力來源。心理動力論重視生涯選擇的個人心理動力因素，可以彌補特質論的不足。在職業輔導方面，對當事人的需要及可能因一些心理因素造成的困擾，特別加強研究；而且也特別重視當事人自我功能的加強。強調職業資料蒐集的重要，並深入分析當事人的心理動力，如其需求獲得滿足的程度，如何獲得滿足等，以提供當事人完整的職業訊息。此論較考慮個人的內在心理動力因素，而忽略了個人外在環境文化機運等因素對職業選擇的影響。同時不強調發展任務或職業成熟的概念，可能會忽略那些不能從工作經驗中獲得滿足者。基於個人有自由選擇機會的原則，卻少有人能符合。此論太注重個人早期經驗對職業發展的影響，大多根據臨床資料，未具體說明個人的生涯發展特性與身心需要的交互關係。

（四） 認知效能決定論(cognitive efficacy decision theory)

1. 訊息處理(information processing)強調認知訊息的系統運作

了解訊息處理涉及認知系統運作，可有效解決生涯問題。如果要提升個體的生涯問題解決能力，可從加強訊息處理能力著手。彼得森等人(Peterson et al., 1991)參考有關訊息處理學說的架構，將處理訊息能力按照生涯輔導的特性，組合成一個訊息處理層面的「金字塔」，是由基礎層（知識層）、中間層（決定層）、上層（執行處理層）等三個層面組成

的輔導策略。由此了解個人如何由下而上循序漸進作好生涯決定，並應用資訊於解決生涯問題與作決定。訊息處理的階段始自篩選、轉譯，以至短期記憶中的編碼輸入，然後儲存於長期記憶中。其後再啟動、取出，並轉換成操作記憶，以解決生涯問題。生涯問題的解決主要是一個認知歷程，此歷程包括一般處理技巧，溝通（接受、編碼和查詢）、分析（確認及將問題置於概念性架構中）、合成（訴諸行動）、評價（判斷每一行動的成敗及影響）、執行（計畫的實施策略）。此理論強調認知的角色，作為一個媒介力量以引導個人產生較大的動力與控制，以決定自己的命運。訊息處理又涉及社會認知(social cognition)生涯論，從班都拉的社會學習論及生涯效能論發展出來，強調生涯選擇是自我概念和環境學習經驗交互作用的產物。由社會認知，了解環境中人際互動關係、觀摩仿傚學習，以及自我效能決定生涯的選擇方向。

2. 自我效能(self-efficacy)強調效能對生涯選擇的關鍵地位

　　自我效能是人們達到特定成就表現的自我判斷，繫於個人達成特定目標行動的信心。認為在婦女職涯選擇上，其生涯自我效能信念所扮演的角色比興趣、價值觀、能力更重要(Hackett & Betz, 1981, 1986)。因為傳統婦女受限於養育子女，對職業訊息較難掌握或缺乏效力。個人對自我期望不高，生涯抉擇會產生低的效能，會損害生涯的最佳選擇與個人發展的可能性。有四種訊息來源對自我效能有不同的影響力：(1)曾表現的成就，相關的成敗經驗，對自我效能的影響最大；(2)學習經驗，指觀察學習、角色楷模等影響力居次；(3)口語說服如鼓勵，影響力不足；(4)生理激發，如容易緊張，影響力較弱。個體所知覺到的自我效能，可預測能力的表現。在選擇方面，成功的經驗帶來選擇所擅長的，如在科技大學工科最強，所以選擇進機械工程系；反之，我避之惟恐不及。

　　自我效能強讓當事人秉持這樣的信心，在行為表現上產生良性循環，如這次期中考得心應手；如果遇到了困難與挫折，也能奮鬥不懈，如在哪裏跌倒，就從哪裏站起來。將自我效能理論應用到生涯諮商與輔導，稱為「生涯自我效能」（金樹人，2011）。此論進而描述生涯選擇的

內容的領域如數學、科學或寫作，與生涯選擇的歷程（促進生涯實踐的行為領域）。個人可能基於低度的自我效能而避免從事某一生涯領域相關的工作。而自我效能弱，可能導致生涯決定延宕，或避免作決定。

職業自我效能可有力的預測學生的選擇領域，學術自我效能可作預測其在學術的堅持與成就(Taylor & Betz, 1983; Taylor & Popma, 1990)。進而了解學生作決定的過程、資源和問題，可能受其作決定能力的干擾或限制。可見自我效能、生涯決策、決定能力是有相當的關連性。

3. 自我效能與生涯決定的關連性

生涯決定與否在生涯文獻上，一直受到重視(Hackett, et al., 1991)。泰樂等人(Taylor & Betz, 1983)曾經編製生涯決定自我效能量表(Career decision Making Self-efficacy Scale)，認為有效生涯決定，包括選定目標、生涯探索、問題解決能力、規劃技能、實際自我評估能力等五面。此量表可測量效能知覺涉及這五面的生涯決定。低自我效能決定，妨礙生涯探索行為及決定技能的發展，然可預測生涯未定或有其他問題者。研究發現此量表對預測生涯未定者相當有效，尤其對決定的結果缺乏信心或建設性者。

自我效能在生涯決定扮演強勢角色，低自我效能產生生涯未定，生涯選擇陷於過度焦慮。有彈性的性別角色自我知覺能強化生涯決定自我效能；相反的，堅硬刻板的性別角色態度會減弱生涯決定的效能和面對較高水準選擇的焦慮。更多獨斷的婦女擁有較強的生涯決定自我效能，更願意參與非傳統職業生涯活動(Nevill & Schlecker, 1988)。許多的研究針對自我效能決定與其他和生涯有關的變項之間的關係，相當重視自我決定的效能(Luzzo, 1993; Niles & Sowa, 1992; O'Hare & Beutell, 1987)。生涯決定自我效能影響生涯探索行為的內容，對決定能力的信心愈強，愈可能積極尋求生涯選擇的訊息。藉助資訊化及生涯輔導課程可提升生涯決定的效能信念(Nevill & Metzler, 1988)。而大專生有效的能力和整合複雜的訊息能增進生涯決定的效能知覺。此外，生涯自我效能和興趣息息相關，過去的表現藉著生涯自我效能會影響興趣，結果生涯自我效能

透過興趣直接或間接影響未來的表現和選擇(Hackett & Lent, 1992)。可見自我效能強弱可左右其生涯決定。

自我決定(self-determination)係指自我選擇的能力，且個人擁有一些選項，並非用制約強制或其他力量來決定個人的行動。自我決定涉及個人能力需要，憑著一種內在的潛力傾向作決定，使個人從事有興趣的活動。有些人的人生方向未定，卻貿然上路；有些人反覆思量，仍寸步難行。有些人生命似「如臨深淵」般的嚴肅認真、固執。有些人生命似「難得糊塗」般的能看破放下、自由自在。經常在內心處於這兩股力量拉扯的緊張狀態之下。偶爾只想坐下來，要把惱人的選擇決定問題拋諸腦後。論及與「自我決定」有關的青少年發展課題，諸如青少年能經濟獨立、選擇和準備一項職業、發展生活能力所需的概念和智能技巧等。自我決定在生涯選擇上，與自我效能在生涯決定上確有關連。

認知效能決定論，有關自我效能在生涯決定選擇職業上扮演積極的角色，此論有其貢獻，不過影響的層面仍有待商榷。

（五） 調適(adjustment)規範(regulation)論

1. 職涯調適論描繪個人與工作環境之關連性

職涯調適論從工作特質的角度來看工作適應的問題(Weiss, Dawis, England, Lofquis, 1967)。認為人們花太多時間在了解個人狀況，而忽略了工作分析的重要性。強調人都會努力尋求個人與工作環境間的一致性(correspondence)。個人努力維持與工作環境間的一致性，以增強工作滿意度，個人能力滿足工作要求的程度。而個人與工作間是一種互動的關係，個人能力滿足工作要求，也由工作中得到個人需求的滿足。個人與工作環境間一致性越高，則個人工作調適情形也越好。個人對於工作的調適，讓自己具備完成工作任務的條件，及工作適應過程。隨著個人的需求、工作對個人要求、時間等的改變，個人和工作之間若一直能維持適當一致性程度，則互動關係就能一直維持下去。

此論或涉及工作人格，個人的能力及需求。個人的工作人格可用個人的能力與價值觀來說明。個人的能力與個人所具備的技巧相關，可用

性向測驗來獲得；價值觀的形成與個人的心理需求有相關。心理需求如能力發揮、成就、活動、獨立性、變異性、社會服務、人權關係、創造性、責任等。這些需求帶來成就、舒適、地位、利他、安全、自主等價值。由此看出一個人的工作價值及其希望由工作滿足個人需求的情形。如成就，個人運用或發揮自己的能力所做或完成的事情能讓自己有成就感。利他考慮的重點是個人如何協助他人或與他人合作，包括為他人做事、與同事和好相處，及符合道德的工作。當個人擁有許多能滿足不同價值觀的生涯選項時，受重視的價值是生涯選擇重要的決定因素。至於個人價值系統是從社會中所學習到的，每個人都會在社會生活中發展出少數核心的價值。而文化、性別、社經地位會影響個人在社會環境中的機會和社會互動，置身於社會不同文化團體社群網絡之中，也會調適出不同的價值。由此做出和個人價值系統一致的生涯選擇，這是工作滿意所必備的條件。底下參酌明尼蘇達職涯調適理論模式，如圖 2-3 所示。

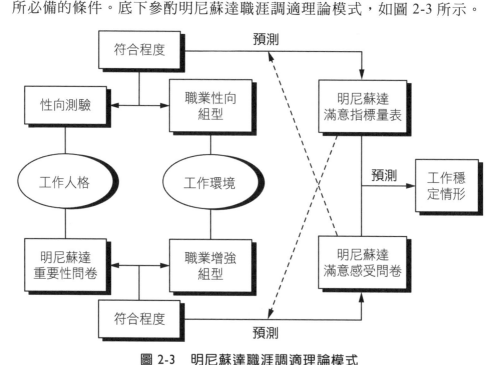

圖 2-3　明尼蘇達職涯調適理論模式

（修自林幸台、田秀蘭、張小鳳、張德聰，2003）

　　上一模式闡明藉由測驗了解個人人格性向和價值觀，與工作環境、工作人格符合的程度；透過量表或問卷預測工作滿意感受，進而預測工作穩定情形，可發現調適職涯之良窳。

2. 行動規範論透過組職規範自我生涯

　　人們在實踐某些行動時必須遵守規範(regulation)，此論植基於設定個人行動相關的目標，控管個人行動以符應其目標。基於個人參與組織志願服務，透過不同的活動增強其自我生涯管理，以提升營理個人生涯的能力，在自我生涯管理扮演重要角色。研究發現自我管理、生涯目標設定、生涯規劃品質與後續的生涯自我管理行為有正向相關。在參與組織 10 個月後對生涯滿意度有直接和間接的相關，介入自我生涯管理，其成效在一個僱用組織是顯而易見的(Raabe, Frese, Beehr, 2007)。職業生涯自我營理，同時為研究需要而擬訂行動規準，有其立論基點。透過組織或機構的規範，用在防疫期間防範未然，個人行動受規範限制，與人接觸保持社交距離，增強個人健康自主營理，與平時行動交友廣闊迥別。非常時期提前規劃，封城兵推防範社群感染疫情爆發，而個人設定健康生涯目標，預防勝於治療，戴口罩勤洗手，保護自己也保護別人。若疫情另型發展，以平常心面對非常態，或以不變之規範因應之。此論用在正常與疫情和平共存時，可做生涯規劃職涯抉擇之參考應用。

二、新近的生涯學理

　　新近的生涯學理主要是 21 世紀開始迄今發展興起的生涯理論。如生涯建構論，還有應對外在世界難測的多元挑戰之生涯學理，如生涯不確定說、計畫性機緣說、流動(flow)、混沌(Chaos)學理等。

（一） 生涯建構論(career construction theory)

　　生涯建構(career construction)論(Savickas, 2013)強調人們如何讓自己成為自己，生涯即故事，語言包含自我、承載生涯的故事，個人講述工作生活，通過個體構建自己的過程，強化其生涯是個人主觀建構的。

當個人訴說有關工作職場相關的生涯故事時，會選擇性強調某些特殊經驗，這些具有意義的生涯故事，建構個人生命或生涯主題，整合了個體過去、現在、和未來的自己，可能代表生命中重要的事物，也可能是某項危機，或是由經驗帶來的新觀點（淡江時報，2021/5/2）。主導其工作型態，並貫穿過去記憶、現在經驗及未來抱負。透過生活中的經驗來深入瞭解自我，以利於工作、生活及興趣結合的整體生涯來做營理，真正成為自己生命的主人（ChinaNCDA 生涯電子報-2022/9）。個體職業發展的實質就是追求主觀自我，與外在客觀世界相互適應的動態建構過程，以適應為核心的生涯建構模型，個體特徵、情境因素都是影響生涯建構結果的重要方面（關翩翩、李敏 2015）。個人在不斷變動環境中，運用彈性及策略方法去因應多變的職業環境需求，使其能在職業角色中實踐自我概念，建立工作生活與職業生涯（吳芝儀，2020）。此論聚焦個人是生涯的主人，自行建構其生涯，自主性職業選擇以決定方向。。

（二） 生涯混沌說(Career Chaos Theory)

在我們的生活中，面對生涯有太多偶然的事件可能迎面而來，插進我們的生活。無論是個人的興趣、能力，或者職場文化、工作壓力、家庭關係以及身體健康，現代快速變化且難以預料的全球化社會環境，讓我們的生活變得相當的複雜。混沌的本質在於無序中潛藏的意義和價值（曾維希，2015）。生涯混沌論將生涯發展視為一個複雜多變的系統，它是複雜、動態、非線性的，包括積極的不確定性、偶發事件、靈性、生涯敘事等概念（李迪琛等，2018）。混沌論是對不規則而又無法預測的現象及過程的分析，是有序與無序共存的系統，該系統內部具有很多不可預測的偶發事件，但決定各行為要素的基本規律卻能分析和掌握（黃素菲，2016）。有人提到人的生涯發展無法預測，生活中充滿機緣巧合，那你長大了應該成為什麼樣的人，這不必也不該提前規劃。既然計畫趕不上變化，那還需要做什麼規劃？生涯發展的混沌本質，無法提前預知卻可決定，混沌中醞釀着定數。其實生涯發展有跡可循，我們需要正視生活中的機緣巧合，因為當機會緣分來臨時，若沒有在先前積累

經驗和能力，沒有在它出現時有足夠的敏覺性，是無法立刻抓緊並從中獲益或增長見識的。故生涯發展的過程要保持好奇、堅持、彈性、樂觀冒險與規劃預防的心態，要敢於面對生涯發展中的各種不確定性。依傳統生涯觀，不確定、未決定、猶豫等隱含負面意涵。不確定性含有危機風險，難以預測未來的吉凶；還有模糊不明，難以掌握偶發意外事件的來龍去脈；以及模擬兩可，事情好壞無法定論。生涯不確定結合混沌說而發展新理論，能轉移負面為正面意涵，透過規劃部署可撥雲見日、撥亂而反正，模糊中見清明、混沌中現和諧，也可預測生涯有成。闡述混沌模糊不確定機緣巧合，或可釐清生涯學說。

（三） 生涯流動說(Career Flow Theory)

生涯流動論(Niles, Amundson, & Neault, 2011)指我們工作上會遇到許多不同經驗，時覺任務簡單，有時超過負荷，時覺能輕鬆掌握，這些多元的工作經驗，如同溪河中急流、漩渦、靜止不同的潮流。生涯流動形成了個人生命經驗，對生涯發展提供了環境的回饋，讓我們管理有些需要改變、有些可以維持現狀。若能有效率地掌握順遂如意，或充滿挑戰的生涯旅程，將能從容面對其中的正向和負向處境。許多人對生涯抱持不切實際的期待，要尋找到最好的工作機會，帶來高度的工作滿意度、生命意義和生涯目標，至終發現事與願違。而無論工作狀況多麼正向順利，仍會遇到許多挑戰。因此邁向工作滿意或成功，需要有實事求是的態度和培養因應挑戰的能耐。我們多半會採用外在環境的訊息作為生涯抉擇的首要參考，例如那個行業出路好，就一窩蜂往那裏鑽，反而帶來生涯不確定的隱憂。流動理論聚焦於自然界無規律且無不變的現狀事務，探討工作多重經驗的複雜現象，也強調要覺察經驗流動背後隱藏的意義，激發靈感創意的機會，或許也可尋到不變性秩序法則，作擇業生涯決定，紓解就業壓力與調適工作的借鏡。市場流動性(liquidity)說明當某項資產，如現金需求量高時，流動性也會較高，若將生活經驗比作現金流動，雖生涯與市場流動字義有別，而市場流動伸縮生涯流動說法。靜觀流動變化，掌握生涯流動原則，選擇適性發展的職業。

第二節　解說生涯規劃之真義圓夢

　　對生涯意涵和學理有了基本領會之後，接下來要探討生涯規劃的意涵。先描繪其樣貌，再舉案例，闡述踏實圓夢，後敘生涯規劃的真義。

一、生涯規劃的描繪

　　從底下描繪生涯規劃的樣貌，可進而分解其意涵。

1. 生涯規劃好像先為自己量身適合個人尺寸，然後訂做並編織一套適合自己穿著的衣服。生涯規劃總得自己來，唯己清楚需要的尺寸，知道該如何訂製一套適合自己的錦衣禮服，別人愛莫能助。

2. 生涯規劃宛若先為自己開創一條適合自己走的路，然後按部就班走下去。常言道：路是人走出來的，自己的路要自己開出來。雖然可和別人合作，但開出的路多寬，用什麼樣規格，都得自行鋪路。

3. 生涯規劃有如設計或構建一幅藍圖，然後按圖索驥施工。生涯規劃需要事先有藍圖，並非名設計師或建築師能幫你多大的忙，乃是自己胸有成竹，肯定知曉如何下決定。修正圖案，直到完美圓融。

4. 生涯規劃像是自行譜出一首交響樂，吹奏有個人特色的樂曲。生命樂章是自行擬定的，為人生譜出生命的樂章，個人知覺需要加強或減弱之處。交響樂叫人覺得美妙動聽，顯示個人專業，生命豐實。

5. 生涯規劃恰似一座連結夢想願景與實現目標的橋樑。人各有志，各有夢想願景，也許很美很有理想，但要實現自我設定之目標，就得自建一座橋樑，連結理想與目標，方能美夢成真，心想事成。

6. 生涯規劃猶如人生基礎建設，歷經勞苦流淚撒種，終至歡呼收割。國家基礎建設可提升國力，安定社會，造福人民。而個人基礎建設提升規劃全方位生涯能力，提高生活品質水平，造福自己家園。

二、生涯規劃的例證

1. **挪亞造舟未雨綢繆**：挪亞裝備方舟躲避洪水的故事，話說挪亞得到啟示，預知墮落的世代要被洪水毀滅。挪亞心有藍圖，依神旨造了一艘大方舟，作為躲避洪水之用。那時人類又耕種又蓋造，又娶又嫁，根本不理會挪亞提醒大家進方舟避難的警告。以為他的頭殼壞了，晴空萬里他竟然在那邊建造方舟。殊不料等造好後，沒多久洪水不知不覺就來了，結果除了挪亞一家八口進方舟得救外，其他沒有進方舟的人，都難逃被洪水淹沒的命運（創世紀第六、七章）。這說明事先未雨綢繆的重要。耶穌說：「挪亞的日子怎樣，人子降臨也要怎樣，當洪水以前的日子，人照常喫喝嫁娶，直到挪亞進方舟的那日，不知不覺洪水來了，把他們全都沖去，人子降臨也要這樣。所以你們要儆醒，因為不知道你們的主是哪一天來到。家主若知道幾更天有賊來，就必儆醒，不容人挖透房屋，這是你們知道的。所以你們也要預備，因為你們想不到的時候，人子就來了。」（馬太福音二十四章）以上經節說到耶穌再來（結束舊時代，帶進新時代）的預言，提醒信眾未雨綢繆，隨時要儆醒預備好，迎接祂的再來。

2. **進修防老事前規劃**：古人所謂「養兒防老，積穀防饑」；今人所謂的防癌保險，都含有事先規劃，未雨綢繆的用意在，為將來做好準備工作，以防萬一。教育部前部長曾志朗曾提議「大一儲蓄、大四出國進修」，則含有進修事前規劃之意。

3. **豁達穩健生前契約**：生涯延長至身後規劃。胡適之言：「今天做明天的準備是穩健，生時做死時準備是豁達。」天有不測風雲，人有旦夕福禍，人們擔心在想不到的時候撒手人寰，於是「生前契約」，辦一張「生命護照」，應運而生。在生前針對身後事作預先規劃，如生命禮儀服務公司所訂定的服務契約；像保險一般，生前契約就等於往生服務險，誠如胡適所言生時做死時之準備。透過生前的詳細規劃，就可避免後事的紛擾不安，尤其孤獨老人，可去掉後事無人料理的恐懼。不過國人忌諱談到死，對生前契約自我經營終程生涯，

生前搞定身後事之保險不以為然，也不希望如此「保死不保生」。作家曹又方生前的「快樂告別式」，創意中有悲有樂，有別於傳統告別式哀戚莊嚴肅穆。當前因受全球暖化溫室效應影響，世界各地出現暴風雪、森林大火、飢荒、地震、洪水、颱風、土石流等災禍不斷上演。而 2020 年新冠病毒肆虐全球，迄今 2025 後疫情之時，全球確診、死亡數難估。或許使人深思生前契約，做好生前為身後準備工作。這樣可將生涯規劃延長至身後，不僅保「今生」，而且贏得「來生」，甚至「永生」，如此才會覺得比較「保險」。

三、生涯籌謀踏實圓夢

1. **築夢踏實。** 所謂生涯有夢，築夢踏實，美國黑人民權運動領袖金恩 (Martin Luther King) 牧師於 1963 年演說「我有一個夢」，夢想有這麼一天，人與人之間不會因膚色不同而有紛爭，也不會因種族的區別而有貴賤之別。「如果他們（聽他演講的許多黑人）都認為黑人不美，我說黑人美，那又有什麼用，如果他們不覺得自己好看，我說他們長得很可愛，那又有什麼意義？如果他們不認為自己生命有尊嚴，我說他們生命有尊嚴，那生命的尊嚴又從何而來？」1964 年獲諾貝爾和平獎，表彰其以非暴力方法追求種族平等理想。生涯有夢，美夢實現，需有配套措施，當事人要努力去除阻礙因素，實際規劃未來生活步驟，按部就班腳踏實地，才能實現美夢成真。

2. **踏實圓夢！** 有夢伴希望，胸有成竹者能踏實圓夢。建築師貝聿銘的夢想和才華造就了高樓。他設計了香港重要的地標，他還設計了許多重要的建築物，遍及巴黎、北京、華盛頓特區以及其他十幾個城市。總共設計了近 50 個重要的建築藍圖。日本建築師安藤忠雄沒受過專業建築訓練，旅行改變安藤的一生。在 1965 年踏上前往歐洲的船，見了心中偶像建築師科比意，其廊香教堂讓他大為震撼，從此立志做建築師。1978 年以「住吉長屋」作品一炮而紅。陳士駿是美國華裔企業家，為網路影音分享網站 YouTube 的創辦人之一。1978

出生於臺灣，八歲時移民美國，中學時期即熱愛數學、科學，進入伊利諾大學香檳分校電腦科學系就讀，大四時被 PayPal 公司攬聘到中國建立版圖事業。後來在美國加州創立 YouTube，以錄影的服務為目標，蒐集的影像內容從私人錄影、爆笑短片、新聞直播都有。2006 年 10 月，Google 以 16 億美元收購 YouTube（參維基百科）。2019 年陳士駿攜帶妻子、兩孩子回臺定居，圓回饋家鄉貢獻社會的美夢。2022 年第三屆農村領航獎獲農委會頒獎者 30 位，長期在農村領航發展美夢成真。而 2019 年獲得農委會農村領航獎的高雄農村四位領航者長期投入農村社區發展，推動農村再生發展成效卓著。四位都有過更好生活的夢想，至終美夢成真（新生報 2019.10.3）。以上築夢踏實者皆生涯築夢，付出代價全力向目標邁進，以致踏實圓夢。在各行各業上，生涯有夢，踏實圓夢者比比皆是。

3. **升等圓夢！**在人生的旅途上，任何一項重要的抉擇，像研究進修的生涯，都會影響一生，留下難以磨滅深刻的痕跡。二十年前，研究生涯突破，歷經四年半在職進修過程，博士論文順利過關，五位口試委員不吝提攜指教。感恩之餘，還得面對感傷之事。博士班進修期間，一面置焦修課、決定論文方向、參加國內外研討會、發表期刊論文；另一面兼顧教學、行政、國科會研究，以及教會服事、奉養父母。卻在 2005、2006 年先後失恃失怙！原想在取得文憑之後，有較多時間伺候雙親，但今生已無緣圓此夢，只期待來生永世了。父母育恩昊天罔亟，永難回報，謹以拙著博士論文（鄭金謀，2007）及後續升等呈獻雙親，或能稍寬慰其在天之靈於萬一。學術研究之路相當耗時傷筋骨、費心勞神，甚至疲憊孤寂、無盡探索，卻難有精品經典傳世之作。經一事，長一智。博士後研究有更多揮灑的空間。為了升等，備妥主要及參考著作，持定目標堅強意志，克服挫折難關，終以「健康科技素養之理論建構與教學實務」（鄭金謀，2008）為主要著作，獲得部審通過教授資格，達成升等願望。

4. **夢涯成真**。舊約記載約瑟是一個會作夢的人，他是一位夢想家，也是一位實踐家。「約瑟作了一夢，告訴他哥哥們…我們在田裡捆禾稼，我的捆起來站著，你們的捆來圍著我的捆下拜。他的哥哥們回答說，難道你真要作王嗎？難道你真要管轄我們嗎？…後來又作了一個夢，也告訴他的哥哥們說，看哪！我又作了一夢，夢見太陽、月亮、與十一個星，向我下拜。約瑟將這夢告訴他父親和哥哥們，他父親雅各就責備他說，你作的這是什麼夢？難道我和你母親、你弟兄，果然要來俯伏在地，向你下拜嗎？」後來約瑟被他哥哥們出賣，賣到埃及，卻因禍得福，他果真在埃及當起宰相，美夢成真。當天下發生七年飢荒之時，雅各和約瑟的哥哥們到埃及糴糧（只有埃及有存糧），向約瑟磕頭敬拜，他的美夢成真了。結局是非常甜美溫馨的，但期間的過程曲折迷離，扣人心弦。成功的背後，歷經不少艱辛苦楚。

四、生涯運籌夢想實現

　　有夢想才有希望，才有實現的空間。有了夢想之後，還要有行動才能完成大事業，夢想和行動缺一不可。在內心深處，保留一個隔離的處所，容納小小的夢想。夢想可是人格的試金石，帶著自信朝著夢想而前進，過你想像中的生活。馬克吐溫說：「不要丟棄你的夢想。一旦失去夢想，或許你仍然存在，但你已經如同行屍走肉。」哥德說：「留意年輕時的夢想，因你將在中年以後獲得實現。」有夢想接下去就有責任，為實現美夢而努力盡責。人在睡眠狀態固然常會出現夢境，但夢也是每個人所擁有的理想國度，也是個人實現自我生命的桃花源。夢想可以恣意構築，自由自在，多采多姿，一種美妙的精神力量，以致心想事成。西諺云：「人類因有夢想而偉大。」正因為有夢，為實現心中的美夢，才有了創造發明，使人類的文明逐漸演化進步，改善了生存的環境。像愛迪生發明電燈，為黑夜帶來了光明；富蘭克林發現了電，我們才能利用電力使機器運轉。歐陽修的母親守節自誓，親自教導學書，獨力撫育其子成家立業，若不是心中有夢，堅信其子人品超群卓然有成，否則怎

能含辛茹苦數十載？因為有夢，所以淚水和汗水都只是過程而已，再大的困難和挫折也都能承受。所謂築夢踏實，有計畫並且奮力不懈，才能達到成功的彼岸。而運籌帷幄，決勝千里之外，致勝關鍵在於腦海規劃籌謀，腳踏實地付諸行動。夢想猶如黑暗中遠方的燈火，給予人無窮的希望和前進的動力，激發我們內在的潛力，使我們不畏艱難。若遇到了挫折，即使已滿身疲憊，但只要停下來想想自己的夢，馬上能注入清新活力，心神奮發，讓生命內涵有無限拓展的可能，昂首實現自己人生的理想。青年人須有勇氣面對現實，勇敢接受在暴風雨練硬自己的翅膀，成為搏擊長空的雄鷹。如此有夢想規劃，自能成材成器。

　　欠缺生涯規劃夢想的人，認為沒有必要規劃，人生無夢想規劃，亦可「我就這樣過了一生」。其實我們常在做規劃夢想未來的事，如未婚者在成家之前，先立業積存結婚基金，然後揀選一位理想配偶結婚；上班族準備以車代步，希望在過年前購車；或計畫在三年內省吃儉用以便購屋；或準備利用假期從事一趟環球之旅；或計畫升遷希望在五年內成為公司主管；夫妻家庭計畫六年內擁有一男一女；有了兒女後，計畫教導成資優兒；技職院校生準備專技考或高普考，期望一舉高中。凡此皆顯示生涯各面事先有夢想，規劃是可行的必要的，畢竟會實現的。

五、生涯規劃的信念(belief)

　　信念乃深藏於內心，為個人所堅持的想法或看法。有時似是而非，積非成是，持續下去會左右個人的思考行動，誤己誤人。有時個人堅持正義行事，見義勇為，義無反顧，能激起別人的認同與肯定，而樹立個人的威信，正面影響其行事為人。此信念有合理的，也有不合理的。

　　有人說：「我心中自有定見，生涯無須規劃？」又說：「生涯規劃未來由不得我，何必庸人自擾？」生涯不合理信念：「船到橋頭自然直，這世界變動太快，生涯規劃只是一時的流行，前面事情無法預測，先行規劃也是枉然。」「生涯規劃是屬於想成功的人，我只想平凡過一生，何必自找麻煩呢？」事實：生涯規劃不是三年做課長，五年做襄理，十

年做經理，十五年做副總，二十年做總經理的過程。而是腳踏現在，放眼未來，了解未來趨勢動脈，尋求適合自己的路。過去文憑掛帥「學歷時代」，現在「證照時代」，即使為人師表，也要有「教師證」，獲得社會認可才有保障。同時生涯規劃方法很多，規劃的目的也非設法讓每一個人當某公司董事長或總經理；充其量只是讓人們找到自己的舞台盡興演出。因此只要是成熟的人應該都可以規劃自己的生涯。

生涯合理信念：時局詭譎多變，走一步算一步的心態或可讓自己心安，但如能展現積極的心態，跟上國際化的腳步，更能使工作有保障。生涯規劃的目的在突破內外障礙、激發自己潛能、達到自我實現。我可以實現當作家、導遊的夢。生涯規劃不分貴賤，是屬於每一個踏實的人（修自洪鳳儀，1999）。其實不管有形的紙上作業詳作規劃，或無形的心中有夢想定意籌謀，是日常的例行事務。所謂「誠於中、形於外」，心誠則靈，心中籌謀規劃，有理想目標，自然形之於外，心想事成。

六、生涯規劃的真義

立定志願、夢想願景。回顧小學上作文課時，寫到「我的志願」，那時不知量力，立志要做總統、當部長、董事長，不知生涯規劃為何物。國高中後，隨著年齡增長，知識見聞累積，逐漸調整自己的志願，略知有生涯規劃之事。到了大專時，有夢想、憧憬美好的前程，自願探索生涯規劃。及至成年期，志願就比較務實，以後所立志願夢想、願景使命，會置焦於職業工作，達成生涯目標，使人生充實有意義。此時切望實現美好未來的生涯願景，了解生涯規劃的真正意義。

未雨綢繆、提前部署。生涯規劃(career planning)推其義，係指個人面對未來的事業工作，以及學業進修、婚姻家庭、人際關係、理財休旅等活動，預先進行一種思辨運籌、部署綢繆，有前程憧憬、有志願夢想的前置作業。其意隱含未雨綢繆、提前部署。詩經鴟鴞有云：「迨天之未陰雨，徹彼桑土，綢繆牖戶。」在天未下雨，先鬆動泥土準備播種；同時關好窗戶以免雨水滲透進來。吾人面對未來當知自己的性向、能

力、興趣、嗜好，以便尋找適當的工作發揮所長，達到生涯發展目標。其間歷程須事先規劃，未雨綢繆，知曉如何行事為人，不宜等事到臨頭才驚慌失措。或大雨來臨才發掘沒有準備播種的工具或種子，或窗戶沒關好，任憑大雨沖刷，導致桑土荒蕪棄置，屋漏又逢連夜雨。2020 年遭逢防疫期間，提前或超前部署為防疫焦點。尤其軍艦染疫確診官兵數十，引起政府超前部署，封城兵旗推演，啟動經濟策略，安撫民心。今 2025 疫情後防範仍須提前部署；預防災變突發狀況，未雨綢繆。

妥善安排、籌謀預定。生涯規劃係指個人生涯的妥善安排，個人能依據各計畫要點，在預訂期間內充分發揮自我潛能，並運用環境資源，達到各階段的生涯成熟，至終達成既定的生涯目標（楊朝祥，1989）。大學生起始要建構自己的夢想，做好完善的計畫，展現學習成效，擬定個人教育發展規劃，並培養職場所需能力（修自林育珊譯，2008）。事實上，生涯規劃是個人規劃其未來生涯發展的過程；個人設定好生涯目標，然後設計完成生涯目標發展活動的過程；亦即個人針對生涯過程的妥善安排，使個人能經歷工作、事業、生活角色、以及追求人生價值的生命過程。想要達到目標，實現美夢，當然先要未雨綢繆，提前部署，妥善安排籌謀預定行程，謀定而後動，動定而後成。

第三節　洞察生涯規劃之目的良方

理解生涯規劃的真義之後，接下來探討生涯規劃的良方為何？為何要進行生涯規劃？如何做好生涯規劃？分別說明之。

一、領悟生涯規劃之目的

為什麼要進行生涯規劃？能夠領悟生涯規劃的目的，就能掌握人生的方向，也能活出有品味的人生。

（一）人生充實有意義，生活多采多姿

　　廣義的生涯涵蓋生涯多方面活動，實際進行生涯規劃時，著眼充實人生不再感覺人生虛無飄渺，無所事事。當多方顧及生活各個層面環節時，心動馬上採取規劃行動，就能體會生活多采多姿。

（二）找到適性的工作

　　狹義的生涯指的是職業或工作，生涯的重心一般擺在職業上。因此現實的規劃，讓你有機會了解自己的能力、興趣和個性、價值觀，進而培養職涯能力。現在藉助於籌謀規劃，在學期間練就未來職業市場所需的技能，養成專業技術，以備未來不時之需。

（三）突破內外在障礙

　　每個人都有弱點和長處，如何截長補短，有賴實際規劃未來發展的方向。讓自己有信心克服困境，突破個性限制，能利用環境給予的機會，截長補短，因勢利導，開創光明前程。內在的弱點，諸如膽怯、對自己沒有信心、忸怩不安、惶恐焦慮、怕與別人比較、怕事、怕見人、沒有擔當等。外在環境的障礙如政局不穩、社會動盪、疫情肆虐人心惶惶、溫室效應極端氣候、颱風颶風侵襲、廢棄物汙染、水質堪慮等。規劃從長計議，率先起首，推己及人，與人為善。

（四）激發潛能展現個人獨特風格

　　透過規劃對未來生涯胸有成竹，非經規劃不知個人潛能有多雄厚。經過規劃，有願景和美夢，願意付出勞力代價，身體力行，全力以赴，有朝一日願景實現，美夢成真。同時每個人都有與眾不同的獨特個性，規劃可展現獨特風格，非依樣畫葫蘆，你想成為王永慶、張忠謀第二，但永遠無法成為王永慶、張忠謀。你獨一無二，主掌未來的規劃。

（五） 事先防範運籌帷幄

　　事業要成功，好比運籌帷幄於方寸之中，決勝於千里之外。古今中外任何一件事，若要成功，沒有不經三番四次策劃，苦心經營的過程。常言道「不經一番寒徹骨，焉得梅花撲鼻香？」可見事先規劃的重要。消極面，世事難料，人生無常，為防範於未然，事先提高警覺，預防勝於治療。身體的健康如此，其他求學、交友、婚姻、理財等亦然。積極言，做好準備，像一個驍勇善戰的兵卒，運籌帷幄，決勝於千里之外。

二、熟練生涯規劃的良方

　　談及如何規劃生涯，多半涉及職業生涯規劃的方法，譬如將生涯規劃方法分成簡便法及進階規劃法。簡便法如自然發生法、目前趨勢法、櫥窗遊走法、最少努力法、拜金主義法、刻板印象法、假手他人法等。彙整職業生涯規劃的方法，可歸納出良方簡述如下。

1. **獨自創業法**：隨著目前社會發展的趨勢，掌握社會脈動，不願依樣畫葫蘆，跟著別人投入新興的熱門行業，而願另起爐灶，做別人沒有做過的，亦即獨自創業。不假手於他人，個人站在時代前端，以創新事業，不斷改革，以致事業有成，為眾人所稱羨。

2. **專業取勝法**：創造優勢、發展長才，擁有專業知能。著重專業知識的運用，以個人專知為經，社會民心需要為緯，交織而成之生涯，以便能發揮潛能、穩操勝算，終而成為某行業之專家。

3. **勢導順推法**：因勢利導、順水推舟，能掌握有利機運，隨時準備採取行動，只要機會一來絕不稍縱。工作不勞累，反而覺得輕鬆又自在，沒有心理負擔，有把握作自己喜歡的工作。可比較上述目前趨勢法、櫥窗遊走法。

4. **裙帶關係法**：搭便車假手他人，自認無能為力，需仰賴親友扶助，助其一臂之力，才能讓個人有事做。但往往無法獨立創業，而仰人鼻息又非個人所願，在不得已情況下只好聽任自然。如上述假手他人法、最少努力法。

5. **見風轉舵法**：起先大家都屬意某一行業，並加以經營稍有成就，但好景不常，就鋌而走險，另謀他就。尋覓管道重新開業，缺乏一個穩定的行業。可比較上述拜金主義法、目前趨勢法。

6. **進階規劃法**：按部就班，步步為營循序漸進。A.覺知認清自己的個性特質、興趣性向，賴以維生的技能，謹慎分析自我夢想、優點、專長、弱點等。B.認識工作世界，職場群我倫理，職涯管理工具等。儲存蒐集有關的職業訊息，事實檢驗，保證行動正軌，以具有創意的思維方式探究可能的選擇，打破傳統的職業觀念。C.訂定事業和人生目標，編妥進修學習知能方案，確定目標，釐清短程長程目標、希望的生活方式、追求達到目標。多面均衡規劃，如健康、心智成長、人際溝通能力表達藝術、記憶術、積極達觀的人生；理財，節儉、投資理財、學業、婚姻家庭等也要有系統規劃。運籌時間，鑑往知來。在時間運用上，如「時間的儲存」係旺季向淡季借支時間，類似產能平衡，即在淡季時替旺季作一些預先可做的前置作業。淡旺季產能平衡，未雨綢繆，幫助忙不過來的同事，不致擔心旺季忙的時候到來。很多組織利用淡季舉辦在職進修、講習，透過員工訓練，提高員工生產力（修自:魏郁禎，2019；李晶，1995；余朝權，1994；李淑嫻譯，1996；莊銘國，1997；伍忠賢，1995）。可適度運用上天所賜予的任何時刻做有意義的事，而不覺得虛度。D.付諸行動，評估規劃完成效果。每階段都需要一定的方法技巧、知識訊息、材料、完成的系統模式，達標後續再循環前面步驟。逐步循序規劃按邏輯順序，各階段執行完成。

7. **預設規劃法**：假設面對臨終瀕臨死亡，以預立遺囑的方式來面對一生；假使自己可以重新來過，那要如何規劃？預先設計生活方式，在預設的每一階段如何安排最合適的生活行事？有時在夢境中發現自己年紀老邁，似乎人生已到盡頭，但是很多該作的事未作，非常後悔，沒有把握年輕的時光。正當懊惱悔恨之際，驚醒過來，還好只是一場夢。於是痛改前非，重新做人。預設規劃法，在防疫期間

及疫後，事先設想規劃行事，工作、進修、交友、理財、進修等生涯活動規劃因時而制宜，因勢而制動。

8. **胸竹腹綸法**：展望未來，胸有成竹，在畫竹之前，胸中必先有竹子的完整形象，然後心手相應，才能將竹子生動的神韻表現得淋漓盡致。滿腹懷經綸，筆間含露雨。經綸有規劃治理之意。配備齊全，穩操勝算，即使不出門，也能知道即將發生的事情。成功的工作者往往懂得規劃自己來，不受運氣指使，而用慧眼仔細審視並規劃工作生涯，胸懷未來生涯形象，腹中含有規劃治理，能實現夢想。

　　以上所述生涯規劃的良方各有特色，採取適性方法符合獨特個性，而不必拘泥於何法。可衡量個人性向興趣，採取一或數種方法，則成就較可預期。在現今競爭劇烈的多元社會，各行各業人才輩出，要能出人頭地、出類拔萃，須好自規劃，提前部署，實現個人美好未來的願望。

<h2>第四節　分解生涯規劃之角色</h2>

　　生涯規劃究竟扮演怎樣的角色？可以從社會各行各業、學校融入課程、個人心靈上加以探討之。

<h2>一、生涯規劃在各行各業的必要角色</h2>

　　各行各業在多元化、競爭日益激烈的社會，欲維持良好業績，穩定成長，立於不敗之地，都必要編預算，創意經營，人事、生產、銷售、公關、財務等各部門妥善規劃。在經濟不景氣聲中，百工百業堅持永續經營，就得隨時更新經營理念，發揮創新意念，重擬規劃未來營運，能浴火重生，確實帶來全新發展。因此不拘食品業、物流業、服飾業、文化出版業等，都可發現在蕭條中出現綠意盎然、一枝獨秀的景況，推究其因，妥善規劃因應而已。

二、生涯規劃嵌入學習領域的角色

（一）嵌入課程教學研究的角色

　　嵌入(embed)或謂融入，現行國教課綱分成語文、社會、數學、自然科學、藝術、綜合活動及科技、健康與體育等領域。生涯規劃發展可適當嵌入這些學習領域，使學生成為終身學習者。嵌入課程教學角色以筆者執行「技專校院學生之生涯信念與生涯規劃創思教學研究」為例示（鄭金謀，2002）。主要探討技專校院學生對生涯信念及生涯規劃之認知狀況，進而探索採用創思教學之可行性。首先闡明國內技職教育追求卓越，加強技職校院通識教育、增強學生創思能力已列為提升技職學生技術能力之方案，而且逐步進行。透過生涯規劃等通識課程教學及研究之體驗，配合教育部提倡的「創造力教育」為今後教育改革重點，推動教學創新與創造力培育，如此激發學生發揮創意，提升教學的品質。

　　從開授有關「生涯規劃」課程，發現學生在選修此課程之前從來不知規劃事，也不知生涯可早做規劃。從就業網站及相關資料，發現在校學生或即將畢業的社會新鮮人面對經濟不景氣，失業率攀升，對未來充滿無定感，不知如何規劃未來，不確定未來職業規劃方向。技專學生對生涯的看法多半認為生涯就是找到一個理想的工作，待遇高福利好、升遷管道順暢、企業有前景、完備的教育訓練、工作上成就感高。而忽略了非職業的生涯活動，如人際健康、休閒生涯等。此顯示技專學生極需生涯信念的輔導，以確知生涯之涵義及規劃未來發展的方向。生涯信念係指個人面對生活工作世界，生涯抉擇行動方向所持守的理念和見地。本文透過文獻分析，發現技專學生若能在畢業前，了解生涯決定信念，正確認知工作生涯的意義，具備生涯規劃能力，知曉個人的興趣能力如何與職業相配合，則前程肯定迎向彩虹。

　　有關技專校院學生之生涯信念，利用問卷調查法，初期編妥「技專校院學生生涯信念、規劃技巧及滿意度問卷調查」，繼而完成測試及項目分析，並加以修訂及因素分析。從選修「生命教育與生涯規劃」之學

院部學生有效樣本 114 人中作信度和效度之考驗。以「生涯信念檢核表」為效標，利用統計軟體相關法，接著定妥問卷量表題目 60 題。量表因素分析有關技專校院學生生涯信念及生涯規劃之課題或因素為生涯廣解、未雨綢繆、自知之明、自擇職業、抉擇關口、生涯營理、乾坤生涯、困境突破、成功生涯等。本研究繼續進行生涯規劃創思教學部分，採用準實驗法，測量工具是「創造思考活動」、「創思自我檢測」等，衡量創意尺度有流暢、變通、獨創、精進、開放等。在教學上採取有別於傳統的創思教學，目的是檢測此教學對提升其生涯信念、規劃能力的效果，由嵌入創思教學課程以落實創造力培育工作。調查研究樣本來自 18 所技專校院學生 2068 人，準實驗研究樣本為選修生涯規劃學生 102 人（實驗組 50 人，控制組 52 人）。統計發現在生涯信念上，四技和二技均優於二專；在規劃技巧上，四技和五專則優於二技。男女生在生涯信念、生涯總分上均有極顯著差異，女生在這兩項分數上均高於男生。各系在生涯信念、生涯滿意度、生涯總分上有顯著差異。創思活動各分項之相關、自我創思檢測各分項彼此之相關均顯示相當高；標題與流利的相關，應變與好奇的相關等達到顯著差異，其餘各項均未達顯著水準。自我創思檢測各分項中，變通、自信、挑戰、自創總分與生涯滿意度均達到顯著正相關，變通、挑戰與生涯總分均達到顯著正相關。至於流利與學業成績達顯著正相關，而獨創與學業成績卻達到顯著負相關。由統計分析可明顯發現實驗組接受創思教學實驗，其效果顯著優於接受傳統教學之控制組，兩組不拘在流暢、開放、應變、原創、精密、標題、創思總分各項均達到顯著差異水準，但對生涯信念、規劃技巧、生涯滿意度、生涯總分無法立竿見影。由上研究可發現生涯規劃嵌入通識課程，採用創思教學可達到教學品質相當提升之目標。

（二）與相關學術互助相輔之角色

生涯規劃能成為一門學問，可借其他相關學術助其一臂之力，這些學術和生涯規劃有相當關係。譬如 A.未來學著眼於社會、科技、環境、經濟、政治及教育等領域未來發展趨勢。在未知的未來裡，預見未來的

瞬息萬變，不被萬變的未來所奴役與支配，能化被動為主動，進而創造未來。「不要問明天將會有怎樣的變化，而是要問自己想要變成怎樣的明天。」這話正是具體反應我們要考慮和研究、規劃未來的誘因魅力。B.心理學著眼於探討個體行為與心智歷程之學問，動機、人格、智力、情緒、知覺態度等重要的心理課題，皆可作為生涯規劃時認識自我的指引。規劃個人生涯須兼顧其心理發展狀況與個別差異，二者確實可相輔相成。生涯規劃可運用心理學研究成果或心理測驗在認識自我上更精準，進而實際規劃前程。C.社會學主要探討人際互動、個人在社會上所扮演之角色以及社會制度、社會現象。生涯規劃雖然強調規劃自己來，別人的模式尺寸不合個人規格，但規劃不能離群索居、閉門造車，總要在與人互動的過程中認識自我與他人，職業與環境之關係，才能在社會化的過程中安身立命，因此必須規劃如何與人相處、如何在社會上扮演好適當的角色。D.經濟學著眼於生產、分配、消費、交換，在資源有限的情況下作最適當的投資運用，以獲得最大的效果。生涯規劃則著重在現有資源的提供下發揮自我效能，期望能成為事業的贏家。著眼點有別，而效能卻異曲同工。E.輔導學強調對適應不良者提供協助，使當事人了解情況，強化人己關係，增進其解決問題的能力。生涯規劃可借用輔導學所研究的成果或實務的經驗，幫助人作好未雨綢繆規劃未來的工作。輔導學也可用生涯規劃的實際操作經驗以充實學術化。生涯諮商與輔導可將諮商輔導理論應用在生涯選擇或決定上，尤其對生涯未定或疑惑者提供適切協助。F.教育學著重個人經由學習或訓練的歷程，以發展其對社會有積極價值的各種能力、態度及其他行為，所謂十年樹木，百年樹人，需要有長遠的眼光栽培下一代，此帶有規劃未來的實質意義。教育學借重生涯規劃的實務操作，使其更實際化教學活動，生涯規劃借用教育學理論的引導，使其運思有方針可依循。G.營養學探討天然生機營養、膳食療養、養分調配等如何滿足生理方面的需求，以及心靈方面的滋養，使得全人身心靈三方面能平衡發展，以提升身體免疫力，並增進身體抵抗疾病的能力，面對 2025 後新冠疫情更需提高抗病毒免疫力。而生涯規劃強調身心健康的規劃，可利用營養學的研究成果讓規劃

更有跡可循，而進行健康生涯的規劃成效有助於營養學的研究。H.訊息處理，隨時掌握資訊來源，不斷有輸入輸出，不時有規劃籌謀，二者不能分道揚鑣。生涯規劃由個人了解自我及工作世界後作出自我抉擇，選一適性的職業來發展所長。訊息處理學有一系列訊息階段的因應工作，與系統規劃有異曲同工之妙，而有助於落實日後的生涯規劃。

三、生涯規劃在個人心靈扮演之角色

（一） 災變引發心靈震撼之防範規劃

回溯 1999 年 9 月 21 日凌晨 1 時 47 分天搖地動永難忘懷的時刻，集集（震央）一帶發生近百年最慘重的地震（芮氏規模 7.3 級）。頓時山河變色，地牛所到斷層之處屋倒樑斷走山，人不亡即傷，全臺各慈善機構及各公司行號發起賑災無數，國際及民間迅速組成救援團體，紛紛加入救災行列。災難拉近彼此的距離，患難見真情，海內外存知己。無疑的，921 對許多國人而言是有生以來的頭一次遭逢的心靈大震撼，天命難違！亡羊補牢！更要趁早做好災變準備。「當人正說平安穩妥的時候，災禍忽然臨到。」豈能不隨時準備應變？「勿恃敵（天災）之不來，正恃吾有以待之（災變）。」2009 年莫拉克颱風造成的 88 水災，小林村幾乎滅村，是天災抑或人禍？2020 新冠併發重症疫情大爆發，席捲全球 200 國。傳染速度更甚於 2003 年的 SARS。當前世局詭譎多變，全球極端氣候、臺灣 2024/11 的秋颱肆虐，其他核災、校園等事件層出不窮，牽一髮以動全局，更震撼人心。從天然災變論及心靈震撼不知何時能平息，然不管天災人禍，在心靈上須未雨綢繆，常提高警覺，隨時預備因應。因為不知何時會有災難，也許明天後，宜加速規劃準備功夫。

（二） 心靈重建與更新

從一些災變發生之後處置而言，許多慈善機構團體前往災區從事祈禱傳道，或進行民俗療法，甚至有些專業志工前來心靈賑災，實際給予

受難者或倖存者加油打氣，帶他們走出災變陰影，使心靈得到真正的平靜。顯然大家都相當注意心靈復健之事。雖然災變毀了家園，但只要人還存在就有希望；災變可摧毀物質建設，但摧毀不了人心對信仰堅實的根基。地上的國度家園既會受到震動毀壞，我們能否想到有一不被震動的國度，是需要心靈追求才能進入的。這不是存於物質的世界，而是存於心靈永恆的世界。得著這樣的國度會讓你心靈滿足充實而有所信託，即使發生地震災變卻獲得保護，免於驚慌失措，甚至將來世界末日屆臨，會發生前所未有的大災難，卻能免去受災難的時刻。筆者在集集大地震發生時，隨團旅遊聚在巴西聖保羅，人不在國內，自然感受不到震搖，而身心獲得保護。此讓你心存虔誠敬天的態度，服務需要的人群。

　　天命難違，懂得如何把握有限的今生，心靈上提高警覺，預備未雨綢繆的工作，可將災害減到最低程度。心靈更新從自己心靈健康起首，內心有主，在充滿強烈自我意識的內心深處，有博愛寬恕，轉移自我中心的態度為關愛他人。當前臺灣社會問題是肯定個人的慾望，否定對社會的規範。此種心態不平衡所產生的紊亂現象，須及早推動心靈重建。心靈更新由劍及屨及的事開始，從改變生活態度著手，擺脫「外物」牽絆，雙手騰出來助人。心靈更新從內心捨去私慾開始，進而肯定別人、肯定社會，尤其在心靈受到天災地震大震撼之後，更需要心靈做好規劃準備。心靈規劃以身作則，謀事在人，期待籌謀規劃有開花結果之時，成事在天，天助心靈重建者，勞苦規劃生涯必能收穫該得成果。

（三）心靈生涯規劃之現實性

　　要之，藉前述災變上天給予人們心靈的震撼教訓，提醒大家心靈須認知生涯規劃的現實性。

1. 今天不做，明天會後悔。很多沒有做好水土保持、違章建築的大樓都難逃一劫，房子蓋造偷工減料，難逃倒塌的命運。歌舞昇平日子過久了，缺乏憂患意識，災難一來措手不及而遭受苦楚。假如今天已做好應變的心理準備，那明天就不至於重蹈覆轍。

2. 心靈健康事先的預防勝於事後的補救措施。心靈健康須從平時保養顧惜自己的身心做起，養生之計在於滋養心靈。

3. 心靈豐實須培育善待。聖言：「無論何事，你們願意人怎樣待你們，你們也要怎樣待人。」（馬太福音 7 章 12 節）胡適也曾說到：「要怎樣的收穫，先要那樣栽。」期待心靈豐實，先求栽培護育之。

4. 心靈平復先靜心默禱、慎思明辨。祈求心靈充實，心思領悟天意，感通神旨。如韓愈所謂「潛心默禱若有應，豈非正直能感通？」

（四） 心靈生涯規劃之限制性

上述生涯規劃落實在心靈上有現實迫切的考量，但也要考慮其限制性，底下歸納幾方面的認知。

1. 明天如何無法預知，某財主欲蓋造更大的倉庫儲糧，想為靈魂預備好可享受的物資，但事與願違，靈魂即將離去，所得的要歸誰呢？（載於路加福音 12 章）某人已經準備好要去某地做生意獲暴利，然後買車買房子好好享受人生的樂趣，其實明天如何，你並不知情。所羅門曾說：「不要為明日自誇，因為一日要生何事，你尚且不知道。」（箴言 27 章 1 節）因此「不要為明天憂慮，因為明天自有明天的憂慮，一天的難處一天擔就夠了。」（馬太福音 6 章 34 節）我們可知的是明天會有憂慮，天天會有難處，這是實際的光景。其實明天無可誇的，因人無法預知明天會發生的事。

2. 謀事在人，成事在天；盡人事，聽天命。說明人的能力是有限的，但並非劃地自限，人可以發展體能或智能達到上限，在此能力範圍內，人力可以勝天。或者說人對未來可能發生的事無法預知，不是人所能左右。事實上，人體能有極限，各方面發展都有限制，所以要「看天吃飯」，存敬畏謙卑的心情，有智慧能揣測天意，明白天意為何，如此天人合一，規劃水到渠成。

3. 規劃充滿不確定性,具風險性。若以座標顯示,縱座標代表風險性,橫座標代表確定性,如圖 2-4,顯示生涯規劃,不拘升學、就業、人際、健康、理財等,需要平常養成規劃的習慣。把錢存在銀行確定性高、風險性低,若是拿去投資海外基金,風險性大、確定性高。而生涯規劃則以確定性高,風險性低為原則。

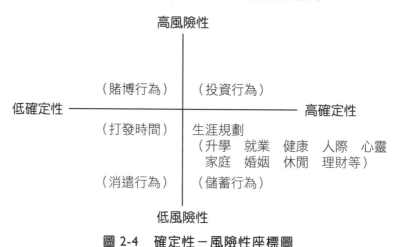

圖 2-4　確定性－風險性座標圖

4. 事與願違,天不從人願。事先做好妥善的預備,我們可以在幾個月內做好規劃,譬如準備申請到國外深造,擬好一份升等升遷計畫,計畫在 2026 年暑假到海外一個月遊學兼旅行。雖然已盡了人事,做了最好的準備,但疫情當道,天公不作美,臨時出了狀況,計畫落了空。人能做規劃,該清楚個人的動機是否違常理,或做一些傷天害理的勾當,就如所謂「智慧型」犯罪者、詐騙集團,心思都相當縝密,好像天衣無縫,雖然道高一尺,魔高一丈,但天網恢恢,疏而不漏,人在做,天在看,畢竟難逃天(法)網。因此心靈上先做好未雨綢繆,可多規劃一兩套措施,以因應特殊狀況,並慎思明辨了然於胸,以期能美夢成真,心想事成。

　　總括而言,生涯規劃是從心靈上確實做好未雨綢繆的工作,尤其需要規劃靈性生命,促進健康豐盈,穩實安命,知足樂道,惜福

感恩，心靈有信託。落實「心靈更新」，確切做好心靈上應變的準備，如此在潛移默化的新陳代謝過程中豐厚個人的生命。不僅造一人之福，也能造百人之福；不僅服個人之務，也能服百人之務。如此社會呈現一片和諧團結，家庭一團和氣盡享天倫之樂，則個人生命表現健康又有活力。

第五節　影響生涯規劃的因素

一、個人內外在因素

個性、能力、興趣、價值觀、學經歷、身體特徵等個人內外在因素，左右生涯規劃的內涵，分析如下所述。

（一）個性特質

個性活潑開放者，規劃未來抱持積極樂觀態度，防微杜漸；個性封閉自憐者抱持消極悲觀態度，鬱鬱寡歡。心思縝密者規劃鉅細靡遺，粗枝大葉者凡事差不多即可。按人之常情，好逸惡勞，多一事不如少一事，少一事最好沒有事，因此談到規劃，能省則省，反正船到橋頭自然直，何必多此一舉。除非任職於某企劃機構，主其事不作規劃不能升遷。個性殷勤，經常未雨綢繆，思患預防，才會事事運籌帷幄。然而，在工業化、資訊化、多元化、網路化的社會，若不培養勤奮性情，事先規劃定妥，就很難立足於職場。個人特有的人格類型，支配個人外在的行為及選擇喜歡的職業。譬如外向型能運用外在環境資源，樂意與他人來往，開放的態度易為他人所了解。需要和他人共事，喜歡變化，討厭受規範約束。喜歡當民意代表、導遊、公關人員、外交人員等。而內向型獨立自主，埋首工作，勤勉奮發，依自己理想行事；對人情世故了解不多，逃避他人攪擾，易受他人誤會或誤解，不喜歡工作被打斷。如規劃成為心理學家、鋼琴師、詩人作家等。

（二）能力特性

規劃能力強者事必躬親，能未雨綢繆，按部就班，循序漸進，有志者事竟成。人們習慣「能者多勞」，造成兩極化，以致「不能者不勞」，能力差者盡可能避免規劃，除非不得已才勉為其難，按規行事。事實上，每個人與生俱來都有規劃的潛能，區別在於有人能發掘規劃能力，同時運用此能力，愈多規劃，能力愈好。反之，埋沒此項能力，以為自己沒有甚麼，結果表現沒沒無聞，甚至鬱鬱寡歡。查看馬太福音 25 章 14-30 節記載的一個比喻，可發現我們每個人都有才幹(ability)，至少與生俱來都有一千銀子(one talent)或恩賜(gift)，可能你認為太少了，為什麼只有一千，而沒有二千或五千呢？於是把一千埋起來，結果一無所獲，一事無成，咬牙切齒。我們要學習那領二千或五千的僕人，發揮潛能，做生意賺錢，由於規劃得宜，結果連本帶利收回，並獲得主人的誇讚，在小事上可信託，可以管理大事。

（三）興趣範圍

興趣多元者，不侷限於某一面專精領域的發展，能嘗試另方面的規劃；興趣單面者只戮力於某一專精領域，不想嘗試相關領域之開展。興趣受家庭、學校、社會環境影響不容忽視。在一個書香門第的家庭，子孫耳濡目染，閱讀書本的興趣樂在其中，對未來的規劃也少不了「學而優則仕」。明星學校通常注重升學率，學子規劃均以考上第一志願，自己喜歡的科系為首務。觀察社會趨勢，朝向高峰造成對醫學的倚重，於是學子對學醫列為主要興趣之一是可理解的。興趣寬窄確可左右未來生涯的發展與規劃目標。

有一群心理學家做了一個歸納研究。他們找了二十個剛大學畢業，決定做自己喜歡工作的人；另外也找了同樣學歷和年齡，決定先投身熱門行業，賺到錢，再做自己喜歡事情的二十個人。二十年後，在兩組中發現，做自己喜歡工作的人，有十八人成為百萬富翁，而後者只有一個成為百萬富翁。默想：你所從事的工作是件自己喜歡的嗎？如果不能輕

易更改,那麼何妨學著去喜歡它呢?你一定可以在你的工作中找到許多的樂趣,只要你願意(引自魏悌香,2000)。由此興趣確實會影響日後職業的成就,不可掉以輕心。

(四) 價值觀

對人生抱持功利取向者,規劃以利己為出發點,不太考慮別人的立場;對人生抱持利他傾向者,不太考慮個人利益,凡事以悲天憫人、人飢己飢為原則。個人工作價值觀的探索可反映其人生觀。重視美感者,希望自己做出來的成果都能帶有一些美感和藝術氣息;追求美感的呈現,不喜歡醜陋、呆板的事物。重自主性者,能安排自己該做的工作,很有主見,別人的意見通常都僅供參考,堅持己見是常有的事。重挑戰性者,喜歡面對不同的挑戰,寧願失敗也不願意守成,喜歡向自己的極限挑戰,不斷超越自己的成就。重變異者,希望工作是多采多姿而富變化的,不喜歡每天都做同樣的事,更討厭呆板、單調,期待遇到新鮮事物。重安定者,較重視工作的安定性而不是冒險性。不希望經常調職,希望捧著鐵飯碗,即使遇到經濟不景氣,也不會被裁員,少會想到要換工作,是公務人員重視的價值觀(林清文,2000)。其他如重實現者、工作環境者、與同事關係者、重對組織及工作影響力者;還有重威望、經濟報酬、成就、地位、專業、利他傾向、法治、心靈成長、安適休閒等,各有不同的人生觀。有怎樣的人生觀,也就有怎樣的工作價值觀。

(五) 學經歷

學經歷高低會影響個人生涯規劃是不爭的事實。個人所受教育是獲得知識及技能的基本途徑,教育是生涯的手段,就業則是其目的。受教育的層次愈高,就業的機會也就愈大,選擇的層面也愈廣。在工作經驗方面,如護理工作須手腦並重,而且面對的是人,就非常重視實際的工作經驗。目前護理工作分類廣而細,諸如臨床護理、居家護理、學校護理、護理行政、護理教育、社區護理等。護理人員的學經歷不同,執行護理工作的能力表現亦不同(參考徐曼瑩等,1997)。目前欲從事教育

工作，需具備教師資格證照，國小教師也要取得大學程度，修過規定的教育學分，實習期滿取得教師證書，還要經過教師甄選的過程成為正式教師。自國民中小學教師培育多元化之後，國中小教師的甄選也要經過重重考驗，筆試通過後，還有試教、口試。在規劃未來生涯，選擇適性職業，當然會考慮學經歷，而學經歷高低深淺，無疑的左右規劃方向。

（六）身體特徵

個人身高、體重、高矮胖瘦，對生涯規劃的影響是可理解的。有些工作要求身材高大魁梧、負重耐力，如籃球國手、保鏢、保全人員、挑夫、舉重拳擊等。想當模特兒，有高䠦（挑）身材、玲瓏標緻勻稱不在話下。運動員、體育教師，有足夠的體力耐力、旺盛的精力、肢體協調平衡感等不一而足。想在軍校或軍中發展生涯，需有合乎標準的身高和體重、體能狀況，其他在性別、年齡等都要一併考慮。至於各行各業所要之身體特徵，因行業不同而異。

二、外在環境因素

外在環境，如政治清明與否，是否上軌道？經濟景氣好壞，謀職就業率、投資報酬率多少；社會福利措施、犯罪率多寡；家庭婚姻親子手足關係如何，和諧或暴力？生態是否受到破壞，導致大自然的反撲？都會影響生涯規劃。

（一）世局趨勢

目前世界局勢雖沒有以往冷戰時期，民主與共產對立的態勢，還能維持和平共存的局面。然而 2019 迄今 2025 美國和中國貿易戰仍打得如火如荼，影響世界經濟貿易至鉅，中國不為制裁科技貿易所動，反而越挫越奮，彎道超車，在多項科技取得專利，遙遙領先大國。一波未平另波又起，新型冠狀病毒在 2020 年初爆發，今 2024~2025 仍餘悸猶存，在後疫情時代陸續有確診、死亡數。當前全球還在防疫戰，還有暖化極端氣候、溫室效應、環保、種族對立等問題，嚴重威脅甚至改變世人生

活起居。我們處在承平時期更要居安思危，事先未雨綢繆，制敵（疫情天災人禍）機先，勿恃敵之不來，正恃吾有以待之。我們要長治久安，先有規劃綢繆措施是不可少的一環。

（二）政治現況

政治不上軌道，彼此勾心鬥角，攻訐謾罵，規劃蒙上陰影；政治清明國泰民安，開誠布公，福國利民，規劃清晰明亮。今兩岸關係混沌糾纏，對未來規劃進退失據；兩岸和諧無猜，對未來前景一片看好。臺灣政治發展，每年幾乎都要面臨選戰的衝擊。以九合一、立委、總統的大選，各黨推出民調高的候選人，以形象清新、學經歷豐富、親和力強較占上風。每次經過選舉，若真能選賢與能，則政治必能展現清明進步；否則勞民傷財，動搖國本。從政黨輪替再輪替之後，期待呈現政策確定不搖擺，朝野協調不對立，產業留根，兩岸開通，政治清明復現。此對個人生涯規劃有正面影響，否則即使想要規劃，卻感力不從心了。

（三）經濟情勢

當前疫情影響，經濟不景氣，失業攀升，規劃不敢掉以輕心。目前百業百工受疫情影響呈現疲軟，經貿、建築、旅遊業不振，而善於規劃者卻不受景氣低迷影響，突出亮麗成績。後疫情時代，經濟復甦榮景在望，規劃健康開步走。如某書局業務規劃凸出，在國人閱讀書報不佳情況下，業績仍蒸蒸日上，在同行業界一枝獨秀。但能否持續經營亮麗為業界翹楚，仍有待觀察。個人規劃或許深受世局經濟景氣影響，但並非必然的。只要能盱衡世事情勢發展，採取因應措施，化被動為主動，若一直要等到投資環境已然改善，雨水充分供應作物，才肯踏出投資、播種作物的第一步，如此可能永遠踏不出規劃的腳步。必須當機立斷，作出適當的規劃，才能預期美好的收成。

（四）社會脈動

善作規劃者能掌握社會脈動，對今 2025 年青年心理了解深入，能規劃合乎青年人需求之網路設計，贏得美譽。現今社會多元化有多面價

值觀，不能以偏概全。或許你會不滿社會趨向重功利輕仁義，重文憑高學歷，忽視內在涵養品質。無可否認的是高等教育鬆綁之後，大學院校如雨後春筍增多，進大學容易多了，但受少子化影響，有些大專科系招生不足。若能掌握機會，多充實學術，等大專畢業，成績達到認定的水準，不管繼續進修或就業，自然能水到渠成，更上層樓。如此注意社會脈動，教育發展趨勢，要接受高等教育，善作規劃，必然心謀事成。張老師基金會新近執行青年求職調查（聯合報 108.11.28），發現香港、澳門、廣州、臺灣等四地青年都不確定自己想要做甚麼工作，阻礙生涯發展的三大因素，包括欠缺認識自己和作決策的能力，能協助生涯抉擇的參考資料太少，現有教育受升學主義的影響、社會價值對個人職業抉擇的限制等。須掌握社會脈動，作適當因應措施，幫助青年立業創業。

（五）家庭結構

家庭成員若和諧一致，則家和萬事興。家庭結構鬆散彼此離心又離德，不願付出勞力代價坐享其成，終至家道中落。家庭影響個人生涯主要是父母，以及婚姻幸福與否。早期生涯規劃，多取決於父母的安排與計畫，如求學、考試、謀職、就業等，為人子女很少有自己的主見。天下父母心，望子成龍望女成鳳，在升學主義文憑掛帥，工作求職主要考量的壓力下，要考上父母心目中的第一志願，忽視了子女的興趣，壓抑了不少的潛能開發，影響子女專長的發揮。也有的父母，將自己未能達成的願望，全部寄託在子女身上，給孩子帶來太多的負擔，形成過重的壓力，導致畸形的發展。父母愛子女心切，卻在生涯發展上扮演著專制武斷、不合情理的角色；因此，塑造出缺乏自我思考、無法獨立解決問題的子女，感到空虛、寂寞、無助、茫茫然地面對著未來。新一代父母，隨著資訊傳播科技媒體發達，多能站在子女立場，給予子女鼓勵、經驗分享及分析問題，幫助子女做好生涯規劃。開明的父母，會給子女適性的教育，讓子女發揮其性向、興趣、專長、人格等不同的特質，協助子女規劃其生涯，不代替規劃，讓子女真正為自己而活，活出個人品

味。將來成家立業後，工作滿意度、婚姻滿意度都影響其生涯規劃。滿意度高，生涯的成長有正面發展。

（六） 生態環境

經過地震、颱風、暴雨、疫情等天災人禍的洗禮，使得自然生態產生巨變，加上屢遭人為破壞，狂風暴雨挾帶土石流，大自然反撲的威力驚人，印證「自作孽，不可活」。平時注重環保與自然和諧相處，規劃前景可期。生態環境的規劃，大至國土的整體規劃，由政府相關部門主其事，負責整個國家環境品質符合先進國家水準規劃。中至整個社會的規劃，宣導傳播環保的理念，腳踏實地，不破壞生態，不濫墾、又不濫建、不濫葬，注重水土保持，不種植檳榔，不嚼食檳榔，並注意垃圾分類，少製造垃圾等。小至個人的規劃，環保從個人以身作則起，個人的一小步，社會的一大步。當前全球面臨氣候反常暖化浩劫，為了後代子子孫孫著想，豈能袖手旁觀生態日益惡化？「我們只有一個地球」，「我們也只有一個臺灣」，綠化家園，生態維護，人人有責。

（七） 創新科技

科技發展不斷更新變化，顛覆各行各業，也為個人、企業乃至國家訂定了新的競爭規則。目前我們手機網路要求更快網速，更大頻寬，更低延遲，待及早因應規劃以應網路科技時代之需。黑科技超群前沿領先，如華為三折疊手機，要符合日常使用需求和價格親民特性。細胞療法可造福更多人群，對癌症與各種罕見疾病特別有療效。使用 GPS，與北斗衛星導航相抗衡，其晶片模組天線等基礎產品，規劃自主研發。審慎留意研討善用創新科技，為規劃籌謀生涯注入生命活力，確實科技創新左右生涯規劃之良窳。

課後問題探討

1. 依生涯類型論說明人格與職業如何配合？

2. 簡述生涯角色、生涯彩虹？

3. 生涯學習、需求、動力論有何異同？

4. 訊息認知與生涯自我效能有何關連性？

5. 何謂職涯調適論？行動規範論？

6. 新近的生涯學理有那些？

7.「生涯有美夢」，美夢能成真嗎？試分享個人的體驗。

8. 生涯規劃的真義為何？

9. 生涯規劃有何目的、良方？

10. 列舉親歷震撼心靈之事，說明生涯規劃在個人心靈所扮演的角色？

11. 生涯規劃在相關學術上所扮演角色為何？

12. 略述影響生涯規劃之內外在因素？

生涯活動 ❶　我的生涯規劃報告

1. 我認為「生涯」是什麼？

2. 為什麼我需要做「生涯規劃」？

3. 生涯人物訪談：找一位在各行各業有傑出表現者進行訪談，並分享訪談心得。

4. 分別就升學、就業、健康、人際、婚姻、家庭、理財、休閒各面向，至少選出三項來做規劃。

生涯活動 ❷ 展望未來

名目：透過水晶球展望我未來十年可能的發展

方式：老師先說明生涯規劃的重要性；然後利用傳統水晶球透視未來的活動，請同學們分享未來十年可能的發展及夢想。

步驟 1：學生十個人一組，各組分別找到一個舒適的空間。

步驟 2：每組各準備一個水晶球。

步驟 3：圍成一個圓圈，按順時針方向輪流拿著水晶球說出今後十年內要做什麼？個人會有怎樣的發展？個人面對水晶球說出自己的心願，期望美夢成真。

步驟 4：每位對著水晶球說出自己的心願後，其他成員可以給他回饋或請教他如何達成所願？

步驟 5：各組都展望完後，再集中討論，讓大家分享感受，或提出建議，最後由任課老師作一講評。

生涯活動 ③ 我的生涯彩虹

　　「生涯彩虹」由生涯發展學家舒波首創。認為人生的整體發展是由三個層面所構成，即時間、廣度、深度等。時間是指一個人的生命旅程或年齡階段，包括成長、探索、建立、維持、辭退等五個階段所發展成的。廣度是在某工作或職業所擔任之職位或所扮演的角色。深度乃在某職位或角色所投入的深淺程度。或可視為長度（時間）、寬度（廣度）、高度（深度），呈現一幅立體圖形。

　　請同學也來試試看畫出專屬於自己的「生涯彩虹」吧！

步驟 1：準備一盒彩色筆及一份空白的彩虹圖。

步驟 2：選出各種生活角色所要彩繪的顏色類別。

步驟 3：繪出與自己生涯發展有關的各種角色之起始點與發展程度（長度、寬度與高度）。

步驟 4：繪完之後，與他人分享自己完成的圖像並說出：自己一生中預演的顯著角色為何？其對自己未來就業發展有何意義？

生涯活動 ❹ 「生涯雋語」創意說

以腦力激盪方式，參考下列生涯雋語，說出各人對有關生涯的創意看法。

譬如：「我雖不能決定生命的長度，但可以擴展生命的寬度。」

「我雖不能左右天氣，但可以改變心情。我雖不能改變容貌，但可以展顏歡笑。」「我雖不能控制別人，但可以掌控自己。我雖不能預知明天，但可以善用今天。」「我雖不能樣樣順利，但可以事事盡力。」

請寫出三個你的「生涯雋語」：

1.

2.

3.

Chapter  **03**

基原真相識
生涯主人

本章學習目標

1. 知曉基原真相識生涯主人之意義。
2. 多面探索自我的方法。
3. 認清自我人格特質和類型與職業關係。
4. 解析個人興趣類型及興趣與職業關係。
5. 闡明自我價值及價值觀與職業之關係。

【引言與摘要】

實施生涯規劃的過程，在認識生涯之意涵後，接著要探究生涯主其事者，意即自我的真面目。本章從自我探索談起，再探討了解自我的方式，有主觀的觀察體驗，也有客觀的心理測驗。人格為個人獨特的個性，個性與職業的配合列為首要課題。人各有志趣，利用心理測驗將興趣分類，可將人格類型和興趣類型作一對照。價值觀代表個人對人生取向的看法，自我測試工作價值觀，顯示個人在生活工作上所重視或堅持的原則。由探索而知曉自我真相，則規劃未來生涯能掌握個人發展的狀況。老子：「知人者智，自知者明，勝人者有力，自勝者強。」蘇格拉底：「想左右天下的人，須先能左右自己。認識自己，方能認識人生。」可見認識自我，有自知之明的重要。

標題「基原」一詞取自中藥材之基原鑑定，中藥基原鑑定是研究中藥或是植物藥基礎和關鍵的工作，然而中藥常有同名異物、異名同物、代用品、偽品的情況，如何有效、快速且正確、精準的鑑定中藥材，基原品種就顯得十分的重要(https://brion.org.tw/)。本章基原真相識生涯主人，就是要正確、精準、認識規劃生涯的個人本身，意即要知己，認識自己是一個怎樣的人，進而能認識人生真相為何，這是規劃生涯的首要任務。

第一節　探索生涯主人真貌

一、自知者明－自我知多少

自我在日常生活說得最多用得最廣，但對自我認識有多少？「知人者智，自知者明」、「你要認識你自己」為自古以來一直被視為人生重要課題。所謂「知己知彼，百戰百勝」，知彼固然不易，知己也許更難。通常知己、知彼、抉擇和行動乃生涯發展的基本因素，也是生涯規劃必要歷經的過程。針對個人生涯發展過程，認識自我常列為首務執行。

時序來到 2025 年，青年喜標榜自我，強調個人特色，喜歡耍酷、裝帥、超炫或流連網咖，滑手機玩電動遊戲，避免被認為遜斃、呆滯，或跟不上時代潮流。當前嶄新世代哈日族、哈韓族，摹仿日本、韓國青少年歌舞時尚。現代人也愈來愈重視自己，對自己的權利和義務愈來愈會自我拿捏，因此經常有自力救濟、走上街頭、粉絲瘋迷之現象。上班族也愈來愈標示自己的形象，要包裝自己，整飭形象以給人好的印象。為了爭取自己的權利，為了塑造良好的形象，可謂不惜任何代價。

依福洛德之理論，人格乃是一個整體，由本我(id)、自我(ego)、超我(superego)三部分構成。本我為與生俱來最原始的我，滿足飲食、性慾等需求，受唯樂原則之支配。自我在現實環境中由本我分化出來，受現實原則之支配，逐漸發展成為人格的核心。超我居於道德管制的最高地位，本我「只要我喜歡，有什麼不可以」，超我發展自我理想及良心，如「人為理想而奮鬥」、「平生不作虧心事」；而自我則顧及現實，希望活出自己的品味來。

人本心理學先驅馬斯洛特別強調自我實現(self-actualization)是人性需求的高峰，馬斯洛在晚年的時候，為他的需求理論添加了一個叫「超越」(transcendence)的層次，可說超越了自我實現，乃是個人在成長過程中，身心各方面的潛能達到充分發展的歷程和結果，具有一種頂峰經驗(peak experience)的自我心靈滿足感和完美感。如完成一篇研究報告、登上一座山的最高點、參加國外旅行平安歸來等。美認知科學家考夫曼(Scott Barry Kaufman)著作重新改寫了馬斯洛需求金字塔的結構，而用「帆船」來呈現：以安全、人際連結、自尊為船身，以探索、愛、目的為風帆。(https://www.commonhealth.com.tw/) 人生必須在堅固的自尊與安全感下，努力突破舒適圈、積極探索生命的真諦，以追求「超越」。

羅吉斯的自我論(self theory)以自我為其人格理論發展之中心，自我經驗代表個人從經驗中對自己的一切知覺了解與感受，包含對「我是誰」、「我是什麼樣的人」等問題的經驗，匯集各方面體驗感受而發展成個人的「自我概念」(self-concept)。一個人自我概念中沒有自我衝突的

心理現象，稱之為自我和諧(self-congruence)，即其理想我(ideal self)和實際我(real self)能和諧一致。

有關自我概念的層面(dimension)可從底下幾方面加以了解。

1. **生理我(physical self)**：是指個人對自己身體、健康狀況、外貌、動作技能及性方面的感受。

2. **道理我(moral-ethical self)**：個人對自己在道德意識、倫理觀念之表現，以及對宗教信仰、好人壞人之看法。

3. **心理我(personal self)**：個人對自己的意志信念、價值與能力抱負的認定或評價。

4. **家庭我(family self)**：個人對身為家中一份子的價值與責任（勝任）之感受經驗。

5. **社會我(social self)**：個人對自己與他人交往的價值與責任（勝任）之感受經驗。

自我概念可說是個人生命的核心所在，可謂誠之於中而形之於外，其表顯在外界的事物上因人而有異。再者，自我概念可視為一種自我意識或覺知(self-consciousness)，意指個人對內在我隱私我和公眾我的覺知及調適程度。內在我是比較隱私，不為人知的部分，包含個人的價值觀、情感和抱負等。公眾我是別人對自己外在行為的印象，如講話的聲調、待人的態度、外表的裝扮等。

如何認識「自我」在生涯發展中扮演的角色？透過自己和別人的互動、參與促進自我成長的團體、接受心理測驗、人際溝通等方式，可對自我有較深刻的瞭解。

（一） 善用周哈里窗(Johari window)的模式認識自我

由心理學家魯夫和英格(Joseph Luft & Harry Ingham)所提供的一個知己模式，周哈里窗(Johari Window)認為人對自己的了解有四個層面。除了「公開我」、「隱私我」的部分自己可相當了解外，「背脊我」、「潛

在我」都非自己所能了解清楚者。那要如何藉此模式更了解自我呢？

1. 擴大公開我、你我都知道的部分。透過經常與他人在一起溝通交往，增進彼此更加了解。

2. 開拓潛在我、你我都不知道的部分。需要經常藉著在一起的機會，一同發掘自己在某一方面的潛能或特殊才藝。原先不知曉的，竟能發現自己還有這樣的才能，有如發現新大陸一樣。

3. 分享隱私我、只有自己知道的部分。需要向別人坦誠，敞開自己，多藉助與別人互動，適度開放自己，分享個人的喜怒哀樂等情緒。讓別人對自己有更多的回饋，他人的回饋，如採用優點激發或轟炸法、諮商員的回饋、親友的評論，可了解真實我、道理我、社會我之究竟，以增進自知能力。

4. 接納背脊我、自己不知別人知道的部分。需透過別人訴說自己的優缺點，好像能看到自己的背脊，而多有自知之明。底下畫一扇周哈里基原自我窗四個區域圖以簡明之，如圖 3-1 所示。

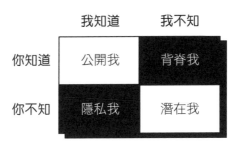

圖 3-1　周哈里基原自我窗

（二）利用心理測驗了解自我

有關智力測驗，如皮亞傑認知發展測驗、青少年認知發展測驗、普通能力測驗、魏氏成人智力測驗等，可了解自我習得的能力、普通能力或智力的高低。性向測驗，如多元性向測驗等，可了解個人性向潛在能力之高低。特殊能力如音樂、美術、體育等。測量人格或性格的測驗，

如柯氏性格量表、賴氏人格測驗等。測量興趣的測驗，如職業興趣量表，生涯興趣量表等。其他如情緒 EQ 測驗、創造思考測驗等，不勝枚舉。有關的心理測驗，可參考國內學者所編製的測驗或量表、修訂國外學者的測驗，或有版權的測驗機構所出版的測驗。這些可用以基原生涯主人，了解自我的多元特質。

（三）　參與活動認識個人潛能特質

　　參加坊間舉辦的訓練活動，如卡內基人際關係訓練、潛能開發訓練，學校輔導中心或社福機構，如張老師中心經常舉辦的知己知人工作坊(workshop)，在小團體活動裡可相互觀摩成長，並進一步了解自我概念、性格、興趣、需求、價值觀、智力、創造力等。透過別人對自己的回饋，可多方了解自己的潛能特質。

（四）　研讀相關書刊認識自我

　　坊間出版很多有關了解自己、人際關係、兩性關係、溝通交流的參考書，可多方閱讀，無師自通，增加對自我的了解。有關運用思考風格的書，可發現人要活出自己的品味就須活得有尊嚴，了解自己的思考風格並善用自己的優點，認識自我思考在哪方面較占優勢，哪部分尚待加強。此外，閱讀心理學方面的書，可望知道自己具有多元能力，不妄自菲薄，也不自暴自棄。利用多元智力說以了解自己的能力，依哈佛大學教授葛德納(H. Gardner)的見解，把智力分為語文、音樂、數理邏輯、空間、肢體動覺、為人處事、自知、存在、了解自然等九種。而情緒智理(EQ)的書也相當流行，也可藉助書本了解如何做好情緒智理。而逆境商數(Adversity Quotient, AQ)，能革除自我毀損的思考模式，提升能力達登峰造極的境地，並藉此更了解自己所欠缺者。

（五）　動腦細想自我能力

1. 我是一個什麼樣的人？（有耐心的、可愛的、有野心的、率真的、豪爽的、謹慎的、好勝的、富創意的、懶散的、有主見的、討人喜

歡的、樂觀的、謙虛的、嫉妒的、慷慨的、理性的、善解人意的、衝動的、順從的、羞怯的、頑固的、易相處的、吝嗇的、好學的、有責任感的、很酷的等)。

2. 我有哪些興趣?我喜歡做什麼?

3. 我所重視的人生工作價值觀有那些?

4. 我有哪些能力?(說服、領導、助人、藝術、音樂、創造、社交、機械、溝通、空間、教導、閱讀、研究、運動、文書、書寫、規劃、分辨、應變、演辯、觀察、邏輯、推理、企劃、製作等)。

5. 認識現有的能力,依據美國勞工部 (U.S. Department of Labor)對職場工作者特質所提的報告,將工作分為三大範疇:資料、人們、事物。不同個性、能力和喜好的人各有不同的工作內涵。三大範疇可能有重疊之處,個人可能同時具備三方面的興趣和能力,也可能較喜歡其中一項或兩項。較傾向「人們」的層面者喜歡做與人有關的工作、處理人際狀況,如領導、說服、教導或諮商的工作。較傾向「資料」者喜歡透過文字、符號,處理一些數字和抽象的觀念。屬「事物」層面者喜歡從事與機械、器具有關的工作,處理有關物理現象問題。底下表 3-1 陳列與三大範疇有關之能力項目群。

表 3-1　三大範疇有關之能力項目舉例

範疇	展現各項能力舉例
資料	綜合、分析、調整、彙集、計算、訊息處理、比較、調查研究、計算、觀察、分類、評估、預算、訊息提取、資料知識管理。
人們	顧問、教導、磋商、說服、督導、服務、人事管理、交際、激發、解釋、輔導、授權、思維想像、協調運作、組織、監督、行政管理、開創溝通、導遊解說、敦親睦鄰、敬業樂群。
事物	建構、精密工作、控制、接觸處理、操作控制、操縱轉動、設計、革新、焦點解決問題、發明器物、小編敘寫、機械修護。

6. 認識個人潛在的能力，在「積極自我的開拓」（修自陳怡安，1986）提到身體的潛在：身體是人最具體的形象，是我們了不起的「家」，須善待顧惜之。思維的潛能：人的腦筋需要思考才有創造發明，要思考自主性。感性的潛能：情感、感受能力是美的世界來源，領略感情世界、藝術境界的美。意志的潛能：人透過意志的紀律，知道什麼時候運用智慧，控制自己的行為。潛在能力究竟有多深，如何激發出來，或挖掘深沉不露的潛力，實乃教育的重要課題，在開發挖掘之後，進而發揮身體、思惟、感性和意志等潛力。

（六）溝通分析了解自我狀態

溝通分析(Transactional Analysis, 簡稱 TA)是由溝通交流專家柏恩(E. Berne)在 1950 至 1970 年所倡導的一種心理諮詢方法。TA 係利用有系統且循序漸進的方式，以增進當事人的覺察能力，清楚面對自己未來生命歷程並行使嶄新的抉擇和詮釋。每個人的人格組織，有三個獨立且互動的自我狀態(ego-states)—「父母」(Parent)、「成人」(Adult)、「兒童」(Child)，簡稱為 P、A、C。由此三個自我狀態組成一個完整的個體。P 的自我狀態通常可分為「撫育式父母」(nurturing parent)和「批評式父母」(critical parent)。前者以撫愛無微不至的關照姿態出現，在語言上的表現如「你很瘦，多吃一點吧」、「你辛苦了，休息一下」等；後者常動輒批評吆喝，如「你敢…」、「你太沒水準了」、「你好笨…」等。A 的自我狀態，常就事論事，見解比較成熟又有理性，不斷蒐集外界資訊知識並加以評估，以適切的行為表現出來，是一種較有組織和理解力的自我狀態。C 的自我狀態大致可分成三部分，分別為：「自然兒童」(natural child)天真爛漫、感情自然流露、無所做作、喜怒形之於外；「適應型兒童」(adapted child) 是受到外界修正以適應別人的要求，常表現一種順從聽話、退縮與人無爭的樣子；而「小教授」或「學者型兒童」(little professor)富有創意，表現好奇冒險，賣弄小聰明。

三個自我狀態可與福洛德的人格結構相對照。如「本我」與「自然兒童」都受「快樂」支配；「自我」與「成人」類似；至於「超我」與

「學者型兒童」或有相似處。然而誠如柏恩所說：「超我、自我、本我是內在的觀念，而自我狀態則是可實驗的、社會的，以及實際的。」可見兩者仍有差異，而個人的自我狀態比較適合進行人際溝通分析。

　　每個人面對溝通若都要考慮以什麼姿態來應付對方，是否會流於「以其人之道還制其人」，想要抓住別人的話柄大肆撻伐；或「以子之矛攻子之盾」，對人語言攻擊不留情面，想要勝人一籌。如是則失去溝通的意義。溝通要順暢，暢所欲言，言之有物，則每人都需要尊重對方，聆聽對方的心聲，彼此在語言上有互補作用，能滿足所需。同時雙方都有意願要溝通，了解彼此的自我態度，然後以合適之自我狀態相對應，則溝通自然能暢通無阻，爽快率真。

（七）　人際交往模式了解自我

　　柏恩認為人自出生後受到父母教養及環境的影響，從此就學習了處事態度、價值觀和人生確定的方向，隨之逐漸寫成了「生命腳本」(life script)。而個人的心理地位或生命地位(life position)便是生命腳本的主要內涵。有怎樣的生命地位，便有怎樣的生活。心理地位內含四種模式，可用來說明人際交往的態度。第一種「否定自己，肯定別人」。此種人際交往較自卑、退縮，把自己孤立起來，不願和人打交道。若要改善不好的情況，就需要調整個人的心態，不受過去不愉快的影響，要抓住機會，對自己有信心，「舜何人也，予何人也，有為者亦若是」別人行！你也行！肯定自我和他人的態度，可以締造雙贏的溝通，也讓自己更受人歡迎與了解。第二種「否定自己，否定別人」。此種人際態度是悲觀的、消極的、厭世的，甚至自暴自棄和對人仇視，這種態度需要強而有力的輔導，使之扭轉為積極的自我概念。社會固然有黑暗面，但也有光明面，多視光明的一面，會覺得自己和別人一樣都有可愛之處。第三種「肯定自己，否定別人」。有些狂妄自大、推卸責任、反社會行為。不喜歡與別人交往，別人自然不跟他交往了。多認識別人肯定別人，會覺得人生路途更為寬闊。第四種「肯定自己，肯定別人」。與人關係是和諧融洽的，溝通的路為你我而開，彼此肯定一起成長，由此展現溝通的

成效乃在和諧的氣氛中互助暢通。人往高處爬，有心向上，至終可達到「肯定自己，肯定別人」的境界，當能做一個溝通的高手。因此個人的心理態度左右溝通的成效，從現在開始就要改變認知習慣，重整心態，渴望從與人溝通交往中得到自我成長的機會。

（八）從環境遭遇了解自我

所謂疾風知勁草，板蕩識忠臣，路遙知馬力，日久見人心。愈在艱苦危難，愈能看出人的意志和立場是否堅貞，也在危難中，才能看出人心真偽。往往在個人的遭遇中不如意事十之八九，人生遭遇逆境多於順境，苦多於樂，在苦難環境中學習謙卑，不怨天不尤人，誠如大衛詩篇所言：「苦難使我寬廣。」不過事實上，我們常會受制於環境的順逆，好像順境是應該的，逆境是討厭的，稍有不順，即埋怨別人，或歸咎於自己身邊的人，他們好像成為代罪羔羊。由此認清自己本相，隨遇而安，發現自己得罪人，認錯道歉，重新改造自己，落實心靈更新。

第二節　知悉自我人格特質

積六十年之經驗，自小白手起家，富可敵國的日本松下電氣公司創始人松下幸之助，1989 年在《路是無限的寬廣》一書中曾說：「人必須認識自己、了解自己的個性、性向和能力，才不會對不適合自己的工作怦然心動。能徹底忠於適合自己的職業，不要迷惑於名譽和利欲；只要有不動搖的信念，則不論你從事那一種行業，都會步上成功的大道。」此言極富哲理，可為吾人創業擇業配合個性性向之參鑑。因此，在規劃個人生涯之前，首先要基原生涯主人，知己個性適合什麼樣的工作。

一、職業的人格類型

前在生涯類型論已述霍南(Holland)的性格類型。在實際探討個性和職業的關聯時，霍南的性格六種分類可用來說明何種類型適合從事何種

工作，如實際型者比較溫和坦誠、穩定務實、害羞謙虛、具機械能力，欠缺社交技巧，可從事汽車修護、土地測量、電器修理、農耕等工作。探究型者具有數理能力、謹慎好奇、保守內向、崇理精細、獨立分析，欠缺領導能力，可從事生物、物理、化學、地質、醫學等科學研究，而成為科學家、學者專家。藝術型者比較崇尚理想、富幻想不實際、直覺衝動、具音樂文藝能力，欠缺文書事務能力，可從事作曲、音樂指揮、室內設計、演藝寫作等工作。社會型者有理想責任感、合作友善、助人、善察人意、令人信服，欠缺機械能力，可從事教育、傳播事業、輔導社工、精神醫療等工作。企業型者好冒險有野心、精力充沛、樂觀自信、辦事武斷、具領導能力、有口才，欠缺科技能力，可從事工商業務、電視製作、產品採購等工作。事務型者比較順從保守、能自我控制、有條理良知，缺乏藝術能力，可從事金融分析、成本估計、銀行稅務等工作。以上各類型特色及適合的工作供參考，還得衡量實際狀況。

二、人格類型分析

（一）十六種人格氣質

心理學家 Myers(1963)依據四類偏好向度，建立了十六種人格氣質的典型狀況。這四類偏好向度分別是「外向－內向」、「感官－直觀」、「思考－感覺」和「判斷－覺察」。試依據這四類向度，來判斷一下自己的人格氣質傾向。

外向(E)－ 喜歡傾聽和他人談話；以食會友或以工作以同事會友。

感官(S)－ 品嚐食物；注意交通號誌；記得演講內容或執行計畫。

思考(T)－ 鑽研選購產品；權宜行事；製作創新；循則完成任務。

判斷(J)－ 列清單做事；預先計畫；表達意見，依序進行議題。

內向(I)－ 喜閱讀書籍；思想說想做的；覺察感受；慎思解難題。

直觀(N)－ 突想新法做事；思考行動；尋思言行底涵；觀賞圖片。

感覺(F)－ 喜歡購物；壓抑難事；遷就環境；易地與關心者相處。

覺察(P)－ 估選項延決定；見機自發行動；當下決定最後才做事。

　　十六種人格氣質類型之命名，如表 3-2 所示（修自吳芝儀，2000），有守護者、演技者、建構者、助人者等四種，每種各分四類，而形成十六種人格氣質類型。可為個人認識自我人格特質參考。

表 3-2　16 種人格氣質分析

守護者(SJ)		演技者(SP)		建構者(NT)		助人者(NF)	
尋求安全穩定		尋求感官刺激		尋求理性知識		尋求自我認定	
ESTJ	督導者	ESTP	促進者	ENTJ	指揮官	ENFJ	教育者
ISTJ	視察者	ISTP	工藝者	INTJ	策劃者	INFJ	諮商師
ESFJ	提供者	ESFP	表演者	ENTP	發明家	ENFP	得勝者
ISFJ	保護者	ISFP	創作者	INTP	建築師	tINFP	治療師

（二）九型人格探索

　　由心理學家呂索(Don Richard Riso)依印度神秘的蘇菲教派用來助人改邪歸正定向的古老智慧，累積數十年研究經驗而發展完成的「九邊圖」(Enneagram)，用以引導眾人發現自己的廬山真面目。九邊圖大致分成三大類型為：心型(heart)—人際型；腦型(head)—實驗型；腹型(belly)—自我型。「心型者」非常在乎人際相處，重視情感經驗，易與人親近，能細膩感受他人的需求，喜怒哀樂隨環繞人際關係而變化，執著於連繫自身和他人之關係。「腦型者」習慣以思考回應生活，予人耳目一新、實事求是、冷靜客觀等印象，並以「眼見為憑」為基本原則，善於調查，分析連結各種觀念，充滿想像力。「腹型者」充滿行動力和實踐力，不時自我要求努力學習，從行動過程吸收智慧和增長自我效能。

　　每一類型又各分成三類別，心型—人際型含助人、和睦、忠誠者；腦型—實驗型含探究、挑戰、改革者；腹型—自我型含利己、好勝、夢想者（修自張老師月刊 281 期，2001，九型人格探索之旅）。參考線上九型人格測驗相關網站測試，或可了解自己屬於何種類型。

（三）人格五向度

在人格特質論方面，學者提出五個向度，分別為開放性，表現自由主義思想敢於挑戰；負責性，深思熟慮，規律己有能力追求成就；外向性，溫暖合群，自信活潑；和悅性，利他率直，可信任；情緒穩定性，自我意識，衝動焦慮等（修自王震武等，2001）。對照學者利用因素分析華人基本性格向度，發現七個正反因素：精明幹練－愚鈍懦弱；勤儉恆毅－懶惰放縱；誠信仁慈－狡詐殘酷；溫順隨和－暴躁倔強；外向活躍－內向沉靜；豪邁直爽－計較多疑；淡泊知足－功利虛榮。

此外，有關人格類型可從人格測驗了解個人所屬類型，如賴氏人格測驗，可分 A（中庸型）、B（攻擊型）、C（規矩型）、D（指導型）、E（怪癖型）等五種類型，並非絕對歸屬於哪一類型。而柯氏性格量表，可測出疑心、慮病、離群、信心、悲觀、不安、強迫性、性壓抑、獨立、攻擊、彈性等人格特質。至於內控者自我掌控前程，外控者聽天由命的人格特質，也可利用制握量表測出。然而人格類型與職業生涯關係究竟如何，或可從底下工作人格見端倪，進而探討下述興趣及價值觀。

基原生涯主人得知個人的工作人格(work personality)，以個人的能力、需求與價值觀來說明。個人的能力與個人所具備的技巧相關，可用性向測驗來獲得；價值觀的形成與個人的心理需求有相關。心理需求有如能力發揮、諸如成就、活動、獨立性、變異性、補償、安定、工作環境、升遷、讚賞、權威、社會地位、同事關係、道德價值、社會服務、策略實務、督導與人權關係、創造性、責任等。這些需求可歸納為成就、舒適、地位、利他、安全、自主等價值觀。由此看出一個人的工作價值觀及其希望由工作滿足個人需求的情形。譬如成就(achievement)：個人運用或發揮自己的能力所做或完成的事情能讓自己有成就感。舒適(comfort)：包括許多在處理工作時的需求，以使工作較無壓力，且帶給工作者利益，如有良好的收入、穩定的工作。地位(status)：他人如何看待或認可工作者；個人可以透過升遷的機會、他人對工作的認可、聲望、指揮別人來獲取地位。利他(altruism)：考慮的重點是個人如何協助

他人或與他人合作無間，包括為他人做事、與同事和好相處，及符合道德的工作。安全(safety)：非僅止於無風險的工作環境，包括公司政策的公平執行、老闆的支持與提供訓練。自主(autonomy)：人們希望能有為自己工作的機會，可以發揮自己的創意或做出自己的決定。當個人擁有許多能滿足其不同價值觀的生涯選項時，最受重視的價值是生涯選擇最重要的決定因素。至於個人價值系統是從社會中所學習到的，每個人都會在社會生活中發展出少數核心的價值觀。而文化、性別、社經地位會影響個人在社會環境中的機會和社會互動，置身於社會不同文化團體社群網絡之中，也會發展出不同的價值觀。由此做出和個人價值觀一致的生涯選擇，這是工作滿意所必備的條件，藉工作人格更了解個性特質。

第三節  分析個人主要興趣

一、興趣的意涵

1. **興趣釋為專注**。美國教育家克伯屈說：「興趣之意，在吾人作一事時，全神貫注，專心致志，勇往直前，不遑他顧。」興趣可以集中注意，是一種專心致志，不遑他顧的情緒，一個人對某件事物發生興趣，便會留心此事物或與相關的因素，而留心就是注意。學生對學習有興趣，便會集中注意於學習活動，而不遑他顧其他事物。

2. **興趣是努力的保證**。美國教育家杜威說：「興趣與努力，皆應付困難之健全活動中所同具：自對於目的之情緒熱忱言之，謂之興趣；自困難當前自我之堅忍前進而言，謂之努力。興趣與努力，為同一進行活動之二面。」興趣確是努力的保證，有強烈的興趣，可以促使個人克服困難，努力不懈。發憤忘食，樂以忘憂，努力和興趣關係密切。興趣是一種心理或情緒狀態，使吾人具有興奮的感情，以集中的意識，從事並完成某種事物或目的之活動。甚至可簡單的歸納說：「見物而有所感，謂之興，心嚮往之且景行行之，謂之趣。」

3. **興趣為天賦能力的一面**。美國著名心理學家吳偉士(Woodworth)認為興趣是：天賦能力之感情的一面，故有能力即有興趣。如有打獵能力，即有打獵興趣。戰勝困難而成功的動作，其興趣非常濃厚。如兒童對於解決極難之算題，苟能潛心研究，則解決後所得之興趣特別濃厚。對於物之興趣，乃就物之本身而發生，並無何種最後目的參與其間。如兒童愛遊戲的興趣，其聳動或驅力(drive)即在動作本身。興趣不獨在成功時發生，且在動作過程中亦能發生。如兒童之栽花，栽成時固有興趣，而當其掘土澆水時，亦有興趣在其中。因此興趣與知能有關，學生具有某種能力，便易發生某種興趣，缺乏能力，便不易發生興趣。沒有某方面的知識，亦無由產生興趣。例如不懂音樂的人，便不會對音樂發生興趣。興趣由激勵而生，興趣由知能的激勵而來。一種事物和活動，對於個人的知能具有刺激性和考驗性，經過一番努力而完成的興趣，別是一番滋味。成功產生興趣，預期成功產生興趣，邁向成功的途程亦會產生興趣。重要的是興趣可以自發，亦可以培養。自發的興趣是自然的直接的，數量少而效率大；培養的興趣是後發的、間接的，數量多而效率較小。

4. **興趣如同戀人**。一人凝視戀人時，一切全是美的。個人從事感興趣的事時，一切全是樂的。冒險家不怕山的峻峭與水的驚險；發明家不怕油泥的污穢與毒氣的彌漫，全是因為興趣。興趣可能是天賦的傾向，也可能由自己培養出來。興趣就如愛戀，興趣的探討與執著，好像愛戀中的選擇與操守，是成功幸福的必經途徑。一項你未來長時間所要持續扮演好的角色，所要竭盡所能做好的事，那是職業；一項即使你到最後覺得厭煩、疲憊都可能還必須繼續下去的責任，那也是職業。而興趣遠比職業來得廣泛博大，限制規範也相對少。每個人都悠閒愉悅的徜徉優遊於興趣之中。如果將事業比喻成相偶一生的伴侶，那麼興趣就仿如戀人，二者都是甜美的，只要用心去經營，開花結果並不是難事。但畢竟伴侶在絕大多時候是無法與戀人畫上等號的，正如興趣並不一定等於職業。興趣可以隨著時

間、環境的轉變，而有所不同；但職業卻不能隨興所至，有責任、有顧忌，不能隨心所欲。擁有許多興趣是美好的，但只有單一的興趣也是幸福的；而最讓人稱羨的，則是能將興趣與工作合而為一。

5. **興趣非萬能**。興趣是萬能嗎？或說：只要我找到我的興趣，我就一定能夠成功。事實上新鮮人進大專後，所讀科系原為自己的興趣，但就讀該科系後，卻覺得所學與原先期待有差距，可能有被誤導之嫌。而且興趣與能力有別，有興趣無能力，只會增加挫敗感。興趣有如調味料，能力如主菜，主菜沒調味料會索然無味，沒主菜更無法做菜。因此除有興趣外，更須培養自我能力。較合理的信念是：「找到自己的興趣，不見得一定成功，但至少做起來會快樂。如果再培養自己所感興趣事物的能力，將更能使自己成功。」亦即興趣加上努力，是達到成功的捷徑。

二、工作生涯興趣量度與類型

（一）工作生涯興趣類型

現以工務、理論、藝文、人際、政商、事物六種類型為編製測驗之架構，各類工作及工作者的人格特質均可藉此六種類型加以描述。個人所選擇的職業，即為其人格的一種表現。以上六種類型代表六種不同的興趣和人格特質。依照順序可排成一個六角形，如圖 3-2 所示。

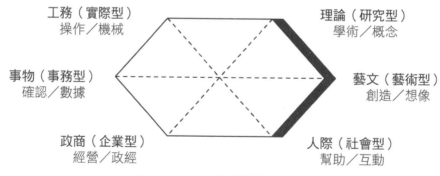

圖 3-2　工作生涯興趣六角形

　　此六角形可幫助個人了解自己對那些類型的工作較適合，同時協助個人了解工作環境及內容。然個人並非只具備某一種特質或某一種興趣而已，卻是常具兩種或更多種興趣和特質；不過其中一種會比較強，其他比較弱。生涯興趣測驗結果，個人並不被硬性劃歸為單一的興趣類型，而是代之以能顯示出適合個人特質的興趣組型。在六角形中，左右接鄰的類型彼此關係較密切，餘依順位遞減；而對角位置的類型彼此關係較疏遠。因此如個人比較偏向某一興趣類型，則他對六角形中與其相鄰類型之興趣，通常大於與其相對類型之興趣，此含有「一致性」之意義。再者，個人所處的職場環境特性亦可區分為此六大類型，若人格與職場工作類型相互配合，則個人可得適性之發展。如表 3-3 所示。

表 3-3　六種職場工作興趣類型特色

類型	興趣特色	喜歡的工作
工務	運用機械能力或體力以處理器物、工具、運動設備或與動植物養護有關工作，較屬於具體實在、體力之工作。大部分工作需在互外進行，較不需與人深入接觸，其社交技能並不十分重要，藝術能力也不那麼需要。情緒穩定、具體踏實。	從事技術性、費體力之工作，如務農、汽車修護、飛機控制、電器工程、加油工。
理論	運用其智能或分析能力去觀察、評量、判斷、推理及解決問題，喜歡與符號、概念、文字有關之工作，具有數理邏輯及科學能力，但欠缺領導統御力。	生物、物理化學、醫學、地質學、人類學等研究性工作。
藝文	有藝術表達、創造及直覺能力，藉文字、動作、聲音、色彩、形式來傳達美感思想，有敏銳感覺想像及創造性，語文性向高於數理能力。具文學、音樂、藝術能力，欠缺處理事務性能耐。	喜歡從事寫作、音樂作曲、指揮、室內設計、演藝等工作。
人際	具有與人相處交往能力，他們對人關懷、有興趣，並能了解、分析、鼓勵並改變人類的行為。自我肯定，並有積極正向的自我概念，喜歡從事與助人有關的工作，但欠缺機械科學能力。	從事教育、傳教、醫護、保母、警衛、社工輔導等工作。

表 3-3　六種職場工作興趣類型特色（續）

類型	興趣特色	喜歡的工作
政商	運用其規劃能力、領導能力及口語能力，以組織、安排事務及領導、管理人，並增進政治、經濟、社會機構之利益。	喜歡銷售、督導、策劃、領導方面的工作。
事物	注意細節及事務技能，以記錄、歸檔及組織文字或數字資料。通常不是決策人員，而是執行人員；給人印象是整潔有序、服從指示、保守謹慎。文書計算能力強，缺乏藝術能力。	喜歡從事資料處理，祕書靜態辦公室業務。

　　另參閱測驗出版社發行的生涯興趣量表，旨在幫你了解自己的生涯興趣，顯示你可能適合的生涯發展方向，以為進行生涯規劃之參考。此量表列出許多不同性質的活動、學科、工作等，按照個人喜歡的程度（很喜歡、喜歡、不喜歡、很不喜歡）作答。屬於職業生涯活動，如器械維修、研究學術、作曲或作詞、從事社會福利、出席會議、文書處理等。屬於學校學科課程，如機電技術、幾何學、理論作曲、教育學、法律學、祕書實務等。屬於將來職業名稱，如電機工程員、數學家、作曲家、社會工作者、採購員、會計員等。生涯興趣量表測試之結果，可對照上述六種生涯興趣類型：工務、理論、藝文、人際、政商、事物。比較喜歡程度高低，可歸為喜歡的興趣類型，或喜歡的興趣組型。測出所屬興趣類型後，可與人格類型作比較。

（二）愛德華個人喜好(Edward Personal Preference)量表

　　此量表(scale)可測出個人十五種心理需求(needs)：

1. 成就(achievement)－盡力完成每一件事，力求完美有成就，要作得比別人好，喜歡接受高難度的挑戰。

2. 順從(deference)－接受別人暗示、期望，較無個人主見，凡事盡量順從別人，自己不必承擔失敗的責任。

3. 秩序(order)－做事有秩序有規律，事情預先做好準備措施，面對事務不會臨時慌亂手腳，並遵守作業流程，按部就班完成。

4. 表現(exhibition)－喜歡在大庭廣眾下表現自我，對自己信心十足，有時會被誤為愛炫耀誇張，但若身無三兩三，怎敢上梁山？

5. 自主(autonomy)－有自信，對每件事能自我決定該不該作，在面對自己喜好的工作能發揮獨立自主的特性。

6. 親和(affiliation)－喜歡與團體同儕相依為命，不愛獨處，樂意結交朋友，在全體中能發揮所長。

7. 內省(introspection)－見賢思齊，反躬自省，工作不貪功，不諉過。

8. 求助(succourance)－自己有困難，欲求別人及時伸出援手。

9. 支配(dominance)－領導統御人群，在人群中喜歡駕馭或命令別人。

10. 自貶(abasement)－較無自信，貶低身價，而自暴自棄，妄自菲薄。

11. 助人(nurturance)－喜幫別人，具同理心，常設身處地為別人設想。

12. 改變(change)－喜富變化的工作，不喜依傳統或依樣畫葫蘆的工作。

13. 持續(endurance)－如車船續航力足夠，堅持到底，不成功不罷休。

14. 異性(hetro-sexuality)－喜歡與異性一起工作，增進生活趣味性。

15. 攻擊(aggression)－工作常採攻勢主動出擊，不讓對手有可乘之機。

（三） 我喜歡做的事

由行政院勞動部勞動力發展署台灣就業通網站在「職涯測評專區」(https://exam.taiwanjobs.gov.tw/)提供了線上免費職業測評「我喜歡做的事」，總共有 168 題，包含 12 個領域，可測出個人潛在能力、興趣偏好、職業適應能力等特質。有興趣的同學可以上網測試，結果興趣類型可分科學、藝術、動植物、保全、機械、工業生產、企業事務、銷售、個人服務、社會福利、領導、體能表現等 12 類興趣。可了解個人多方面的興趣，而興趣與職業之關連，尚待深層探討。

三、興趣與職業

　　每個人的需要不同，選擇職業的類型亦異。有的需要經濟報酬，有的需要工作有自主性，因此希望從事新聞、法律、醫護、行銷等工作。有的需要受人矚目，如演藝人員、民意代表等。有的需求職業有保障，如當公教人員。有的需求權力，如當法官、警察、議員等。另如走上行銷之途，起初可能只為了餬口，後來發現自己喜歡行銷工作，而行銷待遇也不錯，足以讓一家人溫飽。假以時日，經過多年努力，可成為一位行銷專家。此例說明一個人的需要對選擇職業有相當大的影響力。

　　其實好惡相同者，可能會選擇相同種類的活動，尤其會選擇相似的職業。從一個人的職業興趣可預測他未來會選擇的職業。一般興趣通常表現在休閒活動上，而職業興趣則是對某項職業的喜好投入的程度。發明家喬治西屋從小對機械就有很大的興趣，經常在其父親經營的機械工廠向機械師請教，因此在十五歲時就發明了迴轉機。由於他對機械的興趣，引發了發明的興趣，他在十九歲就立志做一個發明家。當時他父親認為這是十分荒謬的想法，但他仍堅持其興趣，以致終其一生總共得到361 項專利。他的發明不只使他創立了世界一流的西屋電氣公司，而且對人類的生活有很大貢獻，如空氣制動器改良了火車的煞車；家庭瓦斯的使用、交流電的變壓運用等都是其傑作。西屋公司每年舉辦傑出創意發明獎，華裔高中生秉持創意興趣而經常獲獎。

　　半導體之父張忠謀，原先對文學的興趣，可從讀徐志摩的詩集看出，後來因乃父對其讀理工的堅持，毅然抉擇理工，機械電子並投入研究，從此培養理工興趣，且樂此不疲。可知興趣確是一個人工作努力的原動力。可從職業興趣量表得知興趣，進而透過報章雜誌及政府出版的各項職業介紹，或從師長、親友的描述得知自己喜歡的職業。也可由自己到校外實習或工讀的體驗，了解對機械、計算、科學等方面的興趣，以確知自己將來可選擇的職業，及早做好準備。興趣確實和職業息息相關，除本身自知興趣之所在外，透過興趣量表客觀得知個人興趣，後培養相對應的能力，為日後選擇職業鋪路。穿插張忠謀說過一句話，大陸

舉國之力也造不出高端芯片。一個人站出來義正辭嚴反駁了張忠謀的觀點，他就是比亞迪 CEO 王傳福，他說：「芯片是人造的，不是神造的，所以國外能造出來，中國就一定能造出來。」一切美好的生活都是要靠自己興趣能力創造，比亞迪身處產業最前沿，掌握核心技術，王傳福肩負着推進汽車強國夢的責任和使命。

第四節　洞察生涯主人的價值觀

一、價值澄清的意義

　　人生觀因人而異，從工作中可以發現個人所堅持的某種生活價值，有的以服務為目的，有的著重享樂，今朝有酒今朝醉，明日憂愁來明日擔當；有的以從事研究為務，有的以行萬里路勝過讀萬卷書，見仁見智的人生價值觀可見一斑。其實一個人生命的價值在於是否善用時間，而非長度。人權領袖金恩博士說：「衡量一個人最好的方法，並不是看他處於安樂時的表現，而是看他面對挑戰和爭論時的作為。」猶太法典(The Talmud)有句話說：「一個人價值的真正考驗，不在於他的神學，而在於他的生命。」個人的價值在於他所是的，有名學者說：「真正能夠展現一個人價值的，並不是他有什麼，甚至不是他做了什麼，而是他是什麼。一個人真正的價值，可決定於他在無事可做時的表現。」「每個人的價值，就和他所忙碌的那些事情的價值一樣多。」人的存在價值在於今天，德國文學家歌德所說沒有任何事物比「今天」更有價值。而價值的獲得需要付出代價，對任何值得擁有的東西，每個人都得付出代價；而這代價通常是工作、耐心、愛慕和自我犧牲。

　　價值澄清法原為應用在教學上的一種方法，主要在協助兒童或青少年察覺自己和他人的價值，並由此建立自己的價值體系。一個人若價值不明確，就缺少生活的方向，缺少善用時間和精力的標準。我們的價值

觀是如何形成的呢？大致經過三個主要段程：首先，選擇(choosing)，自由選擇、從各種可選擇的途徑中加以選擇、精挑細選；其次，珍賞重視(prizing)，重視和珍惜所作的選擇、願意公開自己所選的；第三，採取行動(acting)，依自己所選的採取行動、重複採取行動。透過這三個段程，將個人價值認定做一明確澄清，以闡明其對事物或職業的價值觀。

二、從工作價值反映人生價值

（一）工作價值類別

　　工作價值觀有挑戰性，地位管理權力，報酬制度，利他主義，成就感，人性化管理，工作環境、變異性、自我實現、人際關係和獨立自主等（修自謝馥蔓，1993）。大學生工作價值觀重要性分別為：安定與免於焦慮、組織安全與經濟、休閒健康與交通、社會互動、尊嚴、自我實現、自我成長（林玉如，2004）。個人從事或熱衷某種工作，係基於何種信念或價值？底下列出十五種工作價值觀，由此也可反映人生價值。

1. 福利他人：可以為他人或社會服務，如傳道人、慈善人士。
2. 追求美感：能使世界更美、增加藝術氣息，如藝術家、畫家。
3. 發揮創意：構思新產品、設計新事物成真品，如創作家、發明家。
4. 發展智性：可獨立思考、學習和分析事理，如數學家、物理學家。
5. 獨當一面：以自己風格與步調做事，不受控制阻礙，如業務經理。
6. 有成就感：竭盡所能完成事，自覺滿意，如律師順利為人打官司。
7. 提高聲望：受到別人的的重視或尊敬，且廣為人知，如升為教授。
8. 管理權力：策劃分配工作給人，影響控制人，如總經理、董事長。
9. 待遇優厚：能獲得優厚薪資報酬，如股市分析師、會計精算師。
10. 安全保障：有工作保障、安全感，免於意外不愉快，如公務員。
11. 環境宜人：在氣候宜人環境中工作，如在風光明媚景點的旅館員。

12. 敬重上司：與上司維持平等和融洽的關係，如兢業於工作的職員。

13. 做伙打拼：與同事建立愉快融洽關係，如與同事合作無間的雇員。

14. 生活方式：能過自己想過的生活，不受工作羈絆，如自由業者。

15. 富有變化：可變換不同的方式工作，如可四處尋找客戶的外務員。

（二）工作價值取向

　　由吳鐵雄等(1995)編製「工作價值觀量表」，描述有關從事工作的實際經驗或日常生活對工作的真正想法，可表現各種價值觀取向與內涵。

1. 促進自我成長：重視工作時能不斷獲得新知與自我成長，發揮創造力及促進個人成長之程度。

2. 達成自我實現：重視工作時能否實現人生目標，展現個人才華，提升生活品質之程度。

3. 注重尊嚴：重視工作時能夠滿足個人成就感，獲得自我肯定與自主性，贏得他人尊重及擁有管理權力和支配力之程度。

4. 著重社會互動：重視工作時能否獲得良好互動，與上司和同事分享喜怒哀樂，及與他人建立良好的人際關係之程度。

5. 重視組織安全與經濟：重視工作時能否獲得合理的經濟報酬，及組織是否有完善的制度以滿足安全感之程度。

6. 珍惜安定與免於焦慮：重視工作時能否穩定而規律的工作，免於緊張混亂、焦慮與恐懼之程度。

7. 加強休閒健康與交通：重視工作時能否獲得充足的體能活動，擁有充足的休閒活動及便利的交通之程度。

　　另參考職業價值觀量表，可大致瞭解自己的職業價值觀念傾向。比如利他主義、美感、智力刺激、成就感、獨立性、社會地位、管理、經濟報酬、社會交際、安全感、人際關係、舒適、變異性或追求新意等項職業價值，與上述工作價值觀大同小異。此外，也可考慮核心價值(core

values)，如成就、創意、家庭、責任、智慧、財富、工作生活平衡等。
可上網搜尋相關測試量表更認識個人的職業價值觀。

（三）職業生涯價值與生命生活關聯

　　職涯價值觀可以評量觀察，如以金錢、興趣、穩定、自豪、獨立等
為重，從事工作時，優先考慮的是金錢、興趣、生活穩定、充分發揮能
力、獨立自主等的工作。可知從評量觀察多少認識生涯價值觀的趨向。
而有關人生目標與方向的描繪，可發現生命的價值型態：成功價值，追
求成就；宗教價值，追求虔敬；社會價值，追求更美好的社會；生趣價
值，追求生命之樂；自由價值，追求自由之樂；存在價值，追求存在的
意義。從個人對人生的看法，所從事的職業，可見其如何看待僅有的一
生，如何活得有價值有尊嚴。

　　職業價值有多面趨向，職業或工作價值，例如有的強調冒險、重視
權威、與人競爭、創造性與自我表達。有的注重彈性時間、有充分的自
主權、管理督導他人。也有重視助人、收入、影響他人、智性刺激、戶
外工作、服務他人工作。有則強調需用體力、聲望、眾所矚目、經常與
公眾接觸、有利於自己變成公眾人物。還有著重新知之應用、例行性工
作、季節性工作、可以經常旅行、職責可常更改、照顧小孩、手部操
作、機械設備的操作、數字運算等（參考 Mau,1995；金樹人，2011）。
由上可知職業價值的認定有多面講究。

　　論及與人生境界及目標有關的價值項目，譬如舒適富裕的生活，生
動多采的生活，有成就感，和平的世界，具有自然和藝術的美感，有同
胞愛，人人平等。能照顧親人使全家團圓和樂，能獨立自由選擇，幸福
感，沒有內心的壓力與衝突，男女兩性間性與心靈的結合。尊重自己，
沒有罪惡感能得永生，一種有樂趣且悠閒的生活，保衛國家避免遭受攻
擊。再如真誠的友誼，能得到別人的尊敬和讚賞，有智慧能了解生活的
真諦等。與生活做事的方法有關的價值項目，譬如勤勞奮發，心胸開
闊，有才能有效率，心情輕鬆愉快，整齊清潔，勇敢堅守自己的信念和
立場。能原諒別人的過失，為別人謀福利，真實誠懇，果斷有創造性，

獨當一面自給自足。另有才智能思考，思想一貫且合理，溫和有感情，恭敬守本分，儀態優雅可信賴，自我營理等（參何英奇，1990）。這些自我生活價值認評偏於主觀的感受，仍須客觀的評量才算公允準確。

三、有關職業工作價值觀研究

　　價值觀可影響個人對職業的選擇和看法。一個人若認為教師是文化價值的傳遞者，他就樂意從事教育工作。假如認為勞工是神聖的，那麼就不會排斥礦工、搬運工、泥水工、油漆工等。利他傾向實際工作時，助人樂觀進取的人格特質，其價值觀傾向福利他人、助人的工作。青年學生還未進入就業市場之前，可先透過價值澄清法釐清對職業的價值觀，後選擇對人生有價值的工作。有關職涯價值觀之研究，研究發現工作價值觀類型與職涯發展，工作滿意度、人際互動及工作投入等變項有關（連廷誥，1995；陳柏堯，2019；趙品灃，2019；陳美惠，2023）。工作價值觀關聯生涯調適、自我效能、成就動機等（葉文正，1996；黃炳滄，1992；林家瑜，2018；吳蕙好，2023）。大學生高職生重視的工作價值觀為工作的內在實質成長和工作適配(李華璋，1989；黃月純，1988)。臺灣青年較重視平安和諧、尊重傳統運用；大陸青年較重視集體利益、能力與理智的運用（鍾淑珍，2000）。研究發現職業價值觀，生涯信念、家庭社經地位、教學創新、人格特質、性別等互有相關（邱秀玲，2017；陳珮郡，2004；陳美伶，2003；黃貴祥，2001）。工作投入與群組內在工作價值如創意、挑戰、應變、利他、成就等，以及外在工作價值如威權、同僚有正相關(Basinska & Daderman, 2019)。工作價值觀會影響其工作滿足感、成就感。有關職涯工作價值觀與工作滿意、工作投入、工作適應有關（許竣傑，2021；陳罙羚，2021；黃晴瑛，2022；戴秀珍 2022；方慶豐，2024）。網搜「工作價值觀」博碩士論文(https://ndltd.ncl.edu.tw/)迄今有兩萬多篇，足見研究者重視工作價值觀與相關因素之探討。因限於篇幅，僅能大致描述與職涯工作價值有關的論文研究趨勢，有興趣者可上網搜尋研討。

課後問題探討

1. 在生涯發展上，為何要基原生涯主人探索自我？

2. 認識自我的真相，宜採用何種方法？

3. 人格類型和興趣類型有何相通之處？

4. 工作價值觀與個人的人生價值有何關係？

5. 自我的人格、興趣、能力與職業有何關係？

6. 個人工作價值觀與未來的生涯發展有何關聯？

生涯活動 **1** 「求知、求富、求樂」人生價值分享

讀完下列短文後，請分享您的人生價值。

現在有些青年認為「求知是基礎，求富是手段，求樂是目的。」換言之，求知識是個人致富的前提，求富是求樂的條件，其最終目的就是求一己之樂。

這種為己求知、為己求富、為己求樂之論，誠如楊朱的言論：「人之生也奚為哉？奚樂哉？為美厚爾，為聲色爾。」楊朱認為人生在世，就要吃好，穿好，喝好，玩好。以古鑑今，不難看出，那些鼓吹「三求」的青年和楊朱一樣，也認為人活著就是為了享樂，其論調的實質仍是享樂主義、利己主義。

曾有記者問一名大學生：「你讀書為了什麼？」大學生答：「為了一座別墅，一部小轎車，一個漂亮的妻子。」這便是他們求知目的之活寫真。楊朱所說的「拔一毛而利天下吾不為」，和某些人所說的，「用別人的腦袋去換一支雪茄」，完全是利己主義的內心獨白。

「建築師希望有水災，衝毀三分之一城市；醫師希望人人都生病；律師希望家家打官司…」（傅立葉語）。如果說，他們的知識會為他們換取財富和享樂的話，那麼在他們的暴富和淫樂後面，不知有多少人破產或喪生呢！此種為一己之富、一己之樂的求知觀你認同嗎？

那麼當下 2025 年的青年該為何而求知？請同學一同分享創意吧！

生涯活動 ❷　時空交錯之旅

一、請依以下步驟進行活動：

步驟 1：自備筆、紙。

步驟 2：分別寫上姓名、某個時間、某個地點、曾經做過的事。

步驟 3：寫完之後，分別集中於四個紙袋。

步驟 4：請四位同學上臺依序唸出，如王大恩情人節時，在操場睡覺。

　　在剛才的活動中，如果我們所抽出的人、時、事物組合的不大合常理，聽起來就很有趣。但是在現實的生活中，我們未來在某個年紀、在某處，做了什麼事，如果組合得很奇怪，那我們自己不僅不會覺得有趣，而且很可能我們會覺得很挫折。例如在十年後，你選擇了一個與你的個性或興趣不合的工作，或是你在一個不合適的工作環境，那可能就會影響你的生活，甚至會讓你的生活有許多的壓力。藉助小團體系列活動，可與大家一起來學習如何規劃自己的生涯。

二、再重複一次時空交錯的活動，但這次時間訂在十年後的自己，請成員寫下時地和工作：

步驟 1：寫上十年後某個時辰，及希望我人在那裡。

步驟 2：寫上十年後，我希望做什麼工作。

寫好之後，再將「時間」、「地點」、「工作」等三張紙條收回，放進三個不同的紙袋中。仍請四位成員上臺，分別抽出「姓名」、「時間」、「地點」、「工作」並唸出所抽到的內容。例如：我王大恩十年後，2035 年青年節，37 歲，在非洲開餐館。若抽出的符合自己的理想時，心裡的感受如何？如抽出的不符合自己的理想時，心裡的感受又如何？（改自台北市基督教勵友中心生涯活動方案，1998）。

生涯活動 ③ 經歷生涯有成所需的能力

　　試著回想在學習生涯中獲得成功的經驗（如獲得校內外獎學金、獲選赴國外大學當交換生、代表學校參加球類、樂器、啦啦隊競賽）所需的能力，然後分析有那些能力（如語文、數理、溝通、領導、研究、演辯等）促使自己成功？如表 3-4 所示。了解自己生涯成功之經驗，如參加演講比賽，由於準備得宜，潛能發揮足夠，不亢不卑拿捏分寸而獲獎。個人分享有此成功經驗所擁有之能力，再往上發展，可更上層樓。

表 3-4　學習生涯成功的經驗能力評估

個人生涯成功的經驗	擁有的能力	自我評估

生涯活動 ❹　喜歡做什麼－了解自己的興趣

　　在平日生活裡，我們都會從事一些活動或消遣，這些活動或消遣都能發展成為你的興趣，甚至成為生涯規劃的重要參考。

1. 請仔細想想，平時喜歡從事那些活動或消遣，選出常作的三件事，以 12345 表示你喜歡的程度（5 表示喜歡程度最高，依次遞減）。

2. 寫出三件事分別屬於哪種性質的興趣？室內的？戶外的？還是兩者都是？人際的？資料的？事物的？益智或知識的？宗教的？體能的？休閒的？而在過去三個月內，從事該項活動的大約次數？

3. 興趣與職業：思考一下你自己喜歡做的三件事中，那些可能與未來的職業有關。

4. 興趣發展計畫：自己喜歡做的事，有的可以進一步發展成為未來的職業，有的可以發展為調劑身心的休閒活動，這些涉及生涯發展。你打算怎麼進一步發展這些興趣？請針對上述你喜歡做的三件事，針對每一項寫出未來發展該項興趣的方式或計畫。

　　譬如喜歡研究電腦的，可不斷自修，充實電腦新知，上網與相同興趣者討論，參加校內電腦社，參觀電腦展等（修自林幸台等，2001）。

生涯逐夢立終身職志

在青年人的夢想願景中，有四件大事，包含人生意義、終身伴侶、良師益友，以及終身事業之追尋。論及終身事業之追尋，是青年學成之後即要面對的職責，充滿冒險與挑戰。在求職的過程，先認識自我真相後，接著認清工作世界的真面目，以便找到適性的工作而能學以致用。一般大學為學生建立學習歷程檔案。從大一開始進行職涯探索和諮商，由學校選用測驗工具，使學生了解人格、性向、興趣、價值觀等，並進行專業個別諮商。大二、大三則加強學生核心就業力課程，指導學生寫職涯與學習發展規劃書，規劃就業力學程，從事相關社團、安排企業參訪或實習等。大四再提供適合學生的就業或升學、留學資訊。這項「學習歷程檔案」清楚記錄學生從大一到大四的學習歷程，有如學生的「就業能力地圖」。學生畢業求職時，就可以拿著這份詳細的個人檔案找工作。

政府相關部會協助青年人就業，提出職場體驗計畫或就業方案，提高就業力，加強職業輔導訓練。提升就業能力職場體驗，累積職涯歷練，整合就業資源，因應產業趨勢增進國際合作，接軌職場強化就業媒合，排除就業障礙積極尋職。降低失業率以提升就業力。近幾年來 20~24 青年失業率多介於 11~13%。這族群多為初次尋職，多處在職場探索期，不僅穩定性低，也需要多點時間來調適，工作較不穩定，失業率較高。相對應失業率最低的中高齡，多找到職場方向，因有家庭的經濟壓力，不會為一點挫折，就有換工作或退出職場的衝動。青年失業因學用落差，疫情衝擊青年就業出路的服務業，青年自評還在職涯迷途中。求職忌無方向感，一旦入錯行就會產生「一高」即高學歷，「二低」即低薪、低成就感，「三不」即

不買房、不婚、不生。（2024.6.30 Yahoo 新聞）。失業率增高，在勞動部可能啟用安心就業、安穩僱用計畫。多留意每月就業率失業率的變動。為鼓勵高中職畢業生先就業再升學，教育部核定「青年教育與就業儲蓄帳戶方案」。勞動部訂定「青年就業領航計畫」以配合教育部推動該方案。另相關部會協力開發職缺，再交由勞動部媒合。參加計畫青年需加入青年儲蓄帳戶，政府提供補助款項，作為青年未來就學、就業或創業用。

　　教育部青年發展署(https://www.yda.gov.tw/)的職場體驗營以提升在學青年為主的智識、自信、健康為目標。為在學青年提供優質的職場體驗機會，累積職涯歷練經驗，為未來進入職場增加能量。113/9/29 舉辦「多元職場體驗－成果競賽分享會」，現場除了有 40 組青年分享職場體驗心得，並設有公部門、非營利組織及新創公司等 30 家計畫用人單位特色展攤及青創沙龍等多樣成果展現，鼓勵青年探索未來職涯方向、累積職場經驗。青年署長期推動四項多元職場體驗計畫，另外原住民族委員會也辦理「原住民族青年暑期工讀計畫」，以及各地方政府陸續響應中央籌辦各種見習及工讀計畫，113 年暑期曾提供逾六千個職缺。為連結中央及地方政府資源共同合作，讓更多在學青年知道並參與職場體驗。青年署近年持續擴大辦理職場體驗計畫，同時連結中央及地方政府資源共同合作，捲動職場體驗風潮，累積未來職場經驗。經調查發現企業用人最看重的是畢業生是否具備良好工作態度、穩定性和抗壓性。在人力供過於求的現實下，社會新鮮人要有肯學習的態度，只要工作條件可以接受，不妨「騎驢找馬」，在職場上邊做邊學技能，累積未來加薪、升遷或換跑道的優勢條件。

　　本部分談生涯逐夢立終身職志，先說到礎潤知事學術德備用，礎潤知雨術德兼修，見微知著人謀天成，洞悉工作職場的人生發展，履行謀生職業的道德。再談建志備需謀生業職場，人生執行生業之意義，謀生工作的效用，職場大觀園知各行百業，就業準備與工作調適。後論設定職涯合適性展現，探索生計職業的意義，洞悉生計職業的內涵，分析生計職業的類型，謹慎選擇職業與發展。讀書為工作找到頭路生業，為生活找到好的工作職場，以建立終身的職志事業。

【生涯寓言】

◎ 答案在你手中

　　從前有一個老智者，任何疑難問題都難考倒他。有一個少年人偏不信他有智慧，想向他挑戰。有一天，這少年人帶了一隻鳥來到他那裡，少年人說：「老先生，我知道你是本地最聰明的人，請問我手中的鳥是活的還是死的？」少年人心裡想：如果老人說是活的，我就把鳥捏死；如果說是死的，我就放手讓鳥飛走。老人早就看穿他的心意，靜靜地對他說：「孩子，你想要牠如何，牠就會如何？」

◎ 挨餓的寄居蟹

　　地中海沿岸，有一種寄居蟹具安貧樂道的習性。牠們大多數生活在淺水裏，如果能爬進大海，會長得比現在更大，如盤子那麼大。寄居在遠離大海的淺水裡，是由於海水每次漲潮都能給牠們帶來一丁點食物，只要有定期的潮水，都賴著不返回大海。由於淺水窪的食物時斷時續，牠們總是處於饑一頓飽一頓的狀態，因此這種蟹很難長大，但牠們認為這種「守株待兔」的日子是最好不過的了。有一年天大旱，遇到了枯水期，一連幾個星期潮水都漲不到牠們寄居的水窪。為了生存，可憐的寄居蟹只得竭盡所能，不辭辛苦地爬進大海，另覓棲身之處。大海裏有寄居蟹喜歡吃的食物，牠們感歎著說：這兒才是我們寄居蟹的天堂啊！牠們最終也都長成了盤子大的蟹。如果不是那場大旱，寄居蟹也許到死也懶得爬進大海。我們依賴慣了的東西，如市場利潤、財務報表，與寄居蟹的淺水有什麼不同？

◎ 擺闊與無知

　　法國著名化學家巴斯德有次去巴黎參加學術會議，住在一家旅店。旅店服務人員見他衣著樸素、行李簡單，以為他只是一位非常普通的客人，就把他安排在一間偏僻陰暗的小房間裡。後來服務員無意中得知他就是鼎鼎大名的巴斯德教授時，趕緊跑來要求幫他更換房間，並向他道歉說：「我以為旅客的闊綽和地位，和他所攜帶的行李是成正比的，所以認錯您了，實在很抱歉！」巴斯德笑著回答說：「不！我認為一個人的擺闊和他的無知才是成正比的！」

【生涯智言】

· 與其將來不知所措，不如現在靜心思考為未來鋪路。未雨綢繆、未演先練總是好些。好的情緒啟動免疫系統，力行決定自己的快樂和健康。

· 研究美國社會進步的動力發現，那些成功的人往往都有長時間觀念，做每天、每周、每月活動規劃時，都會用長期的觀點去考量。會規劃五年、十年、甚至二十年的未來生涯。分配資源或做決策，都是基於預期自己在幾年後的地位而定。這研究對職場新鮮人有重要的啟示作用。

· 追尋生涯的步伐，通過對生涯的規劃帶給更多年輕人方向和希望。而年輕人都在追尋漂亮的衣服、鞋子、手機等看得見的，問他們甚麼更重要，都說錢、理想很重要。再深問其理想是甚麼，都支吾其詞了。

· 品味學習，王品戴勝益：河流越寬大，便越能應付疾風大雨、洪水爆發。學習越寬廣，越能使我們生涯規劃脫穎而出。

· 張忠謀：假如工作沒有承諾，人就像沒有信仰、沒有靈魂，沒有意義。

· 羅曼羅蘭：人類經常把一種生涯發生的事，撰寫成歷史，再從那裡看人生；其實，那不過是外表，人生是內在的。

· 詩人福斯特(Robert Frost)說：我的生活目標結合了嗜好與工作，如同兩眼合一的視覺一般。走一條少人走過的路。做你喜歡做的事情，畢業不是學習的結束，重要的是持續學習。懷抱著好奇心去嘗試與發現這個世界，往往會有意外之喜。

· 走一條不同的路。前人的成功模式，已經「過去」。投入一個新產品領域要符合全新、獨一無二、具備高困難度的原則。

· 人生上半場要建立專業，學習如何與眾不同；下半場要發揮專業和影響力，賦予他人能量。清楚大方向，資源易配置，貴人就出現。若你能鼓舞人擁有更多夢想、學習、行動及改變更多，你就是一位領導者。

礎潤知事學術德備用

本章學習目標

1. 知曉礎潤知事學術德備用之意涵。
2. 解析礎潤而雨、術德兼修、學專備用。
3. 探究職場見微知著人謀天成。
4. 洞悉工作職場的人生發展。
5. 履行謀生工作的職業道德。

【引言與摘要】

　　本章礎潤知事學術德備用，首言人生基礎建設引用礎潤而雨，月暈而風，見微知著。觀察天象地質情境，知道會發生甚麼事。在細小事上觀察入微，顯然知道事有蹊蹺即將呈顯出來。在前述知己生涯主人真相之後，接下去要知彼學以致用的工作職場現狀。在知曉工作世界之前，先釐清一些與人生發展有關的基本哲理。而後才能學用融合，終身志業適性發展。著眼於解析礎潤籌雨，與未雨網繆相提並論，或有異曲同工妙用。學習專業知能，以備不時之需。

　　論述術德兼修，專業知能配備齊全，適時學以致用。見微知著，防微杜漸，舉實例準確說明，處職場上謀事在人成事在天。接著洞悉人生在工作職場的發展意涵。另闡明謀生志業的道德涵養，履行職業道德，提升人生發展至高境界，不侷限於謀生溫飽，進而獲得安全自尊，達到需求階層的自我實現，以至理想生涯超越需求的滿足而有頂峰經驗。

第一節　解析礎潤知雨術德兼修

一、礎潤知雨，未雨網繆

　　本節闡釋礎潤知雨學專致用，宋蘇洵辨姦論：「惟天下之靜者，乃能見微而知著。月暈而風，礎潤而雨，人人知之。」觀礎石為雨水所滋潤，知將要下雨的徵兆。我們從微小的事物中，就能知曉事物的真相和發展。而礎潤知雨，與未雨網繆可相提並論，未雨先預備好防雨網雨之措施，因此礎潤而雨，月暈而風，見微知著，在職場上未雨網繆可參考應用。進而知彼知己，百戰不殆，引用孫子謀攻篇：「故知勝有五：知可以戰與不可以戰者勝；識眾寡之用者勝；上下同欲者勝；以虞待不虞者勝；將能而君不御者勝。此五者，知勝之道也。故曰：知彼知己者，百戰不殆；不知彼而知己，一勝一負；不知彼，不知己，每戰必殆。」在孫子謀攻篇提到，能夠確切了解敵我雙方的優劣長短，掌握戰情詳細

的狀況，這樣在每次的作戰中，才能避免危險，而對於敵我雙方其中一方的狀況不了解，在作戰時，就會互有勝負。如果都不了解對方和自己的情況，那軍隊在每次作戰時，就會遭遇危險。後來「知己知彼」就指正確徹底了解自己以及對手的實力。出現「知己知彼」的書證，如元朝劉敏中念奴嬌烏飛兔走（光陰流逝快速）詞：「美景良辰，親朋密友，有酒何妨醉。高歌一曲，二三知己知彼。」指彼此相互了解而情誼深切。現在「知己知彼」的使用範圍已經從軍事擴充到國際貿易、政治、外交、球賽、學界、商場的競爭等方面，若能夠「知己知彼」，才能在重要的關鍵做出正確的決策（修自成語典）。先未雨綢繆，後礎潤而雨，雨過天晴，見微知著，進而知己知彼，之後學以致用。

二、術德兼修，成竹在胸

　　青年學子盡心竭力術德兼修，學得專業涵養德行有何妙用？先論文天祥的名詩，「人生自古誰無死，留取丹心照汗青」。許多人耳熟能詳，其中蘊含的高尚氣節情操，對目前社會人士也起了相當激勵作用。接著讀聖賢書，所學何事，出自何處？其實同樣出自文天祥，且伴隨著一段驚天動地的事蹟，更能激盪人心。「孔曰成仁，孟曰取義，唯其義盡，所以仁至。讀聖賢書，所學何事，而今而後，庶幾無愧。」這首詞取名《衣帶贊》，贊常以押韻的四言句寫成，用於抒情，以情調激揚、風格精煉著稱。此為文天祥光照日月、氣壯山河的絕詞。以此勉勵學子讀聖賢書，術德兼修學了專業知能之後，要有文天祥的氣度德行康壯情操，方能在職場志業上得心應手。

　　術德兼修學了專業可備而不用，而有備無患，平時養兵千日養精蓄銳，戰時用在一時精銳盡出。將來「雨露均霑，六宮祥和」雨水和露水平均沾潤。喻恩澤或利益平均分配。也不過分嘉惠少數人，平等地對待人事物。當有朝一日欲貢獻所學知能，即能嘉惠自家鄉里，雨露均霑。前人十年寒窗無人問，一舉成名天下知。參加科舉考試有幸連中三元，進士及第，衣錦還鄉，贏得光耀門楣，蓬蓽生輝。當今產學相輔相成、

落實學用合一，政府持續投入資源培植專業人才，蔚為產學合用潮流。在校花費時間精力腦力，艱苦學得一技之長卻不私藏，在疫情嚴峻後伺機而起，憑著真才實學為產業界所青睞。當事人「成竹在胸」，成語出自蘇軾，畫竹必先得成竹於胸中，意謂畫竹之前，在胸中必須先有竹子的完整形象，然後心手相應，如此才能將竹子生動的神韻表現得淋漓盡致。喻在辦事之前，心中已有周詳計畫和全面安排，顯得非常鎮定而有把握。有幸在業界需才孔亟之下，能謀得養生工作，學以致用。雖然也有人品清高淡泊者，不為五斗米折腰，不願為微薄俸祿而卑躬屈膝的諂媚奉迎。但如今職場新鮮人是否有此氣度胸懷？與其賦閒在家而無所事事，不如有工作養生而暫時屈就卑職，期望有機會學用合一而能攀登高峰。「凡自卑的必升為高，自高的必降為卑」，職場上知能齊備，術德兼修、胸有成竹，滿腹經綸，同時謙卑待人接物，登高自卑，自然能功成名就，登上事業高峰，回饋社會家園。

第二節　職場見微知著人謀天成

一、謀事與成事

　　謀事在人成事在天，一句通俗帶有很強哲理的成語，出自古典名著《三國演義》的第 103 回，諸葛亮絞盡腦汁、精心設計把司馬懿父子誘入上方谷內，並且以乾柴火把截斷谷口，火箭地雷齊發。司馬懿父子與魏兵進退無路，面臨火焚滅頂之災。恰好此時狂風大作、驟雨傾盆，滿谷大火盡被大雨澆滅。司馬懿父子趁機殺出重圍，事後諸葛武侯只得仰天長歎說：「謀事在人，成事在天。不可強也！」俗話說：「人算不如天算」，冥冥之中的天意深不可測，人無法與上天爭強勝天的。現實社會中有很多人不相信天命，認為命運要靠自己的努力去掌握，殊不知「順天者逸，逆天者勞」，順其自然諸事易成，逆天而行者必將勞而無功。人有百算，上天只有一算，但是這一算卻決定了最終的結果。「人謀」

是過程，「天成」是結果；「人謀」在前，「天成」在後。人世間有許多
事務，即使費盡千辛萬苦，結果總是「有心栽花花不開，無心插柳柳成
蔭」，一個人無論小時候樹立什麼樣的理想，想當個工程師、教授、科
學家、畫家、作家、詩人等，那只是他自己的美好夢「想」而已，最後
為他安排工作的是別人，不是他想幹什麼就能幹什麼。人們經常體味到
身不由己，想做的事不能做，不想做的事做不完，所以人的一生無法隨
心所欲，總是人在江湖或職場身不由己，處在天意的制約下。知天命，
順天意，隨遇而安，不強求任何不屬於自己的東西，萬事順其自然，常
懷感恩之心，就必能悠然自得、一生瀟灑活著。

　　在職場經營循序漸進，知己助力攀上高峰，引用老子《道德經》：
「合抱之木，生於毫末；九層之台，起於累土；千里之行，始於足
下。」千里的路程，是從邁第一步開始的。成功是從小到大逐漸積累起
來的。如果要登上泰山頂峰，就必須拾級而上，循序攀登。最後才會有
一覽覺眾山小的視野與心境。古人云：「千金易得，知己難求。」在人
生從事志業的旅途中，朋友是不可缺少的，如果能遇到一個知己，那更
是莫大福氣。人生涯路上真正的知己可遇而不可求。二千年前的春秋晉
國俞伯牙與鍾子期的故事膾炙人口，一夕風雨，成就了兩人「人逢知
己，琴遇知音」的奇緣，他倆相見恨晚，便結為摯友，約定來年再會。
後來事與願違，俞伯牙斷琴謝知音的千金易得、知己難求的故事流傳至
今，仍令人心動懷念。李白、王勃互為知己，王勃吟出「海內存知己，
天涯若比鄰。」李白則吟出「桃花潭水深千尺，不及汪倫送我情」。古
今欲成事需要天時地利人和，人和要有知己，在志業謀事上需要知己助
力，和善樂群，才能穩操勝算，天助自助者。知己一面是了解自己；另
一面是摯友知音，如此知己知彼百戰百勝，不過仍要強調謀事在人成事
在天。而盡人事聽天命，語出自李汝珍鏡花緣。盡人情事理，知天命自
然規律，盡心盡力去做事，能否成事還得聽命自然規律。其實人只要心
存高遠，死生有命，富貴在天，四海之內皆兄弟，能問心無愧，自然不
會怨天尤人。正如莊子所言：依天從命，因順自然。生涯籌謀運事在人
而成事在天，依天從命順其自然，終必有成。

二、見微知著，有備無患

上述人謀事天成事，接下去見微知著，看到事情的微小跡象，就能知道顯著的發展趨勢。韓非子說：「見微以知萌，見端以知末。」後來漢袁康：「故聖人見微知著，睹始知終。」見到小小的迹象，就知道未來的發展；見到事物的開端，就知道最終的結果。今新冠病毒疫情仍餘波盪漾，「見微知著」意謂若不細心防範未然，則疫情趁虛而入，難免確診感染。另有防微杜漸，在錯謬萌芽時立即制止，杜絕其發展。因此要未雨綢繆、防範未然。滴水可穿石，休士頓大學教授石為穿的見微知著，防微杜漸奈米科技，預防癌症獨步全球。近日發表了一種檢測癌症的新方法（美南新聞，2024/6/7），可以使癌症檢測變得像血液檢查一樣簡單。石為穿不斷在科學的領域鑽研，他努力不懈的精神就如「滴水穿石」不斷精進，真是人如其名。該方法結合了全景成像和螢光成像，準確率高達 98.7%，有可能在最早階段檢測出癌症並提高治療效果。此為見微知著、防微杜漸貼切的例證，在職場謀生可循例行事。

「有備無患」語出自書經說命中：惟事事乃其有備，有備無患。左傳襄公：居安思危，思則有備，有備無患。唐元稹：不教人戰，是謂棄之；有備無患，可以應卒。清平步青：彼即挾詐背盟，我亦有備無患。在今 2024 年 11 月接連幾個秋颱來襲，颱風雨未來之前，先注意防洪災、防土石流等。為了預防缺水，先作水資源儲備、調度等。萬一颱風真來時，才不會手忙腳亂，舉足無措，災害自然減少。平時就有備無患的做好消防措施，遇到火警時，就不會慌張失措。這是每個人當有的生活態度。「有備無患」和「居安思危」、「未雨綢繆」等連用。備患、安危、福禍等相依互存。「禍兮福之所倚，福兮禍之所伏」《老子五十八章》，禍與福可相依存互轉化。禍是福所倚重，而福隱含著禍。在不定無常的環境條件下，福就會變成禍，禍也能變成福。塞翁失馬因禍卻得福。人處事的態度，在平常就做好準備，有備無患，思患預防，防範未然，有恃無恐等義相近，有備可避免發生災禍，也可因禍而得福。近似凡事豫則立不豫則廢，因此生涯事先豫立，有備無患，人謀天成。

第三節　洞悉工作職場的人生發展

一、職場與人生發展

　　時序瞬間來到 2025 年，人還是處在與新冠病毒對抗的重要階段；這也是年輕族群面對人生變局的關鍵時刻。美國作家馬克吐溫的名言：人一生中最重要的兩天就是出生那天和發現人生目標的那天。確實從工作職場若能發現人生的目標，則生活就不會渾渾噩噩虛度光陰，而會聚精會神面對未來，兢兢業業邁向目標，直至任務達成。當今百業競爭劇烈的時代，宜運用有限資源，在最短時間內，做最多產出的事，創新績效，則在職涯的人生發展成為贏家。然後跟上時代腳步，發揮所學的專業、在所處的產業與擔任的職務，結合線上資源、善用數位科技、融入跨領域之交流與整合，便在人生重要議題上能發揮正面效用。同時，不斷閱讀與學習，本著活到老學到老的精神，汲取新知、擁抱改變創新的行動力。在潛意識中好像存藏著真知灼見，並深刻影響人的情緒與身體。事實上為著職場的需要，我們的興趣、重視的價值以及能力都可以鑑別出來。若是容易遷就別人，把工作的一切都擴大為人生的價值，則自我認同與工作的績效、父母的期待、社會的期望就間隔差距大了，甚至把工作視為僅剩可以努力的目標。因此若有了生活、夢想、健康，不只是工作和生存，而下班生活是自己的休閒娛樂，不會遭遇上司的干擾，則現代年輕人就不會迷失在工作職場。如此心甘情願工作時工作，休閒時休閒，內心的人生理想在時空環境變動下，不至於隨著工作壓力而產生焦慮煩憂，反而促使生命成長。因此確定人生目標不只為謀生而工作，而是更有崇高人生意義的追尋，敬天善群，達超越理想境界。

二、在工作頭路展現人生真諦

　　為什麼要工作？工作除薪資外，在職場上能找到自己的舞台，賦予熱情活力，尋到自己生活的重心，給自己一個目標去追求去達成。思索

完成工作之意義，很多人談到工作，總會提到各式各樣抱負。其實能達成自己目標的人少，而背離初衷的人多。多數被忙碌的工作衝過頭，只記得每份工作帶給無力、壓力等負擔，卻忘了在實現抱負的過程中，這些不過是正常要付出的代價。大部分人卻被工作中的繁忙事務淹沒，忘了曾有過的理想，然後領薪水過日子，生活變成得過且過。年輕人孵夢逐夢，以至解夢圓夢，而面對未來無知的人生道路，能掌握的是自己當下生活，工作態度正確，能有效改善生活品質。認清自己在面對生活還是工作，才知道自己該怎麼過下去。不能像以前只抱持著夢想或理想，而是要更務實看待工作是什麼樣貌。要推動自己堅定走在生涯路上，生活過得有重心安頓身心，工作才有意義。其實生涯在職場發展是置身廣闊的生命里程造就中，而職業生涯規劃，不只是年輕時以為簡單「選你所愛、愛你所選」，而是領悟人生的不如意事遠多過如願事，而對身心健康、婚姻經營、對父母和子女的責任、自我學習成長的渴望、物質需求、社會地位受肯定、人際關係拿捏等規劃方方面面，需要一股勁兒往前衝。因此工作為的是能立足職場社會，發揮天賦所長，多面規劃，為讓自己和家人可以走得正直更長遠的路。

在執行工作頭路發展生涯，擴大心胸「為天地立心，為生民立命，為往聖繼絕學，為萬世開太平。」張載說：「為學大益，在自求變化氣質。氣質惡者，學即能移。拂去舊日所為，使動作皆中禮，則氣質自然全好。」他認為人之氣質雖有所偏，但人之善良本性，則常存心中，人必須矯正氣質之偏，才能返回本性之正。「立心、立命、繼絕學」的工作能做好，則實現太平之世。人生發展負有「為萬世開太平」的神聖使命，唯有擴大人心廣度與深度，改變偏斜之氣質，建立後代可行之禮法制度，才能實踐永恆的幸福與和平。此為透過教育學習改善氣質，學得專業術德兼修有好氣質，在工作頭路上誠意正心修身，終能齊家治國平天下。在此引用管理大師彼得聖吉所提的五項修練：生命超越、開放心靈、建立願景、合作為善、圓夢思考等，然後修正為在人生職場發展，職場新鮮人當投入生命心力，胸懷心靈願景，與人合作為善，各面思考規劃而生涯圓夢，至終展現人生真諦實意。

第四節　履行謀生職業的道德

一、何謂職業道德

　　本章強調術德兼修備用，除技術養成外，德性的培養道德的涵養格外重要。職業道德(vocational ethics)顧名思義係指從事個人或公眾的工作時，所依循的良知規範。一面說公眾的規範，即所謂「公德心」是普遍性的道德，係針對為維護公共安全及社會善良風俗，使大家能安居樂業的生活，因此需要公德來規範個人的行事為人。基本上，人都是自私自利、自我中心的，有公德是大家約定俗成的，理當受其規範，以便能放下私心，以大局為重。另一面，個人的私德是人發揮其與生俱來的仁義理智之善端，而在行事為人上表現出來的德性。康德曾說過：「這個世界上唯有兩樣東西能讓我們的心靈感到深深的震撼，一是我們頭頂上燦爛的星空，一是我們內心崇高的道德法則。」內心崇高的道德法則用在職業上，就是從業人員要履行的職業道德。

　　現代職業道德要求職業者敬業、樂業、勤業和守規。職業道德要求禮尚往來、互助求利和公平競爭。個人就業如果有了高尚的職業道德，就會從勞動中體會到人生的樂趣，實現人生的價值，促進自我的發展。選擇適性的職業之後，當敬業樂群，誠信面對工作的甘苦難易，不管對事、對人常存無愧的良心。很多工作是良心的事業，如教育事業、醫護工作，不誤人子弟或貽誤病情。會計師、律師、醫師、護理師等持有客戶資料，須保守他人隱私。棒球員不可受威脅或利誘而打假球。台灣棒球大聯盟 1990 年成立後發生打假球醜聞，到 2024/11/24 獲得 12 強世界棒球錦標賽冠軍，球員恪守職業道德。民意代表要誠實報稅，不收受黑金捐款。新聞主播應秉持公正誠實報導，不宜偏袒、誇大、渲染等手法影響觀眾。資深媒體人輿論節目爆料祕辛，若有不實爆料捕風捉影，抹黑抹黃抹紅政治人物，該受輿論譴責法律制裁，因其藐視職業道德。

　　各行百業都需要道德維繫事業永續經營，從事醫療需要有醫德，因為人命關天，事關重大，不能稍有疏忽。否則牽涉醫療糾紛，那就沒完

沒了。教育輔導諮商人員，為人師表須有傳道、授業、解惑的胸懷，發揮「教而不厭、誨人不倦」的精神，不僅做為經師，也能做為人師，否則有失教育的神聖職責。從商也要講究商業道德，服務業、自由業等都需恪守職業道德，私德誠之於中而形之於外，展現公德心。

二、職業道德的實踐

上述職業道德牽涉個人事業的公德和私德，而不管公德、私德，不重在坐而論道，而著重身體力行。「說一尺不如行一寸」，「行動比說話更鏗鏘有力」，實踐力行是體驗職業道德的不二法門。譬如上班時，懂得自我經營管理，不遲到不早退，真的有敬業精神，熱愛工作。寧可早到公司，多付出，多與熱愛工作者接近，以吸收成功的經驗，善於利用時間，多建議少批評，有問題多溝通。不作薪資的「小偷」，不利用上班時間作私人的事情或濫用公司資源。人們在職業道德實踐中自然形成一種行為規範。當前法官隨著依法治國、以德治國方略的確定，其職業道德日益成為一個不容忽視的問題。有的法官辦理案件拖拉，但又沒有超審限；有的法官處理案件時，向一方當事人傾斜，卻又在法律許可的幅度內；有的法官與代理律師關係密切，私下交往頻繁。此類問題也許不違法，也沒有違紀，卻違背了法官的職業道德。

論語為政篇記載子張學干祿，可為實踐職業道德之參考。子曰：「多聞闕疑，慎言其餘，則寡尤；多見闕殆，慎行其餘，則寡悔。言寡尤，行寡悔，祿在其中矣。」子張準備要謀職，向孔子討教如何求得一官半職？又如何做好工作？孔子並沒有講要先具備什麼學經歷，只提到俸祿的原理原則。古時候隨著不同的官位職務而有不同的俸祿，俸就是薪資，依照所擔任的職務可領取的薪水；祿是指食祿，是終身可得的食物配給，亦即取得了一個職位的資格之後，就會有終身配給，也象徵終身的責任與榮譽。待遇多少是對一個人職位與年資的表徵與肯定，但重要的是要能負起相對的權責，此為一種基本的職業道德。孔子告訴子張要多看多聽一些工作相關的事務，而把其中有疑點的事或有危害的事，挑撿起來，其他有把握的事則再謹慎的去完成，那麼事務就能辦理得安

穩妥當，如此自然官運亨通，祿在其中了。過去的官府衙門，入口處會寫著「爾祿爾俸，民脂民膏；下民易虐，上天難欺」，提醒地方父母官須謹言慎行、多聞闕疑、多見闕殆。此為學干祿者要去體會的道理。如今高科技資訊時代，有更多人要謀職學干祿，一定要有為公眾服務的基本職業道德，否則就無祿可享了。此為公務員該實踐的職業道德。

　　社會新鮮人進入職場，恪守職業道德為第一要務，一開始就要朝正確的途徑把事情做好(Do the right thing right the first time.)。在服裝儀容上以簡單大方為主，盡量拉高自己的「隱藏天線」，懂得察言觀色，自我智理。培養良好的工作習慣，別把個人私利擺前面，維持嚴謹的工作態度。不要怕工作的壓力與挫折，應把它視為考驗自己挑戰未來職責之機會。金管會為強化從事金融相關工作者之金融市場常識與職業道德觀念，規定自 95 年 8 月 1 日起，參加 13 種金融從業人員資格測驗之應試通過而取得證照。不過職業道德不是為了考試，而是為身體力行實踐。

三、從職業態度探究職業道德

　　探討職業道德，先針對職業的態度是否成熟，作一測試。從「職業成熟態度量表」了解個人的職業態度。測試題目如下：

　　「在某種職業上可能成功的人，在其他職業上也一樣容易成功。」

　　「我不知道為什麼有些人能那麼確定他們將來要做什麼工作。」

　　「如果一個人還沒有任何計畫時，何必要為選擇職業而擔憂。」

　　「照著父母的意思選擇職業就不會發生太大的錯誤。」

　　「我們應選擇一項有朝一日能出名的職業。」

　　「如果我面臨職業選擇時，父母師長對我的影響力大於我自己。」

　　「一個人可以等到畢業之後，才開始選擇職業。」

　　「我現在還沒有確定將來要做什麼，不過到時候我自然會知道。」

　　「我目前尚在求學中，不必急於認識各種職業。」

「現在這個年齡就要決定將來要做什麼工作，是沒有意義的。」

「每個人遲早都需要工作，但現在我不去想它。」

「在我畢業之前，我絕不去考慮選擇職業的事」（陳麗娟，1990）。

解析：以上量表僅供參考，顯然題目設計正確答案皆為「錯」；因此若答「對」的題目較多，則在職業態度上有待調整改進。

再者，中國大學生職業成熟度量表(Career Maturity Inventory)張智勇(2006)發表的(https://www.xinlixue.cn/)，該問卷共有 34 題，量表採五點計分法。信度一致性較好。分為六個維度；職業目標、職業自信、職業價值、職業自主、親友依賴、職業參照。有興趣者可上網搜尋測試。

其次，職業道德涉及各行各業如何堅守道德原則，不為一己之利、一己之私而為所欲為，不宜為達目的而不擇手段。職業道德並非像一般教徒面對教條，非信守不可，否則會受到良心的制裁，就不能得救。即使有許多規範性的教條約束，也不一定能夠力行不移。道德良知自在人心，運用之妙，存乎一心。君不見，多少密醫為達斂財目的而不擇手段，管他有無牌照，有無受過專業教育和訓練；也不管技術如何，鑽法律漏洞，知法犯法，不惜自毀形象，騙財騙色，令人咬牙切齒，要揪出來繩之以法。很多所謂有民意基礎的政客，標榜「良心問政」口口聲聲為人民喉舌，深切了解民生疾苦，上山下海無所不用其極。其實暗地斂財，心口不一，違背良心之語亦不以為意，違背專業民意代表之道德，終究逃不出人們雪亮的眼睛，而大肆撻伐，加以道德的制裁。

有良好的職業道德，必然有其崇高的道德操守，有其讓人稱羨的職業素養。所謂久居高位，其威自現，其道德素養是長期累積養成的操守。某名醫秉持「良心經營」，為許多慕名而來接受「雞尾酒療法」的小姐開藥方，因各人體質不同，藥方有 20 多種來因應，可以達到不同程度的減肥效果。但卻遭到同業醫師跳出來檢舉不法行為，說其藥方參雜一些來路不明的藥物，會造成危害身體的副作用。名醫終究逃不過良心的制裁。所謂新心六倫，除家庭、生活、校園、自然、族群等倫理外，還有職場倫理。此可為從業人員實踐職業道德之參考。

四、職業道德規範守則

　　守則是一種職業從業人員道德規範與修己善群的服務圭臬，最早的專業守則就是古希臘醫學界的海波克來底誓言(Hippocratic Oath)，所有習醫者都需公開表示願遵奉誓約來立身行事、救人濟世。自此之後，各專業均效法醫界，定有適合該行業的倫理守則。通常，專業倫理守則的標準要比整個社會的道德水準高，更強調對社會和人群的服務，更需以促進人類福祉為己任。專業職責高於個人利益、專業理想重於個人享受是很重要的守則。尤其醫師是救人命的行業，一旦錢的價值超過人的價值時，整個醫療體系就失去正義基礎。例如：著名醫院的多位醫師，紛紛被病人和家屬指責收受紅包，使臺灣社會長久以來的紅包文化又被掀出來，但可能被大事化小。不論政府官員、民意代表、警察、海關、司法稅務、地政人員、教育主管或醫師，每個行業都有其特點，都有符合自己特點的職業道德。例如：醫護人員的救死扶傷，警察人員的揚善懲惡，法官不能與案子當事人庭外接觸，汽車銷售員必須做到誠實守信，維護雙方權益等。醫療機構從業人員必須恪守職業道德，重視病人的生命，尊重病人的人格，其他行業亦有職業道德必須堅守。目前各行業訂有職業道德條款，幫助員工了解個人在執行業務上的職責。條款對客戶、市場、業務合夥人、股東、及相關人員具有無形監督作用。

　　參閱會計師職業道德規範之前言：「會計師執業之基本要則，應確保其超然獨立之精神，秉其專門學識、技能，與公正、嚴謹立場，提供專業服務，素來倍受工商企業、社會大眾、政府及各界之信賴與倚重；對各界之財務報表，根據一般公認會計原則、一般公認審計準則暨有關法令，為縝密之查核，作允當之判斷，表示會計師獨立公正之意見，提供會計專業之服務。良以會計師之執業，不僅涉及諸多原理法則與實務問題，且涉及錯綜複雜之公私利害關係，故應一本良知良能，發揚超然獨立之精神，加強會計師之功能，確保其職業榮譽。」再參閱人壽保險業務員職業道德規範，業務員除具備豐富的專業素養外，還須具有崇高的道德操守，俾能提升保險信譽及保險功能。業務員應秉持專業、誠

信、公平、公正、良知及超然立場之原則服務保戶，不應有偏頗行為，對保戶資料應善盡保密之責。遵守各項付款之規定，須符合會計原則。

【參考範例】公司職業道德守則

　　親愛的同事：本公司堅持廉正及高尚的道德操守。我們對於獲致國際聲譽深感自豪，但不以為傲，決心要保護並更上層樓。所有代表本公司執行業務的人士，必須理解及遵守商業道德守則中所述的一切政策。制訂本守則的目的，在於幫助您理解公司對您的期望。本守則並未涵蓋所有道德的問題範疇，但卻可給予您有關道德守則的基本概念。以一般的常識、良好的判斷及廉正的態度去面對所有商業問題，將可確保您的決定與本公司的價值觀和本守則的規定相符一致。我們的整體成功有賴每一位員工的努力。所有員工均有責任閱讀及理解本守則所載原則及標準，並須確保公司的一切業務是按照本守則指定的原則及標準執行。我們擁有美好的將來，然而本公司的永續經營及良好聲譽，勢須取決於我們的行為及表現。以廉正及高尚的道德標準行事，不僅是良好的政策，同時更是良好的商業操守。因此作為公司的一份子，我們必須時刻堅守本守則的字面意義及精神。感謝您誠摯的承諾遵行。

課後問題探討

1. 何謂礎潤而雨？其與學專備用有何關聯？
2. 從有關謀職工作至理名言探討如何促進人生發展？
3. 人生如何在職場工作謀求發展？
4. 如何從職業道德提升人生發展的高度？
5. 從子張學干祿探討如何實踐職業道德？
6. 礎潤而雨、見微知著、未雨綢繆、有備無患有何相通之處？

生涯活動 ❶　人生在職場發展的名言－成語肢體比劃

　　課堂上老師提出先賢名言，如礎潤而雨、月暈而風；盡人事知天命；凡事豫則立，不豫則廢。請同學舉一反三，接連提出有關謀生職場的至理名言或成語。或者可分組討論這些名言對我們謀職工作有何助益？分組討論完之後，各組紀錄所提名言，然後各組派代表報告，互相觀摩學習。

　　肢體比劃職場成語，如有備無患、心想事成、術德兼修、美夢成真等。讓學生了解肢體動作對溝通的重要。從非語言溝通中體會人際互動，及培養團隊默契的關鍵性。主持人先備妥若干職場成語，後請一自願者上台抽取題目，並請自願者以不出聲方式將題目表演出來。接下來抽出下個題目，再請另一位自願者上台演出。要求表演者不出聲或露嘴型以免洩題答案。為鼓勵同學猜題，主持人可備小禮物給猜中的同學，使活動氣氛更熱絡。

生涯活動 ❷　學專業有何用？術德兼修如何達成？

探索活動

步驟 1：以 6~8 人為一組，然後進行創意探索。術德兼修學用合一如何
　　　　達成？如何為所學專業打出一條生路？

步驟 2：討論 10~15 分鐘後，請各組推派代表分享小組想法。

　　說明：培養德智兼修、手腦並用的人才，技術與品德兼具並修，不
單是要「有學有術」，還要「德智兼修、手腦並用」，同時能「實踐職
層、再造社會」，是個具有反省力、批判力與社會實踐力的生涯贏家。
請同學探索相關資訊，獲取更多討論素材以豐富各組內涵。

生涯活動 ❸ 從職業道德展現人生的高度

可上網 https://edu.tii.org.tw/財團法人保險事業發展中心報名參加金融市場常識與職業道德測驗，測試個人職業道德展現人生的發展狀況。

另可上網 https://www.tabf.org.tw/台灣金融研訓院提供之報考證照測試，「金融市場常識與職業道德」測驗題庫修訂，增列金融科技、普惠金融、金融詐騙與環保社責公司治理相關領域之試題。除金融市場外，或參考其他行業有關網站，找題目測試，進而了解相關職業道德。

再者，中國大學生職業成熟度量表(Career Maturity Inventory)由張智勇(2006)發表的(https://www.xinlixue.cn/)，該問卷共有 34 題，量表採用五點計分法。信度一致性較好。可分為六個維度；職業目標、職業自信、職業價值、職業自主、親友依賴、職業參照。有興趣者上網搜尋測試，以了解職業道德成熟度，展現人生的高度。

生涯活動 ❹　見微知著洞灼機先　討論分享

　　一種致命病毒蟄伏多年，於人群中突然爆發。一場政治運動迅雷不急掩耳展開，隨後銷聲匿跡。金融體系網絡中藏著「超級傳播者」，致使小小的危機擴為全球市場崩盤。一個想法如野火燎原般傳播開來，自此改變世界的樣貌。作者 Adam Kucharski、Dan Davies(2022)的傳染力法則，行路出版。說到「傳染力」，我們往往聯想到疾病傳播，然而本書與其說是探討疾病擴散的生物學，毋寧說是一本談趨勢變化軌跡的著作。舉凡網紅現象、政治風向、創新傳播、金融趨勢、罪案偵察，乃至暴力事件等，作者皆以引人入勝的故事解讀各類型「擴散現象」從出現、發展到消亡的種種洞灼機先線索。之前引用石為穿教授見微知著防微杜漸，奈米科技預防癌症獨步全球。可相互對照看出見微知著洞灼機先之作用。

　　請同學參照《傳染力法則》這本書，然後細緻觀察生活中有無見微知著類似實例，自己現身說法，或者分組討論彼此分享類似經驗，各組討論完，選派代表總結。

Chapter 05

建志備需謀
生業職場

本章學習目標

1. 知曉建志備需謀生業職場之意義
2. 解析人生執行生業之意義。
3. 洞悉謀生工作之意涵、效用。
4. 認識各行百業,找尋頭路管道。
5. 掌握就業準備與工作調適因應職場所需。
6. 認清生業職場,為選定個人終身之志業鋪路。

【引言與摘要】

有本而能圖末，修事而能建業。學子讀書取得專業知能是個過程，目的是為了謀生就業學以致用，取之於學校，用之於社會。大學校院研讀高深學術，就讀系科依入學方案，考量個人能力興趣價值觀，分發進入所嚮往的大學，無論熱門的資訊、電機、企管、財經等或不熱門的科系，只要有利於職涯進展，都會受到青睞的。其實熱門系科逐年都會有調整變動，最近大學熱門學群調為建築與設計、醫藥衛生、社會與心理、法政、大眾傳播、資訊、藝術等。學子攻讀熱門或感興趣能發揮天賦的系科，大都為前途生計著想。在進行生涯規劃之前，先認識自我特質能力，再來是面對工作志業的了解。在求職過程中能脫穎而出，發揮個人長才，實為生涯發展重要之任務。

本章開頭說到人生執行志業生業的意義，接著說明人生工作職場的效用。在認識工作世界各行百業之後，必須作好心理適應準備。再來分析未來行業的特色、求職觀及求職陷阱，訂好職前準備行程。藉此也衡量職場情勢發展，備好專業知能，以應不時之需，期待就業能乘風破浪奮勇奪標。

第一節　人生執行生業之意義

人生發展需要謀生工作，生業、志業為人賴以維生的產業或終身職志所行，而職業、工作、生計、生涯等有何意義，底下解析之。

一、工作、生計、職業、生業、生涯的意義

一般論及工作(work)係指透過體能活動及心智上的努力，以產生某產物或結果。依工作所付出心力之不同，有勞心者，也有勞力者。孟子所謂「勞心者治人，勞力者治於人。」昔時勞心和勞力區分明顯，現在則勞心、勞力無法嚴格劃分，勞心者也需要使力，勞力者也得用心。不拘是勞心或勞力，工作總占人類生活中的絕大部分，人類透過工作得以掌握生活。工作可獲得經濟上的酬賞；也可能沒有報酬，例如：操持家

務、醫療志工等。另外，工作(job)是在組織機構中，一種有薪資的職位(positions)，為維持機構運作所必須執行的一些職務(tasks)。不同職位的工作者在執行任務之後，會獲得所預期的經濟酬賞。例如：農務的農會幹事、建築的工地主任、貿易的業務經理、教育人員、醫護人員、公務人員等。job 可當作工作、零工、計件計時付工資的活兒；也可當作職業、職位、任務、職務等意思。生計泛指生活，生活上開支用度事物。

職業(occupation)則是在許多工商事業式機構中的一些維持生計的工作(jobs)。職業是早已存在於經濟社會的歷史之業務。例如：士、農、工、商、教育、醫護、法律、會計等。另有事業(enterprise)，係指值得個人投注一生心力，以達到自我潛能實現可能性的生涯目標。在事業體系中，通常含蓋較廣泛的職業範疇。例如：教育事業、慈善事業、醫療事業、科技事業、文化事業等。再者，職業意指有規律地從事並受過有關訓練的職業。而 profession 指受過專業訓練的律師、醫師、教師等，需要專門知識的職業。business 則是指企業、商業關係等以營利為目的之職業。job 是指職業最普通的用語。而「生涯」(career)可視為活在世上每個人的這一生之所作所為，所見所聞，從蹣跚學步到步履維艱，從年幼懵懵懂懂到從心所欲不踰己，一生數十個寒暑經歷過的林林總總。

學子畢業成為社會新鮮人，順勢找工作，謀生需要工作，純粹為了養家活口，獲得生活需要的物質報酬，或者只要有工作，不會無所事事坐吃山空。當個義務工作者也覺得有意義，或者設立個人「工作站」執行一項任務，或參與「工作坊」(workshop)，研習求知，不虛度此生。謀職前進行「工作分析」(job analysis)，即對某項工作所做的分析，包括：該項工作需要何種知識、技能、工具、人際關係（單獨完成或與人合作）？適合何等人去做？結果如何？進行分析先蒐集有關工作職位的資訊，後撰寫工作說明書或工作規範。以上說明工作、職業、生涯的關聯意義，接著描述「工作」的內涵意義。

二、工作的內涵意義

1. 工作是幸福的源頭，能滿足心靈所需的活動。

有學者認為工作是大自然的醫生，人類幸福的源頭。指出人活著需要有工作，才能帶來幸福，使人生有意義，也可預防疾病的產生。另學者認為工作係發自內心激動而完成的工作品，才會有心靈上的意義。工作是要發自內心完成的作品，心靈上才不會空虛，而覺得生活有意義。就像人生來必有其用處，生命皆有其意義一樣，沒有任何工作是無意義的。而現代的社會可說是一個工作的世界(The World of Work)，雖然由於科技的變化，社會的變遷，工作時間日具彈性，也日漸縮短，但其重要性卻日益增加。工作是個人生活的中心，同時也是社會發展的原動力。因此每個人都要有一個可以發展自我潛能、滿足自我心靈、實現自我理想的工作生涯活動。

2. 工作係指勞動做事，為謀生而履行的活動與責任。

由於個人所持觀點不同，對工作的定義也各異其趣。中文辭典將「工作」定義為：興建土木，做工，做事，巧妙之作為，職務上的勞動。通俗的觀點言，工作是指在一個工廠、商業機構、教育機構、或其他組織裡面類似職位的集合體。工作可謂由一個人從事一項任務，或由許多人執行一項職務。從未來的活動觀點言，工作是人類以未來為導向，所進行的一種有目的身心活動。從謀生的觀點言，工作係指個人為謀生而履行的活動與責任，如教師、鑄造工、修護工、製圖工、機械工程師、技術員等所從事的活動皆為工作。

3. 工作是有經濟價值的事物，可提升生活品質的活動。

從有價值的活動而言，生涯大師舒波(Super)認為工作是「一個人對其自認為有價值或別人企求的目標所作的有系統的追求過程，此種過程是目標導向、連續性，並且花費精力的。工作可能是有待遇或無待遇的，而其目標可能僅是工作本質的享受，或因工作角色所帶來的生活方式、經濟效益，或所能提供的休閒活動。」因此工

作是一種有目標持續地使用心力或勞力，以為別人或自己創造有價值事物或勞務的活動。從提升生活品質而言，人們工作有經濟因素的考量，但工作絕不只是為了溫飽，更有其更高的旨趣在，它是提升個人生活品質所不可或缺的活動。工作價值觀因國別而有異，如美國人較重視冒險的工作價值，日本人較重視聲望的價值，而國人對工作生活的品質(quality of work life)日漸重視。先進國家對工作可以提升生活品質的經濟價值，看法相當一致，都逐漸重視工作是可帶給個人生活水準日漸提升，可以滿足較高層心理需求，如自我實現，超越高峰經驗，工作是有尊嚴的一種活動。

4. **工作是有目標，持續的付出，有或無報酬的活動。**

　　從報酬的觀點而言，個人有系統的追求自己為了存活所珍視的事物，或是為了維持與他人和平共存，需要相當持續的努力付出；有補償性的有酬勞性質，也有無補償性的無酬勞的志工或義工。其目標可能是工作本身的內在樂趣，或工作角色所給予之生活大小確幸，工作所帶來的經濟支援，或是工作所造成的休閒類型。在此並未如一般將工作與職業等量齊觀，而是容納了無報酬的在內，包括家管、義工、風景區解說員等。此乃強調工作乃是以報酬為主，無酬勞為輔的持續性活動。

5. **工作為有意識的努力，有利於自身及他人。**

　　美國職業輔導學會在重要名詞索引中，曾將工作定義為有意識的努力，目標在有利於自身或他人，而非將其主要目的視為適應或休閒。工作有時視為勞動，為了生存或提供支援的生產性工作，需要體力或心力的投入。工作也可視為受僱，要花費時間於有酬勞的工作，或像家管類為非直接有酬勞的工作。工作也有休閒的意味，在支薪或不支薪工作以外的自由時間，可用於休息、遊樂或非職業的活動。休閒為有自己可以裁量的收入、時間與社交行為，而產生自定的活動與經驗；此類活動可以是體能的、心智的、志願的、有創意的，或是四項活動的各種結合。因此工作有勞動、受僱、休閒

的含意在內,而從狹義而言,工作只是人維生之道;廣義的說,人之所以工作,是為了維繫在團體中的地位,一旦個人或他人規範了從事與維生有關,不論其活動是身體的或社會的,我們都說這個人在工作。任何人所進行的工作,是與其他工作者,以及在分工中依其所在地之社會結構和任務貫串在一起的。

由上述工作的意涵顯示,工作的概念相當複雜,它涉及個人的知覺與行動,以及社會的互動與角色,透過這些表顯個人有意義的行為。事實上,工作需透過人、職位與目的之脈絡結構貫串來理解。以往視工作本身為生活關注的焦點,現今轉移至關心生活品質。在平日生活中,工作只是眾多角色的一個關注點,這些角色有家管、公民、業務主管、退休顧問等,彼此交互影響以達到生活滿意的狀況。而工作動機與工作滿意已融入生活品質與生活滿意感之中。因此工作的意義不單是謀生問題,也與生活品質的提升,以及生活滿足感有關。

綜上所述,工作(職業)的內涵意義可包含以下幾個要件。

1. 持續性(continuance),工作必須持續一段相當長的時間,為了獲取生活所需;它不是突然的、短暫的活動。

2. 投入(input),工作是個人得付出相當的精力(心力或勞力),並非不勞而獲的產物。

3. 產品(output),工作結果是生產事物(goods)或服務(services),不是徒勞無功的舉動。

4. 符合道德標準,工作為社會道德所允許,對自己或別人有利,但不能作損人利己的勾當。

5. 有價值的活動,工作在整個生涯過程中扮演重要角色,係讓人生有意義和有價值的活動,是生活中不可或缺的事務。

6. 工作是因個人需求、意向、性別之不同,而有不同的使命、任務。男人向來承擔較重之工作需求,以工作為生活的重心,為養家活口不能沒有工作,沒有工作就無法謀生存活。女人向來要生兒育女,

視生養兒女操持家務為天職，與男人在外頭工作之角色份量不分軒輊。現代男女雖逐漸淡化「男主外，女主內」的色彩，但傳統的工作性別角色亦不容忽視。

認識工作世界的確需要認識工作或職業在吾人生活中所扮演的角色。人往高處爬，對工作有正確的體認，當會發揮工作的內在本質，進而能掌握頭路，作為使人生有意義生活充實的一種不可或缺的活動。

確實領悟工作意涵後，須掌握產業職場狀況。美國勞工部勞工統計局提經濟穩定成長，產業投資成長最快，值得適度選擇規劃，依序為：健康、居住關懷、電腦和資料處理、個人和多面服務、多元商業、嬰幼兒全天關懷、人事供應、建築、房屋租賃、管理與公共關係等服務導向的產業(Tim Haft & Michellier Tullier, 1997)。資料顯示臺灣產業投資以營建工程、機器及設備為主，近年因應產業轉型升級之需，智慧財產投資成長顯著，對經濟成長影響深遠。根據台經院於 2024 年 11 月公布最新預測，2025 年 GDP 成長率為 3.15%。2025 年全球經濟仍將面臨諸多挑戰，其中又以美國川普總統政策、各國央行不同步的貨幣政策、中國不動產市場前景，地緣政治衝突如俄烏及中東戰爭等關鍵點，不僅影響台灣出口表現，也影響台灣內需消費走向，值得預先研判並加以關注(https://www.tier.org.tw/)。認識上述工作產業或職業的意義，有助於將來規劃擇業的參考。職業未來發展的趨勢，以服務業為主體，很多產業與服務有關。證實「人生以服務為目的」。服務業如美食小吃、飯店住宿、旅遊觀光等受世局疫情天災影響經濟發展，擇業就業多少受衝擊，然認識各行百業仍是必要的，展望未來的職業成長發展仍可期待。

第二節　謀生工作的效用

人生為何要謀生做工？工作有其功效，工作可帶給人效益功用，其與上述工作的意涵有關，但有不同的講究，下列有一些微異的說辭。

1. 工作能讓腦子思考、情緒調理。若是你不讓頭腦有工作做，就只會夢想自己的東西，可能損人不利己。個人生命中，美妙的部分就是工作具創意的部分。各人都想成功，但真正使各人的心靈激動與情緒飛揚的卻是工作的過程所帶來的。藉此也提升情緒商數(EQ)，透過工作上情緒調理，檢視個人工作，秉持怎樣的心情和信念面對周遭的環境。你究竟是個相當了解自己的人，或是能透視他人心理的人，抑或是擅長控制自己的情感，是個相當樂觀謙沖的人，適合協調行銷的工作。若發現個人情緒調理欠佳，則有待藉著工作來培養或提升受人敬重，得人賞識的美德。

2. 工作可訓練毅力德行，讓生活有著眼處。每天早上起床後，不論喜不喜歡，總會有工作等著你去完成。努力去做，則能訓練自制力，培養認真的態度和堅強的意志力，以及無所事事的懶人沒法修養的德行。同時使人有尊嚴，所學的專業有事做，派得上用場，沒有白學。如果我們為改善生活品質而付出努力執行工作計畫，培養敬業樂群德行，日常生活有了著眼處，就不覺虛空度日。

3. 工作能與人合作，增進人際關係，並與現實環境適當的接觸。正常的工作總要面對同事或上司的互動，因此維持良好的人際關係，可以從工作中獲得相互提攜的效用。而正常的人不逃避現實，不會生活在空中樓閣的虛幻世界中。避免虛幻，最好的方法是工作，從工作中個人能和現實的世界保持密切的接觸交往，以實現個人願望。工作確可讓自己掌握機會和別人充分合作，很多工作需要群策群力，發揮團隊精神才能完成，這不是個人單打獨鬥所能勝任。透過大家分工合作，集思廣益，讓事情在最短時間完成。有時個人要實現心中的理想和抱負，非藉分工合作無能為力。

4. 工作有助於個人生涯的發展，有療癒之效。個人身體各部分需要經常的運用，才能充分發展，才能使生涯發展階段不會出現危機，而工作正可提供身體器官運用的機會。若缺少適當的運用，則身體器官將呈現萎縮的現象，而且會帶來發展的遲滯。劉墉在《攀上心中

的顛峰》書中，認為「工作使人健康有成長的機會，工作使少年人成熟，使中年人強壯，使老年人長壽。」工作對健康有益，有治療成效。誠實工作，出於自願的工作，工作是治療人所有病痛與悲傷的療藥。有學者認為利用心理治療中的工作治療法(work therapy)，安排工作情境，使受輔者從工作活動中排除心理困擾問題。工作活動可使人精神專注，從而減少個人胡思亂想。工作的成績可以顯示個人價值，從而提升自己的信心。在團體性工作活動中，工作可當作媒介與人溝通，工作對平常人和對心理失常者都有療癒之效。

5. 工作可使人獲得成就感，實現自我願望。人都有追求成就的動機，為了滿足此動機，就會去做各樣的工作。當個人有信心去做一件工作時，本身的能力獲得充分的發揮，隨之獲致更大的成就，最終能達到成功的願景。過來人大都認為工作使人有幸福感，做自己喜歡的工作，便是幸福的保障。有成就幸福感，排憂解悶，身心獲得適當慰藉。沒有工作、無事可做會讓人生空虛煩慮，甚至會出現社會問題。有了工作，注意力轉移到工作，有責任面對工作結果，生活有重心，增添色彩，可解除孤寂憂悶，實現自我願望。可開啟自己想做什麼工作的雷達，從「喜歡」與「擅長」的方向著手。若遇挫折與困難能讓內心變得溫暖強大，人生多方嘗試工作功效，生活會更幸福快樂。以上謀生工作確實有諸多功效，非藉工作無能為力。

第三節　職場大觀園知各行百業

　　認識工作世界，需對各行百業有所知曉，知己知彼百戰百勝，知己方面，前已述及。今就知彼工作世界中，工作或行業、職業彙整說明。

　　依「中華民國行業標準分類典」有系統地歸納出十個行業：農林漁牧狩獵業、礦業、製造業、水電業、營造業、商業、運輸業、金融保險業及工商服務業、服務業、其他不能歸類者。

參考勞動部網站，近年鑒於科技發展日新月異，產業轉型及勞動力結構變遷迅速，各行職業之人力供需廣為各界關注。為提供充分之勞動市場資訊，作為學生生涯規劃，社會新鮮人尋職諮詢應用，參考美國勞工統計局產業生涯指南，而編纂行業就業指南、職業就業指南。依勞動部勞動力發展署職業探索-工作百科(https://jobooks.taiwanjobs.gov.tw/)，行業職業指南提到行業及職業種類，可自行搜尋需要的工作資訊。行業包含製造、營造、用水供應及汙水整治、批發零售、運輸倉儲、住宿餐飲、資訊通訊傳播、金融保險、不動產、專業科學及技術服務、支援服務、醫療保險及社會工作服務、其他服務、六大新興產業有生技、綠能、觀光、醫療照護、精緻農業、文創等。職業包含：專業人員、技術員及助理專業人員、事務支援人員、服務及銷售工作人員、技藝機械設備操作及組裝人員、基層技術工及勞力工等。

再來要認識熱門行業，各行業受雇員工人數與平均薪資計算後，中長期熱門的行業：資訊服務業、銀行保險業、電路及管道工程業、信用合作社業、信託投資業、航空運輸業、農漁會信用部、顧問服務業、醫療保健服務業及不動產業。國內財經研究熱門行業：大型傳統產業、PC時代相關產業、消費性電子產業、資訊服務業、通訊業、大眾傳播、外商投資、公營事業、金融服務業、國際貿易。Career 就業情報雜誌，針對社會新鮮人嚮往投入的熱門行業：航空業、銀行業、電腦業、食品業、飯店業、房屋仲介業、電子業、貿易業、汽車業、壽險業等。參考美國勞動部曾推出的熱門產業有電腦工程師、電腦從業員、資料庫行政員、系統分析師、資料處理維修員、證券金融營業員、律師、醫學助理、健康看護、房屋仲介經紀人。另熱門行業：細胞組織工程師、基因程式設計師、科技農民、基因食物監測員、資訊研究員、熱線諮詢維修員、虛擬實境的演員、個人化傳播員、機器人測試員、知識工程師。

新興熱門行職業及從業人員，例如生活服務業：個人形象管理顧問、景觀設計師、寵物美容師、園藝設計師、花藝設計師、婚禮顧問、禮儀師。餐飲業：月子餐料理師、食療指導師、生機飲食店店長、品酒

專家、創意蛋糕設計師。專技服務業：鋼琴調音師、競爭情報分析師、企業知織管理師、照明設計師。時尚業：企業形象設計師、美素養顧問、精品店銷售員、珠寶設計師。文化創意產業：部落格主、網路小說家、模型、公仔設計師、品牌設計師、視覺藝術設計員。表演藝術產業：編劇、藝術行政企劃人員、舞臺設計、劇團演員、表演經紀人、街頭藝人。物流倉儲產業：宅配員、帳務客服員、物流業務開發員、空運出口業務員。資訊服務產業：電子商務業務開發專員、軟體開發工程師、資料庫管理師、系統分析師、網路安全工程師、人工智能專家。網路通訊產業：手機加值整合專員、通路合作策略專員、5G 手機客服行銷員、網紅軟體開發工程師。照顧服務產業：托育中心保育員、坐月子中心護理師、長期照顧員、婚家諮詢員。除上述新興產業及從業人員，尚有未列者請自行搜尋相關網站。另參考 2024 十大亮點職業：永續管理師、碳排管理師、人機協同師、AI 詠唱師提示工程師、心理諮商師、智慧醫療開發業務、物流供應鏈管理師、數位金融工程師、資安工程師、數據分析師。而全球十大夢想工作：飛行員、空服員、模特兒、心理學家、網紅、醫師、老師、律師、消防員、企業家。相關熱門行職業資料繁多，且會有變動，請自行參網閱讀，多認識各行百業細節，整理合自己需求，掌握行業特色，再配合所學專長，與時俱進因應之。

第四節　就業準備與工作調適

一、就業準備

　　目前社會新鮮人在求職過程難免遇到困難波折，職業難一次尋覓成就心願。社會新鮮人未雨綢繆，做好求職準備的事項。在學校所學專長學以致用，多角度閱讀新知，多思考，多接觸不同領域的人，常給自己嶄新的挑戰，考驗個人學術技能，心情上做好準備，以應不時之需。

（一） 謀職前的準備

1. 確知找尋工作的秘訣

(1) 你要明確知道工作和生涯的實際意義，不用父母親友告訴你。

(2) 認識你自己及你的需求願望憧憬為何？

(3) 知道你自己能貢獻什麼？不要問別人能為你做什麼，乃要問你能為他們做些什麼？描述我是什麼？我能做什麼？我知道什麼？(Tim Haft & Michellier Tullier,1997)。

2. 「自我評估」方面

(1) 評估學經歷特色：學歷專長、工作兼差、家教、寒暑假打工、義務志願工作，學校社團或班級幹部，分析各項工作經驗及收穫，並確實檢討正式就職前工作離職之原因。

(2) 評估身心特質：身材體格及生理特徵、特殊能力興趣、個性等。

(3) 認識專業知能：包括專業技能、社交能力、語文表達能力、規劃決策、資訊處理能力、事務判斷能力等。

(4) 檢討工作生涯的迷思：如工作時間愈久，愈能得到老闆的讚賞；一個完美的人不論做什麼，都得做到最好；把家庭和工作分開，才會有好的發展；高學歷高失業率，不用接受高等教育，免得專業知識無用武之地；學文法的無法應付科技社會需要，須再接受專技訓練等。這些生涯迷思似是而非，須審慎評估實況真相。

3. 「認識職業」方面

對自己專長或感興趣的工作，從工作性質、環境、待遇、資格條件、就業途徑，工作分布等項進行了解，以便認識職業真相。

（二） 擇業的要領

1. 通盤考量實務事項：當求職者面臨一個以上的工作機會時，不論其學經歷背景為何，均應考量下列諸項。

(1) 工作單位的社會形象及地位如何？

(2) 能否提供個人發展事業前途的長期工作安全保障？

(3) 工作單位之安全措施是否完善？是否重視員工健康？

(4) 與住家距離多遠？

(5) 與住家間是否有大眾捷運系統或交通是否方便？

(6) 員工薪酬制度及福利措施如何？

(7) 工司組織及營運狀況如何？

(8) 有無員工培訓及研發狀況？

(9) 勞動基準法執行狀況或健保實施情形如何？

2. **把握擇業原則**：求職者選擇工作時，唯有把握一些重要原則，才能安於工作，發揮敬業精神，達成個人事業目標。

(1) 選擇工作必須符合自己的興趣和性向：工作具有專業性、發展性、挑戰性及競爭性；勿以薪資高低作為唯一考慮因素；傾聽他人對選取工作的看法或意見；所選工作應能符合個人基本期望；工作不單獲取報酬而已，且能提升生活水準。

(2) 成竹在胸隨時應戰：擁有該職業所需一技之長，了解有關工作之相關法規，爭取政府就業輔導機構所提供的專門職業訓練，經得起工作之挑戰性及競爭性。

(3) 設身處地多替老闆著想：如果你是老闆，必然會對選用的新進人員有所要求：誠實可靠、肯負責、富有幹勁、任勞任怨、不畏艱苦、奮發有為、與工作伙伴合作無間、了解當前就業市場人力供需狀況、認識時務。

(4) 有工作願景及生涯規劃：工作性質及酬勞符合個人期望，個人對未來有規劃願景，工作地點距住家車程在一小時內。工作單位之社會地位及形象在一般水平之上，訂有培訓、進修計畫等。

（三）求職管道—獲得工作的途徑

就業是人生必經的歷程，人的生涯歷程幾乎超過三分之一的時間脫不了工作。依據 1111 人力銀行，求職管道有公立就業服務機構、學校就業輔導室或職涯中心配合廠商舉辦校園徵才活動、公務人員考試、大眾傳播媒體（報紙、雜誌、有無線電視）廣告、工會介紹、毛遂自薦、

求職求才網站、親友師長、人才仲介（俗稱獵人頭）公司、就業博覽會等。茲整理各種求職管道，分別敘述如下。

1. 透過校園徵才活動或生涯（就業）博覽會

幾乎每所大學院校都相當重視學生的出路，為應屆畢業生舉辦校園徵才活動，各行百業都有釋出名額供予學生應徵。求才廠商會以擺設攤位的方式，向社會新鮮人介紹最新工作職缺，學生可利用與廠商面對面交流機會，詢問參展廠商關於職務、產業或公司的相關問題，並且投遞履歷表或與雇主直接進入面試的階段。校園徵才活動，有企業博覽會、公司說明會、公司參訪等。為媒合社會新鮮人求職和廠商公司職缺，提供適配服務。

各縣市舉辦徵才活動，如新北市勞動雲端人力網在各行政區舉辦的徵才活動，其他各縣市都有由縣市政府就業輔導處，由人力銀行媒合，而各廠商提供各種職缺，聯合舉辦就業博覽會。或由縣市勞工局就業服務中心舉辦的徵才，績優廠商提供琳瑯滿目的職缺，為社會新鮮人提供諮詢徵才服務。如高雄市政府勞工局訓練就業中心 Job 好康報，提供最新工作機會，徵才活動，青年就業專案，職業訓練課程等。調查職場所釋出的工作機會，大致缺額較多的為理工科系畢業生，商學文法缺額較少。各縣市就業輔導機構，結合公民營企業、連結網路人力銀行，舉辦形形色色徵才活動。如數位徵才博覽會、線上徵才專區，就業嘉年華活動，高科技、網路開發業、金融業、流通服務業走向國際化，召募人才會著重國際化能力，外語能力已是基本要求。若想進入保險金融服務業，要先拋棄正常上下班、周休二日的想法，服務業徵才首重工作態度，而非專業能力。怕選錯行嗎？職涯諮商講座透過適性測驗，幫求職者為性格特質及適合的工作把脈，以免造成選錯行。在選好重點企業後，就要理解廠商背景，準備好中英文履歷表，展現企圖心和誠意，再多向公司主管諮詢溝通，對未來面談有加分作用。

2. 政府就業輔導機構

勞動部勞動力發展署設有臺灣就業通客服中心，若要找工作，有職缺查詢；職涯測評，透過工作氣質測驗、個人與組織適配性評量工具，求職端工作風格測試和求才端工作風格分析，能了解自己喜歡做的事；另有徵才活動可找尋。若要找人才，有人才查詢、職缺管理、法規查詢。若要找課程，有青年職訓資源網、在職訓練網、職前訓練網、其他政府課程資訊。若要參加技能檢定，有技能競賽資訊、技能檢定報名資訊、技能檢定規範、歷屆考題。若要微型創業，有鳳凰貸款、失業者創業貸款、創業課程、創業諮詢。民眾前來找工作，多數仍獨情鍾於科技與服務產業，也以知名度高的企業媒合率較高。為初踏入社會的新鮮人找一個適當的就業環境。各級政府所舉辦的徵才活動，對參展的廠商都做過調查，可讓求職者放心過程中的安全。主辦單位在各時段都安排有專家的專題演說，讓求職者做好職前的心理準備，更能了解自己的個性，並能在職場上做最適性的發揮。

3. 大眾傳播媒體廣告

雜誌期刊月刊刊登廣告，應接不暇，而智能手機時有廣告夾在節目訊息之間，五花八門，求職廣告多的是。報紙人事分類廣告，有其時效性、方便性、普及性。雜誌廣告、電視求才廣告等，審慎評估，找一個可靠且符合個人條件的工作，前往應徵。

4. 師長親友的介紹及推薦

多跟老師請教，與親友常有接觸交流，以便獲取更多職業訊息，並請求給予推薦。透過師長推薦，勤奮苦讀有出頭天。透過親友熱心介紹，肥水不落外人田，定能找到適合自己個性的工作。

5. 透過求職求才網站

透過網路找工作甚為方便，上網找頭路，人力銀行網站，主要有全國就業 e 網、勞動部勞動力發展署、職業訓練中心、104 人力

銀行、1111 人力銀行、518 人力銀行、yes 123 求職網站等。其優勢在不受時空限制，可快速便捷查詢所需資料，多為有系統的整理，網羅全台全職兼職工作職缺。唯有時仍有查核的漏失，忽略就業陷阱，可見有其侷限性。社會新鮮人首先必須面對競爭的就業環境及適應不同的工作要求，由於尚在學習摸索階段，轉換工作之比率又高於其他年齡層，導致失業的比率高於整體之失業率。調查發現青年人初次選擇工作的首要考量因素是能學到知識技能，其次工作穩定性、待遇高、符合自己興趣、能學以致用等。能學到知識技能，有利於未來前途發展。而企業在僱用大專畢業生時優先考量因素，分別為良好工作態度、穩定度、抗壓性及表達與溝通能力，其餘為學習意願及可塑性、專業知識與技術、團隊合作能力等。顯示良好之敬業精神是企業首選條件，其次為專業知識與技術。

　　尋職管道參尋台灣就業通(https://job.taiwanjobs.gov.tw/)最新職缺徵才活動，並深入校園舉辦就業博覽會，希望青年人多加利用。報導財經學群與工程學群想要學以致用，投入所學的相關產業之比例高。遊戲運動學群及社會心理學群想要跨領域就業的比例高。近年來金融業積極搶才，鎖定大專校院、研究所學生，財經學群的學生在就學期間就可以同步考取相關證照，拿下進入產業的門票，為就業鋪路。而工程學群包含電機、電子、機械，不僅是產業發展的基石，且更是現今企業獵才的頭號目標，入行起薪居各學群之冠。相關科系學生有就業優勢，不乏名校生還沒畢業就被企業預定。為了彌補所學不足，多半學生會利用在校期間考取證照，希望透過證照墊高收入。此外多數學生會主動參與其他學習管道，企業參訪、上進修課程與企業實習，以了解產業趨勢與需求、多認識職務工作內容、學習專業技能以及找到個人職涯方向。

6. **通過國家公務人員考試**

　　如高普考、特考、留學考，取得證照而分發，實力沒法擋。若參加公費留學考試，以通過重重考驗展現實力。教育部每年公費留

學考採線上報名、筆試測驗、口試，公告錄取榜單。公務員考試方面，掌握最新考試訊息，離成功已近半，請連上考選部網站，有意報考接受挑戰者多留意，早作準備可穩操勝算。

7. 自行創業或白手起家

創業維艱，苦盡甘來。由於科技的日新月異，愈來愈多不想塞車趕打卡，看老闆臉色，而自行創業能發揮專業能力。透過電信、訊息傳輸，選擇在家上班，當個 SOHO(Small Office, Home Office) 族，是項獨立全新的嘗試，勇於承擔風險，個人獨立作業。選擇個人想做的事，挑戰自己更上層樓。為了理想堅持到底，考量現實保持彈性。頭腦冷靜用心熱誠，把握機會造就自己創業。森田與詹子晴共同創立快電商，單年度營業額破 20 億，低資費輕鬆創業，不須囤貨，週週上架獨家商品，挑選適合自己的商品銷售，免囤貨沒壓力。快電商憑一支手機就能創業。然必須評估自己的能力與資源是否充足，並以此判斷是否能夠透過創業獲利。創業是一條充滿挑戰的路，也是一條充滿能產的路。台灣有許多資源和支持系統可以利用，例如政府的創業支持計劃、各大學的創業育成中心等。多利用這些資源，讓你在創業路上不孤單。

8. 繼承家業

透過家族企業，協助家庭營業繼承衣缽，祖傳祕方，自家獨享。利己的行為，以追求自家利益的極大化為前提。

9. 閱讀書刊，工作就在書堆中

閱讀工作規劃相關書刊，例如：不只找工作，幫你找到好工作（書泉）、別為找工作抓狂（時報出版）、新世紀就業指南（遠流出版）、畢業不怕失業、畢業 5 年決定你的一生（凱信企管）、讓好工作找上你（天下文化）等。除了學歷，你更需要的是職場戰力；學校只讓你畢業，卻沒教你如何就業。其他尚有許多較新的工作生涯規劃好書，上網搜找更多書刊資訊，多閱讀可規劃工作新職。

10. 其他求職管道

如參與就業演講座談會，或登門拜訪職業達人，或無意中邂逅生涯貴人請求幫助，或廣結善緣獲得推薦，或利用手機聯絡找尋工作職缺或毛遂自薦等。

（四）知曉雇主用人原則

現代管理學之父彼得杜拉克，在「卓越有效的管理者」書中，提及管理者用人的原則：用人所長，避人之短；任人唯賢，而非任人唯親；因事用人，而非因人設事。管理的至高境界是讓平凡人也能做出不平凡的事。而企業機構該有的核心價值，追求卓越、以人為本為民服務。還有職業道德，忠誠、審慎、公正、勤勉。用人之計，如德才兼備、固本求源、揚長避短、因材施用、剛柔並濟、未雨綢繆、左右逢源。IBM 重視用人策略及新人培訓：爭取勝利。積極行動，團隊合作。招聘人才要具備邏輯分析能力、要有適應環境的應變能力、要注重團體精神、要求具有創新能力。只要努力有勇氣，踏實的夢想都可能實現。亞馬遜在面試求職者時，會確認對方是否具備亞馬遜 14 個領導者原則的特質：顧客至上、當仁不讓、創新簡化、判斷正確、求才若渴、選賢舉能、堅持高標、綜觀全局、重視節能、先做再說、贏得信任、窮究驗問、敢於質疑服從決策、交出成績。其他公司企業組職徵才具備知能多網搜掌控。

雇主用人重在德才皆備、用人之長、充分識別人才、不問資歷深或淺。雇主用人條件有品質操守、積極態度、專業知識、學習能力、忠誠度、相關工作經驗、表達能力、團體精神、溝通能力、健康狀況等。新鮮人可塑性強，想法新，有突破，有幹勁，願意接受挑戰，易取得第二專長，人格特質重於學歷。查閱 Smart 求職招數：有型有料，面試無人擋；能屈能伸，老闆不頭痛；錄用契約，看清楚再簽。阿里巴巴用人標準：以德為先、務實為本、良好的團隊精神、認同企業文化、較好的發展潛力。皆可為求職者參考。

（五） 社會新鮮人就業趨勢

人才科技就業趨勢。發揮個人影響力、跨界人才需求增加、年長工作者退而不休、社會企業成為人才的新樂園、宅經濟持續發展、自由業者持續增加、有溫度的專業最受市場青睞、擴大舒適圈持續學習才能生存、高 EQ 與高創意為關鍵。年輕人以升學、出國留學、準備公職或證照考試，逃避就業壓力，因無法尋得正職工作，只能靠 SOHO 接案文書處理、家庭代工、軟體程式設計、網拍、時薪零工等勉強維生。

產業冷熱變動趨勢。國內通訊產業出現人力過剩，與網通產業外移有關。凡是與工廠生產製造有關的科系如工業工程、工業管理、環境工程等，出路都會受到衝擊。企業獲利與人才招募脫鉤，生產基地外移，不少高獲利的好公司，只是在幫外國人創造工作機會。而冷門科系不冷，熱門科系不熱，冷門科系如中文系，在連鎖作文班、國文補習班、兒童讀經班大行其道下，就業機會顯著增加。地質系在全球自然資源緊缺、企業紛紛赴海外探勘油氣、鐵砂、水泥等礦產的情況下，身價也鹹魚翻身。數位多媒體科系受惠於遊戲動畫產業復甦，熱門的理工與商學院，受到科技業外移與金融業不振的影響。而傳統產業受惠於中國大陸基礎建設與內需市場起飛，傳統製造業步入另一個「黃金成長期」。越南新娘所生的「新臺灣之子」，若能通曉「媽媽的話」將非常搶手。許多企業徵才是舊有職務頻繁出缺，如每年護理系畢業生人數，遠超過醫院需求的護理人數，但醫院仍感護理人力吃緊，因護理師流動率太大。

高教投資報酬正負難料。由於高學歷普及化，高中職生取得四技二專文憑後，心態視為大學生，不屑於「低就」，從前由高中職生擔綱的低專業度工作，出現龐大的人力缺口，例如：土木營建、生產線作業員、機器設備維修、水電修繕、照顧服務都是。「低階」工作不等於「低薪」，營建業、科技大廠作業員、水電修繕業者如宅急修等多高新。為節省僱用成本，非典型僱用如人力派遣、將正職轉為時薪制，時薪工作快速增長，待遇連外勞都不如。在年輕世代學歷提高到大學的同時，臺灣產業結構的調整卻不順利，無法同步創造對應的高階工作機

會，使大學畢業生被迫「向上走」，去進修碩士學歷；有人被迫「向下走」，屈就高中職生的工作。有更多大學生「卡在中間」，高不成低不就。結果失業率快速升高，甚至超出高中職生。如果高中職畢業後，放棄報考大學或四技二專，直接投入就業市場，不但工作機會更多，薪水也可能更高。在低度就業下，高等教育的投資報酬率由正轉負。

產業甄選新趨勢。大學生滿街是，學歷已失去人才篩選的功能，因而企業除了傳統的筆試與面試外，新的甄試篩選手法紛紛出籠，例如個案分析、角色扮演、上台簡報、狀況題、時事題、不可能題、體驗日等，花樣不斷翻新。把自己擺在第一，公司放在第二，很會爭取個人權利，絕不願為公事犧牲私人休閒，工作配合度較差，對公司認同度與忠誠度也很低，不尊重權威，把長官當成平輩，EQ 低，進取心挑戰力不足，是流動率超高的「職場快閃族」。更多企業運用職業適性測驗，認為「性格特質」和「專業」同樣重要。在富者愈富、貧者愈貧的 M 型社會。公司只幫前 20%核心人力加薪的「公司薪水 M 型化」。人才高階精英方面，希望透過高學歷門檻、超嚴格篩選、與魔鬼化訓練，建立高素質的接班梯隊。如金融業爭奪儲備幹部，不惜重金栽培儲備幹部。而傳統製造業與高科技業，積極加入徵召儲備幹部的戰局，找海外生產管理儲備幹部。儲備幹部過去按照「年資」升遷的作法，開始轉為「只問實力，不問年齡」。社會新鮮人別抱著「我是來學習」的心態求職，現在企業要用的是「立即可用」、能立即發揮戰力的人才。如果在學期間有打工實習與接案的經驗、相關作品與專題研究、專業證照、相關得獎紀錄，將有助於快速銜接未來的工作，即戰力的證明。為降低用人風險，許多企業僱用新人時，會先以人力派遣、見習生、實習生、工讀生、約聘僱、外包等形式晉用，觀察一段時間後再擇優正式錄用。有愈來愈多新鮮人，要謀得一份正職工作，都須經歷這種「兩階段僱用」。

若要更了解就業趨勢職缺，可參考勞動部勞動力發展署網站臺灣就業通，這個職涯服務新品牌。在職缺整合方面，匯集全國公立就業服務機構、民間團體、大專院校、各地公部門、104、1111 及 518 人力資源職缺資訊，將所有就業服務資源整合為一人力銀行。可善用網路資源。

（六）知求職找事要訣

1. 認識網路經濟時代

　　網際網路經濟核心是技術、服務，而網際網路工業、電子商務金融、經濟新型態，帶來求職創業商機。在事求人的機遇下，掌握網際網路資訊可尋得心目中理想的工作。

2. 自我演練準備面試

(1) 了解前往應徵公司的營業項目、擔任職稱的工作內容。

(2) 準備好想了解或詢問的問題，陳述自己的專長、能力、抱負。

(3) 熟練客套委婉的話語，應徵時所需的各項文件。

(4) 服裝、儀容整齊大方樸實優雅。

(5) 面試時之模擬問題自行設計並演練。

　　a. 你的短程和長程的目標如何？你打算怎樣完成以上的目標？

　　b. 你為什麼願意到本公司工作？

　　c. 請你以一分鐘（或三分鐘）時間介紹你自己。

　　d. 你主修什麼？在校修過哪些課？喜歡哪些課？專長是什麼？

　　e. 你的個性如何？在別人眼中你是一個怎樣的人？

　　f. 你認為你具備那些條件（資格或能力）能勝任此工作？

　　g. 你認為你對本公司能有什麼貢獻？

　　h. 你參加過那些社團工作或實習工作？有何學習心得？

　　i. 你希望的待遇多少？

　　j. 你如果被錄用了，你何時可來上班？或還有其他選擇？

　　k. 你還想了解公司那些問題？

3. 自我評估常見問題

(1) 我準備好了沒有？

(2) 我實際了解的是什麼？

(3) 工作職務責任需耗費多少時間？

(4) 我對組織財務福利了解有多少？

(5) 標準是否訂得不合實際需求？

(6) 是否無法滿足自己的期望理想，或有困難無法符合工作標準？

(7) 對情勢的發展是否樂觀其成？我當下應在何處立身？

（譯自 Tim Haft & Michellier Tullier , 1997, Job Smart）

4. 個人找到工作要訣

(1) 計畫你尋找工作的策略。

(2) 培養你網路接觸的能力。

(3) 衝破陷阱，自行編製網路。

(4) 列出頂尖的尋求工作網站。例如 https://job.taiwanjobs.gov.tw/

(5) 盡量擴充校園資源。

(6) 參與生涯或工作博覽會。

(7) 回應分類的廣告。

(8) 抓住工作熱線。

(9) 設計直接投郵活動。

(10) 與僱用機構合作（譯自 Tim Haft & Michellier Tullier ,1997）。

(11) 以平常心面對未錄用。假設你未通過晤談，被拒絕了怎麼辦？若你已盡了全力，且志在必得，但公司機構礙於名額限制，無法如願被錄用。若能以平常心來面對遭遇挫折是難能可貴了。所謂「塞翁失馬，焉知非福？」如此當做一次考驗，並再接再厲，因禍而得福，終必有撥雲見日之時。

5. 建立自我求職觀

(1) 抱著一個肯學習的心和誠懇的態度。剛畢業或屆退伍的社會新鮮人都有一份對工作的熱情，但都不免會與社會脫節而找不到適合的工作。而換個角度來想，目前在就業市場何不從徬徨的心情中成長呢？只要肯學習和誠懇，就毋須忐忑不安。

(2) 不要太過重視待遇的問題。不要好高騖遠，只希望找一個所謂錢多、事少、離家近的工作。不要太過重視待遇多寡，而有願景、學習環境，以及優良企業文化的公司才是重要的考量。

(3) 高學歷並不能代表一切，學歷只作為企業評量一個指標，更要重視「學力」。新進員工首要肯幹實幹、學習態度好。

(4) 善於自我調適。能隨遇而安，以平常心、同理心面對任何順境和逆境，不以物喜、不以己悲，面對橫逆，培養挫折容忍力，善做心理調適轉逆為順。

6. 預防求職陷阱

　　勞動部提醒即將踏入職場的社會新鮮人要做好就業準備，也要瞭解自己的勞動權益及避免誤入求職陷阱，如想瞭解就業相關活動，可上勞動部及相關網站查詢。在求職前準備，面試前告知親友面試的地點，或請親友陪同；檢視欲應徵公司徵才廣告內容是否合理，主動蒐集徵才公司的資料；檢視自己要應徵什麼行業、職務。在面試時要把握的原則：不繳錢、不購買、不辦卡、不簽約、不離身、不飲用、不非法工作。現今網路通訊發達，社群網站及即時通訊已成為青少年最常用來互通訊息的管道，使得近來透過 Facebook 社群網站或 Line 等即時通訊軟體，傳送不實廣告徵才。因此社會新鮮人找尋工作時，要多方查證及提高警覺，避免誤入求職陷阱。

(1) 常見的求職陷阱(https://www.1111.com.tw/)

　　a. 徵才廣告常未註明公司名稱、地址、電話及聯絡人。

　　b. 公司對於徵求的人才常無資格與條件限制。

　　c. 求才廣告上常標明誇張的薪資、福利條件。

　　d. 面試時才知公司營業內容或工作項目與廣告不一致。

　　e. 面試時需繳交身分證、駕照、報名費、保證金、制服費及訓練費等金額，或是請求職者本身需購買產品。

　　f. 進入公司無其他員工，或是公司空蕩蕩，員工並沒有在工作。

　　g. 面試人員對於工作內容交代不清，只想要求職者接受工作。

　　h. 面試時或剛進入公司，即迫求簽立任何內容不明的契約。

　　i. 公司並不提供勞健保。

j. 月入數十萬，免經驗可。這通常是色情業者常用手法。

k. 儲備幹部、高級專員，免經驗可。常是企業找尋直銷人員或類似老鼠會成員的手法。

l. 身高 165 以上外型甜美。徵求演藝人員、模特兒的廣告，宜衡量己身條件，結伴而行，避免單獨前往。

(2) 睜大眼睛看危險行業（參網 http://www.1111.com.tw/）

　　酒店或色情 KTV、舞廳、陪酒酒吧、檳榔西施、工地臨時人員、清潔工、演藝模特兒或人體藝術模特兒、旅館、直銷銷售員（其他有業績壓力或須先繳錢的業務銷售行業）、高汙染、噪音工廠、分發色情宣傳單、高薪色情電話或網路內衣真人。

(3) 工讀陷阱（參網 http://www.1111.com.tw/）

a. 證件被老闆扣留，不知情之下當了人頭，生事遭受連帶責任。

b. 被要求事先購買一定數量的產品才能成為員工，還沒賺錢就要先花一大筆錢。

c. 工作中遭受雇主或是顧客的性騷擾與侵犯，卻被誣賴個人品行不良引誘他人而被趕出去。

d. 擔任送貨或是銷售，結果運送的是毒品、違禁品，販賣的是假藥造成人命傷亡。

e. 誣陷你在工作上有疏失，要求巨額賠償。

f. 發薪水時卻發現勞健保費自付，還巧立名目被扣一堆費用，扣除之後薪水所剩無幾。

g. 以慈善名義從事不法募款，老闆卻將款項挪為己用。

h. 公司欺騙工讀沒有勞健保，其實是公司不想多花錢。

i. 直銷銷售員（其他有業績壓力或須先繳錢的業務銷售行業）。

j. 無故被要求離職，可以要求遣散費。

k. 分發色情宣傳單。

l. 應徵模特兒卻被強迫拍下裸露猥褻照片，事後勒索。

　　許多剛入社會的新鮮人，都想找一份「錢多、事少、離家近」的工作，新鮮人的單純想法，投下了許多陷阱。如有受騙上

當的情形，可立即報警或打電話到勞動部、公平交易委員會及勞工局等單位申訴。

(4) 要不要預防求職陷阱

　　一定要參加勞保健保。不要把身分證、駕照、印鑑交給未就職的企業公司。防失身；防色情行業；防騙術；防非法工作及老鼠會。以上要不要預防求職陷阱，顧名思義，不用再解釋或舉例說明，讀者定能看出端倪。

二、工作調適

　　對工作頭路世界有清楚認識後，接下去就要面臨職業的選擇。選擇職業猶如選擇配偶一樣要精挑細選，沒有人會選一個不適配的人，也沒有人會選不適性的職業，除非真的找不到，否則「沒魚蝦也好」。底下說明求職的迷思及如何破解澄清。

（一） 破解求職的迷思

1. 迷思：工作一定要和興趣完全配合才行。

　　破解：光有興趣是不夠的，還要考量自己興趣和條件是否可以達到工作的要求，否則即使有興趣，還是無法有所成就。能以自己的興趣選好職業是蠻令人羨慕的事，但有人因為只在乎興趣，就不在乎酬勞、加班，長期下來也會對身體造成傷害。如果職業非興趣所在，也沒關係，可以試著了解工作的性質，或許在學習中也可以培養尚未發掘的另一面興趣。

2. 迷思：理想和現實有落差，進社會後，一定要學會妥協。

　　破解：理想可因對現實的了解而有所調整，例如變成更務實、可努力實踐理想。切忌遇到困難而一再向現實妥協，不斷讓步遷就現實環境，最後搞不清楚自己為誰辛苦，為誰忙。

3. **迷思：良禽擇木而居，要以實質薪津作指標。**

　　破解：初入市場若待遇優渥是一件好事，但小心因此志得意滿，好逸惡勞。新進人員有良好的發展及學習規劃制度，比光給予高薪更有意義與價值。初入市場待遇差沒關係，青年人當不斷充實新知及提高技術，以免跟不上尖端科技。而且一旦建立雄厚的學養根基，獲得高薪便不是夢想。

4. **迷思：滾石不生苔，工作要穩定持久或進入熱門行業才能有成就。**

　　破解：一般來說追求工作環境單純穩定的選擇是不錯的，但絕不可安於現狀不求精進，否則公司的經營模式需要其他的能力時，就會被淘汰了。另外切忌一味盲從主流、跟著潮流，恐怕也會被流行所遺棄，尤其在變動劇烈的當下，風險反而很大，值得三思。多方嘗試、體驗人生，即使必須更換多次頭家也沒關係，得顧及自己人生生業的未來發展。

5. **迷思：公司規模代表你的舞台大小，一定要進大公司。**

　　破解：大公司就是分工比較清楚，講究團隊合作。你不必做一堆雜事，但是有可能你只做你的事情，如果公司願意讓你轉換部門，那倒是蠻好的學習機會。小公司或者是自己創業，事比人多，經常有做不完的事，說不定可以學到比較多的事務，但是也會很累人。

6. **迷思：就業後一定要廣結善緣，人脈多多益善，所以一定要跟每個人建立或維持良好人際關係。**

　　破解：就業市場跟校園裡的生活是截然不同的，工作夥伴更不像是交朋友一樣可以選擇，會讓你覺得順眼的人可能不多，要一起合作可能更困難，畢竟工作的同事互動與私誼是不同的。你不可能討好每個人，不需要刻意強迫自己變成鄉愿或偽善者，也不要變成眾矢之公敵，否則恐怕早晚因為同事的排擠而無法安身立命。

（二）分析工作環境

在工作調適上，針對適應工作環境作一分析。當社會新鮮人初次踏入工作世界，從事某項職業或工作時，他就得調整自己的生活作息以符合組織的需求，或與雇主的期望配合，使自己很快成為組織的一員，廣為大家所接納。你首次被組織機構接納，成為一個不可或缺的人物，你當然很高興，你就會想盡辦法在組織中多做一些事，以求表現好一點來贏得上司的賞識。然後若不了解整個組織的環境背景，貿然憑己意行事，就很容易弄巧成拙，因此需了解整個企業組織文化究竟是怎麼回事。進而學得如何與上司或同事相處，也接受了組織的相關規定，遵守組織不成文規條，如此才能適應良好。

個人進入工作生涯因感受環境內外在的壓力，就要尋求突破、克服障礙，如生理需求不能滿足、生理病變、自卑感等造成的內在壓力，因都市道路重劃、環境保護、化學工廠、人群關係、經濟、工作等外在壓力，都可能促使個人尋求適應之道。適應由需求或動機的產生，而後遇到困境、尋求突破障礙之方，直到問題解決、目標達成為止，這一段歷程可用下圖 5-1 表示之。

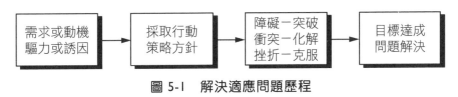

圖 5-1　解決適應問題歷程

（三）工作調適案例分析

案例一：

韓麗芳學的是幼兒保育，畢業後她如願以償地到一家幼兒園從事幼教工作。起先滿腔熱血，心想不當教師則已，要當就要成為一個出色的名師。由於是新手，她小心翼翼希冀有好的表現。經過一段時間之後，眼見很多有經驗的杏壇同事和個人的理念不合，她們不希望付出太多；雖然付出少，卻想獲得很多報酬。而自己希望多付出，但不奢求得到應

得回報。因此和同事間關係處不好，常覺孤單無助，像被大家所排斥一樣，她有志難伸，對幼教工作有心餘力絀之感，很想另謀他就，讓個人能力得以合理發揮。

解析：

　　由學校畢業剛踏進社會的新鮮人，可能會遇到若干危機或困境。首先是不清楚自己所應扮演的角色。其次是無法對自己的工作產生認同感。不清楚自己的角色，其原因在於年輕人好高騖遠，急功近利。他們希望在短期內出人頭地，常尋求成功捷徑，以謀得在短期間內有所成就，而忽略了培養工作上的專才須假以時日。至於無法對自己工作產生認同，可能由於覺得自己在組織中大材小用，或自鳴清高，不願同流合汙。環視大家都對工作的報酬不滿意，產生對制度不滿的行為，如不肯專心工作，刻意摸魚，表達內心的不滿，此情此景怎能長久待下去？

案例二：

　　何大偉學的是機械工程，好不容易應徵到一家小有規模的儀器製造公司上班。經過一段調適過程之後，近日對公司有不滿的情緒，因他發現公司雖受經濟不景氣影響，業務縮小，盈餘減少，長此以往可能會被裁員。但摸魚的人還是照樣摸魚，反而譏笑他那麼賣力，薪水也沒多拿一點。在業務部門裏，根本無法掌握自己的工作，且還要與別人配合。開會時，有些同事悶不吭聲，會後卻大肆批評公司政策，抱怨報酬太少，升遷太慢。他覺得處在這種環境身不由己，不僅無法展現實力，發揮所長，同時還要周旋於同事之間，令人生厭，如此豈不浪費青春？

解析：

　　生涯有心結未解，主要由於理想和現實之間有一段差距，無法接受組織的現況，不認同工作中的角色，而產生適應的困難。若要在心理上有正面的調適，則需了解「入境（組織）問俗（文化）」之道理，進而能「入境隨俗」，但要不至於處在當局者迷的心境，而能跳脫「從眾傾向」，並能有創新表現。亦即能與人同流，但不合污；既與人能相處融

洽，又能獨樹一格。所謂「出污泥而不染」、「歹竹出好筍」誠屬難能可貴。境由心生，繫鈴人解鈴，心情調適得宜，自能得心應手。

一般企業組織文化，可從底下涉及上下左右關係的項目加以說明。

1. 主管與部屬上下關係是採權威式單向溝通，還是注重雙向溝通？

2. 公司明訂員工的福利制度如何？是否關心及照顧員工？

3. 一般員工對公司的形象及對老闆的評價如何？

4. 男女職員是否同工同酬？是否有高級職位，限制女性擔任之情事？

5. 公司是否明訂將來發展的目標及員工進修的制度？

6. 公司比較鼓勵員工表現團隊精神，或是較標榜個人主義？

7. 直屬老闆做事一向強調分層負責或事必躬親？

8. 公司重視工作取向的氣氛或著重人情取向？

9. 部門主管採民主式或獨裁式管理？

10. 公司對員工的規定是否嚴苛？管理上是否不徇情面？

11. 企業部門是否有加入同業公會，有機會爭取員工權益與同業評比？

12. 是否鼓勵員工向上提升，升遷管道透明化？

（四） 工作調適之歷程

假設你現在要進入一家公司，就得逐漸適應組織的文化，在適應的過程中難免要經過下述三個階段。

1. 初期入門階段－「初出茅廬，虛心求教」。逐漸熟悉組織內部狀況；知曉企業組織文化；學習工作方式；要主動與同事相處。

2. 穩定接觸階段－「顧及現實，穩實安命」。能接受公司機構組織的現實面，進入現實狀況。可處理個人提議不被接受的抗拒，學習如何工作，界定自己的工作。熟悉與老闆相處、幫助老闆、滿足上司要求。安於自己的定位並發展所長，有隸屬感和工作認同。

3. 彼此接納階段－「心靈相通，異中求同」。雙方有默契，可訂一份心理契約；繼續維持穩定成長的關係；受到組織的接納與肯定，對於工作表現給予正面鼓勵，增加薪水，被指派履行新任務，分享機構的祕密，有升等機會。個人對組織的接納，決定留下來打死不退，有高昂的動機與高度的參與，願意接受機構或工作的各種限制。

以上三個階段，各人在每個階段停留的時間不一，有長有短。適應狀況因人而異，可能有的很快就適應組織狀況，熟知入境問俗的道理，適應能力強，與同事主管間沒有隔閡，迅速融入組織，並與組織打成一片。也有的反其道而行，階段適應有問題待解。

職業生涯適應分成三階段比較容易理解，由初期、中期而晚期，符合一般生活適應的原則。吾人面對生活諸多問題都設法將複雜性簡單化，可以執簡馭繁，化困頓難處為開啟智慧之門，解決問題的方式。由此累積處理事務的經驗，然後遇到類似的問題能迎刃而解。當然隨著年齡的增長，智慧經驗的累積，處理問題的方式日趨老練，至終在職涯適應有方，嘗到成功的甜頭，即使遭遇困境亦能隨遇而安。

課後問題探討

1. 何謂工作？人生執行生業之意義為何？
2. 工作的效用何在？
3. 工作與職業的關係為何？
4. 分析未來行業有何特色？
5. 如何做好職前準備規劃工作？
6. 解析求職觀及求職陷阱？
7. 如何破解求職之迷失？
8. 如何透過求職管道找到工作？
9. 進入職場後，如何做好調適？

生涯活動 ❶ 「尋寶」活動

步驟 1. 請連求職網站找一份徵才廣告。

步驟 2. 說明徵才內容，如工作性質、公司名聲、待遇等。

步驟 3. 請填寫下方「檢核表」，如表 5-1，徵才內容是否具備檢核表上的項目。

表 5-1 廣告內容檢核表

檢核項目 檢核結果	機構 名稱	機構 地址	工作 性質	工作 類別	待遇 福利	應徵 條件	將來 展望
明確							
不實							
模糊							

　　請檢視一下上方表格是否完整？凡填寫事項愈齊備且明確，愈可減少求職者時間及精力的浪費；愈模糊、不全者，愈要考慮其中是否另藏玄機，例如：職業介紹所、保險精算公司等。

生涯活動 ❷　探索景氣回春，如何峰迴路轉？

一、現況描述

　　長久以來政府透過調整基本工資，無助解決年輕人低薪、找不到工作之困境。大學畢業生能選擇的工作類別有限，薪水低的工作不願做，但高薪工作又搆不上，只能在家待業了。疫情衝擊就業市場值得後續觀察。疫情趨緩後，產業復工增產，失業率降低。上網查詢留意每個月就業率失業率的變動，有利於探索景氣回春，峰迴路轉。

二、探索活動

步驟 1：以 6~8 人為一組，然後進行創意探索。從上方的現況描述中，
　　　　討論如何在景氣回春，峰迴路轉，打出一條生路？

步驟 2：討論 10~15 分鐘後，請各組推派代表分享小組想法。

生涯活動 **3**　探討打工找到適性工作

　　近來兼職外送、打工斜槓（slash 族彈性青年）成為越來越多年輕人打工兼職的趨勢，使用 APP 上網找打工機會，找到打工平臺小雞上工 (https://www.chickpt.com.tw/)。打工學校排行榜前十名私立大學，顯示就讀私大高學雜費，家庭經濟壓力大。打工動機要賺取生活費，減少經濟壓力。大學生打工比率高，很多打工者寧可馬上拿到薪資，無暇顧及長遠的勞退基金或意外事故的保障。而政府勞保、勞退金提撥比率超低，不過打工族權益還是要顧。大學生打工不論是貼補家計，或是賺零用錢、汲取社會經驗，只要不妨礙課業，都是值得鼓勵的事。大學生打工的弱勢地位，在於其缺乏社會經驗，不了解自身權益，因此政府勞保深耕行動大規模到校園宣導勞保、勞退。

慎思明辨：

　　想要獲得權益合理保障，打工族當自強。以「打工」為例，我們要如何找到適合自己的工作？請多費思量討論並提出個人見解，或分組相互提出可行方案討論。

生涯活動 ④ 《生涯探險隊》桌遊找尋生業樂趣

上網找尋(https://juicybuy.net/)《生涯探險隊》參考《做自己的生命設計師》一書，將人生分為工作、樂趣、仁愛和健康等四種成就。在遊戲的過程中，你會面臨各種選擇和挑戰，還要避免金錢和健康的破產。最終以能否累積符合終點卡描述的成就點數與任務決定勝負！玩家要透過選擇各種行動以達到終點的目標，包括要不要購買生涯任務成就卡、使用機會卡、定存或借款、幫助或阻礙哪個特定玩家等，都是玩家需要思考和決定的步驟；至於命運的干擾，則會依照玩家擁有的成就點數而有不同的結果，有時候可以躲過、有時候則一夕變天。

當玩家完成終點卡指定任務，同時沒有背負債務的狀況下，即獲得勝利！但若健康點數≤-3，或是破產、繳不出借款利息，就會被迫出局喔。建議遊戲人數 2~4 人，遊戲時間 40~60 分鐘。你會發掘工作、樂趣、仁愛和健康的意義與價值。藉此尋找到自己喜歡的生涯志業。

06 設定職涯合適性展現

1. 了解設定職涯符合個性展現，職業的意義，培養職業終身服務的理念和熱忱。

2. 認識職業的內涵及分析職業的類型，猶如職場大觀園。

3. 知曉職業適性的選擇及如何維持職業良性的發展。

4. 認知職業不分貴賤、性別，依循道德良知之重要性。

Life-Career Planning & Development

【引言與摘要】

　　世局詭譎多變，雖肺炎冠狀病毒疫情趨緩轉型，人疫共處，防疫部署仍要周延戒備。疫病衝擊經濟，導致失業率攀升，而貿易金融旅遊業受到波及。後疫情時代，在景氣回春時節，重振經濟，峰迴路轉，創造就業機會，俾在就業市場創出一片天，視為重要課題。

　　本章探索設定職業生涯符合適性發展，首先闡述職業的意義，獲得溫飽，注重心靈需求的滿足，達到自我實現超越的境地。接著分析職業的內涵要素，從個人、社會、國家、同儕、學校、家庭等因素領會職業的意味。職業的類型從個人所學專業喜好及心理測驗而得知。而職業的選擇以適性可發展個人潛能為重心。在職業的信念方面，職業不分貴賤、性別差異，仍須考量適性問題，謹慎選擇職業促進人生發展，測試職業發展良窳，朝向正面發展，對人群社會有貢獻，方能創出亮麗的業績。

第一節　探索生計職業的意義

　　生計職業(occupation, vocation or profession)如工作，係指前述狹義的生涯，是社會新鮮人首先要面對的工作活動或事務。職業其實就是有待遇的工作(paid work)。獲取經濟酬勞薪給乃為職業主要效益之一，但並不是全部。個人對職業需要信守承諾或委身(commitment)，自我參與(ego-involving)，且職業對個人必須是一種有意義的活動。職業通常是以任務為中心，以產出為導向，以個人為本位(person-centered)的工作。推而言之，職業係個人自我的延伸，擇業時若能考量個人工作價值觀、興趣、能力、人格特質、人生信仰觀、休閒活動及理想生活方式等，則較能滿意發展個人的職業生涯。

　　職業通常是指以勞動技術或智慧來換取報酬的一種持續性活動。對個人言，職業的意義不只是換取報酬，亦是在社會生存生活以及自我提升的主要手段。通過職業的考驗，至少可以達成幾個不同層次的目標。

1. **維持基本生活需要**：我們在職業上獲得的報酬愈高，就愈有可能提供自家人較好的物質生活品質。有關食衣住行的物質生活所需，通常要仰賴職業收入的供給；進而才有適當的休閒娛樂活動以滿足精神生活的需求。「倉廩實而後知禮節，衣食足而後知榮辱」，說明基本物質生活的需要首先要獲得滿足後，才會進而追求精神生活的充實。在一連串經歷震災、空污災、風災、水災、疫病災等過後，人們最需要的是先獲得基本物質慾望的滿足，行有餘力才可能顧及精神層面的追尋。

2. **獲得安全保障**：從報酬或收入中不僅維持我們現在的生活，也可讓我們有些積蓄能做未來生存的保障。在職業上的薪資、保險和福利，住家安全，使我們生活安定有保障，滿足安全的需求。

3. **服務社會，造福個人、家庭及人群**：職業的內容多半與社會大眾有關，透過對職業的忠誠實踐，就具體地服務了社會或回饋鄉里，以關心大眾福祉為樂，當然也讓自家得到福祉。因為人要群居團聚，往往在回饋社會，貢獻自己之所長，關愛別人之後，也獲得別人的愛戴，符合「愛人者人恆愛之」的道理。個人在明哲保身保家之後，推己及人，能造福社會人群。

4. **人盡其才，才盡其用**：現在所學的專業知能藉職業可應用於生活，並發揮個人的潛能。為驗證所學專業有效力，乃藉所從事的職業得以盡情活用。透過職業確實達到人能盡其才，才能盡其用的目標。

5. **獲得自我願景的實現超越**：我們在職業上遇到困難或想把工作做得更好時，就必須發揮智力、毅力、挫折容忍力、創造力等來突破，接受挑戰完成艱難的工作，以求自我實現願景，超越的頂峰經驗。

　　以上五個目標循序漸進的達成，可比照 Maslow 的需求階層五個層次，以及超越的頂峰經驗。如圖 6-1 所示可見職業目標的階層。

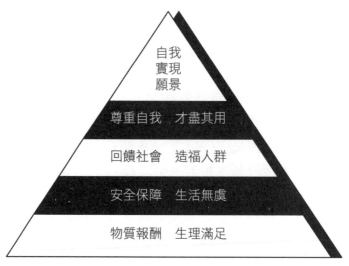

圖 6-1　職業目標階層

第二節　洞悉生計職業的內涵

　　執業謀生在組織心理學上，為了達到人適於事與事適於人的目的，乃有職業分析(occupational analysis)的研究。職業分析有如工作分析，通常包括各種工作需要那些能力，能力應如何獲得；某種工作的起薪報酬多少，以後加薪的情況如何；某種工作獲得的機會，以後晉升的制度細節；某種工作所面臨的物質環境與社會環境等逐一清楚分析。「職業分析結果，既可供生產機構甄選員工，也可做為對求職者的輔導之用」（張春興，1989）。凡事工需人們來盡職，人們藉事工發揮所長，則個人和職業兩相適度的配合，人力分析、職業分析雙管齊下。

　　一般人以為職業就是工作，工作就是職業。其實不然，職業涵蓋工作，但並不等於工作。工作涉及個人所從事的活動(activities, jobs)及任務(tasks)，為從事此等活動並完成任務，則有必要賦予個人獲得某種職位(position)頭銜，以扮演若干角色(roles)，而職業(occupation/vocation)即為此等職位、頭銜、角色的統稱，總括個人長期所持有的多項工作職位。

　　論及一個人須持續從事某種活動作為他的職業，要以某種工作方式滿足他的需要，完成工作任務以實現個人願望或滿足他人期望，這些都需要確實了解職業的內涵概念。其所涉及的範圍包含個人、社會和經濟三要素。一個理想的職業，必須能讓個人發揮個性才智專業，能適當履行社會的角色任務，而且可獲得經濟的報酬福利。個人在此職業三要素上，若平衡發展而形成正三角形，則職業趨於穩定，適應情況良好，流動可能性較低。假若三要素不平衡，形成非正三角形狀態，則造成職業不穩定，職業適應不佳，流動可能性較高，隨時會有生涯轉換。試將職業的個人、社會、經濟三要素，增為個人、社會、學校、家庭、國家、同儕等六個要素。一項職業若能發揮個人性向智力所學專業、履行社會角色任務、符合學校發展特色、讓家庭獲得基本生活及需求滿足、配合國家政策或經濟發展報酬、增進同儕互助協力，則可提升職業的精神至完善的境地。論及職業內涵的六個相關要素，如圖 6-2 所示。

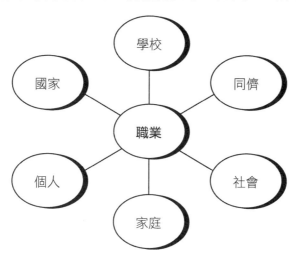

圖 6-2　職業之內涵相關要素

　　職業或工作具有經濟、社會以及心理與生理等多方面的功能，集合此等功能始構成個人整體的職業生活，否則僅以職業為謀生糊口的工具，實不足以說明個人存在的意義與價值。為平衡個人及社會與經濟三方面的需要，發揮職業的各種功能，如何選擇適當的職業實為個人一生

重要的課題。其實除基本的個人、經濟、社會三因素外，職業也有同儕的意義，職業會受同儕影響，互相觀摩比較。職業也有家庭的意義，希望養家活口、光耀門楣。職業亦具有學校的意義，建教合作、學用結合在技職院校尤其明顯。至於在國家方面的意義，國家培植各項人力以應對職業發展，再貢獻於國家，展現人才建國，提升經濟力量的機會。

　　個人每天的生活都有賴職業充實，由工作中衍生尊嚴。然而工作同時也含有無止盡的艱辛與痛苦，以及傷害和不正義，這些深深影響我們的社會生活。青年人透過工作接受檢驗與考驗，是邁向長大成熟之路。職業塑造了個人的思想與生活，若個人改變營生的方式，就可以改變家庭氣氛與生活型態。對絕大多數的成年人而言，沒有職業就沒有生活。目前在臺灣，隨著就業人口激增，在一職難求情況下，個人非常珍惜得來不易的工作。工作確實讓人成長發揮才能，而不僅獲取經濟報酬、回饋社會而已。雖然幾乎一切有報酬的工作，都具備滿足經濟需求的潛勢，然而不論有無報酬的工作，其實均有其各自的潛勢，使個人滿足身心和社會人際的需求。如有效的與他人互動、維持個人的尊嚴、有能力駕馭或控制罪惡感、使自我更為寬廣，達某種目的或任務的成就感、以及人際關係的開拓。個人可能想要透過職業，達成經濟、社會與心理目的，如此工作所能達成的目的與職業視為生活中心的程度多少有關。

　　職業在個人一生中視為重要的職責任務，也與所追求的工作成果，或家庭、休閒、責任等價值水準有關。工作有這樣的多重目的，而職業更能顯示人一生所追求的事業或志業，具有多方面功能。不過就經濟、社會、個人心理方面的目的，工作與職業難免有重疊之處。工作為達成某種結果和目的，而花費心思、付出體力。職業就像有了飯碗，為了賺錢所從事的規律性工作。也有其他不同點，像職業有更高目的，可提升個人聲望、生活品質，實現自我願景，或許工作較不強調這些。然職業和工作分不開，有異曲同工之處。

第三節　分析生計職業的類型

一、羅伊的職業分類

　　在第二章生涯需求論中，羅伊以幼年家庭的氣氛為基礎，將職業分為「服務」、「商業交易」、「行政」、「科技」、「戶外活動」、「科學」、「文化」和「藝術娛樂」等八大職業組群；各職業組群中的職業又依其難易度和責任水準之高低，分為「高級專業及高度管理」、「一般專業及中度管理」、「半專業及低度管理」、「技術」、「半技術」及「非技術」等六個層次。這六個層次分別代表了不同的涵意：1.高級專業及高度管理性的工作，需要能夠獨立擔負責任，有高度專業的心智能力和主動精神，工作時需要革新、創造、高級管理、行政、決策的能力。教育程度至少是碩士以上，才足堪重任。2.一般專業及中度管理的工作，需要擔負中度責任，需有專業知能和判斷能力，包括中級主管的執行工作。教育程度至少是大專以上，才能勝任工作。3.半專業及低度管理工作，較少管理，需要特殊知識和實際執行的工作。教育程度在高中、高職左右才能勝任工作。4.技術性工作，需要專門訓練，具有特殊知識及判斷能力，如廚師、木匠、水電工等。5.半技術工作，只需要少許技能及知識，如小販、郵差。6.非技術性工作，如清潔工、清道夫。

二、霍南的分類

　　前已提及霍南的職業與人格類型可分為六種。

1. **實際型(R)**：此種類型的人喜愛實用性質的職業或情境，以具體實用的能力解決工作及其他方面的問題。自覺有機械和動作的能力，但可能較為缺乏人際關係或社交的興趣。

2. **研究型(I)**：此種類型的人喜愛研究性質的職業或情境，善於運用智能或認知去觀察、評量、判斷、推理以解決問題。自覺有數學和科學方面的能力，喜歡與符號、概念、文字有關的工作，但可能較缺乏領導統御治理的興趣。

3. **藝術型(A)**：此種類型的人喜愛藝術性質的職業或情境，藉著文字、動作、聲音、色彩、形式來傳達美感、思想及感受。自覺有文學藝術和音樂的能力（例如：表演、寫作、演辯），重視審美藝術的特質，但可能較不喜歡文書事務方面的工作。

4. **社會型(S)**：此種類型的人喜愛社會性質的職業或情境，以社交能力解決工作及生活方面的問題。自覺喜歡幫助別人、瞭解別人、有教導別人的能力，重視社會與倫理的活動與問題，對機械或科學研究方面的活動可能較無興趣。

5. **企業型(E)**：此種類型的人喜愛企業性質的職業或情境，運用規劃、領導及口語能力，組織、安排事物和管理人員，以增進機構、政治、經濟或社會利益。喜歡銷售、督導、策劃、領導方面的工作及活動，重視政治與經濟上的成就。自覺有衝勁、善於社交，但對數學或科學方面的活動較無興趣。

6. **事務型(C)**：此種類型的人喜愛傳統性質的職業或情境，樂意從事資料處理、文書及計算的工作。自覺有文書與計算能力，重視商務與資訊處理的成就，但可能對運用心智藝術創作的工作較無興趣。

第四節　謹慎職業選擇與發展

　　職業的分類猶如職場大觀園，分門別類、五花八門、琳瑯滿目，也令人眼花撩亂。因此須謹慎選擇，為了日後有良性發展。所謂男怕入錯行，選對了職業，對取之於社會用之於社會必有正面的價值和發展。參考上述職業類型，再配合個人的性格特質、興趣和能力、生涯價值觀等，如此可以做到職業與自我特質契合無間，自我在職業中不斷發展，以至自我願景實現。關於職業的選擇，首先要知道職業的類型，職業在個人一生中扮演的必備角色。在面臨職業抉擇時，能否謹慎細緻或當機立斷，有時要經過痛苦的抉擇歷程，會影響一生的生涯發展。個人綜觀其一生，職業的選定執行，影響其成就發展是無庸置疑的。

一、職涯抉擇

《職涯新抉擇》(彭懷真，1999)一書中提到莎士比亞的「哈姆雷特」戲劇，深入探討「抉擇」。哈姆雷特究竟要不要為父復仇，其女友奧菲莉亞究竟要加倍愛哈姆雷特或聽父親的話，奧菲莉亞的父親究竟要聽女兒的或效忠殺死哈姆雷特父親的新王，哈姆雷特的母親究竟要聽兒子的或聽新婚老公的。這都得經過一番痛苦的抉擇。劇中有一句名言「To be or not to be」，貫穿全戲，人人都需要面對抉擇，命運的好壞取決於自己的抉擇。由此確知你我在職場中，也須不斷面對底下的抉擇。

1. 要不要成為獨特的人(To be or not to be)之類的問題，我所選擇的職業是能顯出我特立獨行的風格；或者按傳統選擇收入優厚，不用多做事的職業？

2. 要不要採取動作(To do or not to do)，作一個積極主動者適時採取必要行動，當機立斷；或聽天由命，讓人來作決定？

3. 要不要順從(To obey or not obey)，對於職業的選擇，心裡很清楚，該順從情境的引導；或者內心焦慮茫然，不順從情境的指引？

4. 要遷就他人或獨自生活(To live together or to be alone)，找職業純粹考量個人的獨自生活愜意，為自己活；或是處處考慮他人、或遷就他人，似乎是為家人或他人而活？

5. 要離職還是不要離職(To leave or not to leave)的思考，在職場上面臨轉換的關頭，要繼續苟延殘喘，卑躬屈膝；抑或是「此地不留人，自有留人處」，「天涯何處無芳草，何必單戀一枝花」而另謀他就？

二、職涯的發展

職業生涯的發展擬分為職前、職中、職後來加以說明。從職前準備就緒、蓄勢待發，至職中穩紮穩打、累積能量，以至職後風光不在、進退兩難。顯示職業發展必然歷程的趨勢。

（一） 職前的發展

　　個人已經接受相關教育和訓練的萬全準備功夫，對職業的類型配合個人的志趣也瞭如指掌，並且也順利找到自己理想中的職業，也準備好接受職業的考驗。箭在弦上，準備就緒，期望一擊即中。

1. 成為特立獨行，不按牌理出牌的人，堅持個人獨特風格；抑或循規蹈矩，過著朝九晚五、平靜無風的生活？

2. 作一位內控者，主動積極採取行動，為職前做好萬全人事規劃；或作一外控者，凡事聽天由命，多一事不如少一事，靜待主管的安排，無聲勝有聲？

（二） 在職場中

　　在全球經濟因新型冠狀病毒疫情後續發展而疲軟不振，後疫情又振衰起身旭日東升之中，得隨時面對職業內外在的挑戰。經濟如何振衰起敝，在職場中穩紮穩打，立於不敗之地顯得非常重要。

1. 展現個人做事風格，不畏權勢，堅持個人理想奮戰不懈，為交出一份亮麗的成績單；抑或凡事看主管臉色，低聲下氣，在人屋簷下，豈敢不低頭？

2. 上有政策，下有對策，依個人策略行事，有個人陞遷規劃，並因時因地因人而制宜；抑或順其自然，不便強求，靜待貴人出現，給予個人陞遷機會，反正船到橋頭自然直，何必擔心出路？

3. 以實力贏得主管賞識，不怨天不尤人，做人誠懇實在，廣結人緣；抑或投機取巧見機行事，只因擔心被裁員遭撤換？

（三） 離開職場

　　多年職涯經營，苦盡甘來。希望職涯維持長青發旺，退而不休，然長江後浪推前浪，企業新陳代謝，汰舊換新，面臨進退兩難取捨。

1. 不願在職場到達顛峰成就之際，由盛轉衰，就此風光不再；抑或順應自然，按職業發展原則，從此退下來，讓年輕人接棒？

2. 自覺老而彌堅，老當益壯，即使強迫退休，也不讓自己清閒，願意作志工；抑或識時務者為俊傑，該退就退，頤養天年，含飴弄孫？

3. 職業不分性別、貴賤，無論男女，都該有一段職業生涯，也不受所謂職業好壞的影響；抑或男性以職業為重，穩定的職業是終身要從事的，即使面臨退休也沒想退休，退與不退之間，面臨維谷兩難。

三、職涯選擇與發展測試

（一）選擇非傳統職業與發展測試

檢視個人對從事非傳統職業的看法，請用簡短話語表達。

我對女生當角力裁判的看法；我對女生當建築工的看法；我對男生當伸展台模特兒的看法；我對女生當工程技師的看法；我對女生當飛行教練的看法；我對男生當嬰幼兒保母的看法。綜合上述，我發現我對男女生從事非傳統職業的看法；由於我的性別，當我選擇何者為我的職業時，別人對我可能的想法是什麼？而我對他們的這個想法的感想為何？他們的想法和我的想法，對增進或抑制我職業發展的影響為何？身為大專生，對於選擇職業與發展生涯，我給自己的建議為何？（修自教育部訓委會五專生生涯輔導方案，1993）。

底下配合職業的信念，進一步說明男女性從事非傳統職業的看法。

（二）職業選擇的信念測試

對職業選擇的信念看法如何，請按同意或不同意作答。

1. 一個人一輩子可以有兩三個適合他的職業。

2. 選擇一個職業或科系之後，仍然可以再改變。

3. 工作是我生活中的一部分，它不能滿足我所有的需求。

4. 如果我的工作職位愈高，就愈顯得我這個人愈有價值。

5. 我相信有這樣的一份測驗能告訴我將來要做什麼？

6. 由我自己決定未來的職業方向，要比父母親替我決定更為恰當。

7. 如果我對所從事的工作感到有興趣，那麼我就能擁有成功的事業。

8. 在家庭與事業之間，我只能選擇其一作為生涯重點。

9. 通常在發展職業方向的過程中，一個人可以有很多次重要的決定。

10. 女性和男性工作畢竟不同，像機械工程師、企業總經理等工作是不適合女性擔任的。

11. 我覺得男生不適合從事服裝設計、美容師等方面的工作。

12. 我還沒有把所有資料分析完之前，不太適合做決定。

13. 這個世界變得很快，計畫未來是很難做得到的事。

14. 未來的事業生涯若沒有按照我原來的計畫進行，就不容易成功。

15. 如果我現在不做決定，也許將來能有更好的決定。

在職業性別刻板印象方面，男女學生的看法均達統計上的顯著差異。顯示男生較女生更贊同女性不太適合從事機械工程師及企業總經理等方面的工作。但提及男性是否不適合從事服裝設計及美容師等工作時，男生亦比女生更贊同男生不適合從事這類工作。雖然就全體學生而言，男女學生均認為職業不應有性別上的差異，男性可從事傳統較多女性所從事的職業，女性也可從事一般較多男性所從事的職業。但仔細分析比較之下，可看出男生的職業性別角色刻板印象仍較女生為深。

就生計計畫而言，男女學生比較有達到統計上的顯著差異，顯示男生較認為世界變動得很快，計畫未來是很難做到的。在生計計畫的進行方面，男生則比女生抱持較為消極的觀點，亦即若事業生涯無按原計畫進行，則不易成功。就職業決定的時機而言，平均數比較考驗結果，男女學生之看法仍有統計上的顯著差異存在。男生較為樂觀，認為如果目前不做決定，也許將來會有更好的決定，但從另一角度來看，也可能是延遲決定的一個藉口。

綜而言之，在以上十五個職業信念中，學生所持觀念多傾向於合理觀念，但若仔細分析性別差異，則男女學生在部分職業觀念上，仍有差異存在（摘自金樹人，1989）。隨著時代的更迭演進，人工智能科技的發達，網路手機的普及，男女職業信念的差異是會有變動的。

（三） 職業選擇的研究實例

選擇非傳統職業相關因素研究。大學女生若選擇非傳統職業科系，如機械、電機、土木工程、營建工程、建築等，而男生選擇非傳統職業科系，如家政教育、生活應用科學、護理等。研究發現影響男性護理應屆畢業生投入護理工作的因素，包括個人護理工作價值觀、生涯自我效能、以及護理專業承諾。建議提升男性護理生的護理專業承諾、開設多元彈性的建教學程；塑造男性護理人員的正面形象，並營造兩性共同參與護理工作的氛圍（修自戴宏達，2015）。研究發現選擇非傳統職業科系的大學男生，人格特質較為隨遇而安，對人熱心富有感情；亦有保守的、尊重傳統觀念與行為標準。同時較希望能過平淡的生活，較不重視工作對個人健康的影響、較不考慮心理壓力（修自劉淑芬，1999）。影響女性選擇非傳統職業之個人因素：對工作產生興趣、對未來職場的主觀認知、個人的自我觀等。社會因素：時代的變動、法令的頒布、教師的鼓勵、主管的器重與賞識，增加女性選擇非傳統職業之動機與機會。家庭因素：家庭責任與母職會限制女性在專業生涯的發展，而先生的態度與婆家的支持是關鍵因素（許鶯珠，2001）。女性在科學技術工程數學(STEM)領域處於劣勢，例如工程師這一職業有八成都是男性，女生占少數，這就好比女性因男性數量太多而被「隔離」了，此為性別職業隔離（搜尋 hello 醫師）。在社會刻板角色期待之下，女性在選擇非傳統職業時，須同時負擔家庭責任與母職，在人格特質上比選擇傳統職業之女性更具堅強、獨立與挑戰特質，傾向於突破傳統職業刻板印象之束縛。

　　談職業選擇影響因素相關研究。例如職業準備教育階段產學合作，學生在校學習滿意度、廠家實習滿意度及職涯決策自我效能，對職涯選擇有具正向影響（修自陳正琪，2024）。另網路新創事業，為經濟與社會進步的主要動力，其所創出之附加價值，能提供更多的就業機會。創業家內心動機的類型有同儕影響、夢想挑戰、影響社會、自我實踐等。各類型主要的價值觀，用以了解人們選擇從事網路新創事業作為生涯發展的重要意涵（陳虹儒，2017）。大學生職業選擇意向受到自我概念、社會支持、學業成就的影響，自我概念以父母關係在學生心中的重要性最高；社會支持則以同儕在大學生心中的重要性最高。社會支持對學業成就具有正向影響，自我概念對職業選擇意向具有正向影響（陳金足，2011）。影響科大學生職業選擇因素的重要性順序為：職業因素、個人因素、教育因素、社會評價、就業機會、家庭因素。因性別、工作經驗、家中排行、學校區域、學校類別、就讀學群而有所差異（林玉如，2004）。而大學生的職業選擇涉及演說焦慮、幽默感、情緒調節、創造力等背景因素，演說焦慮感受愈低、焦慮因應和焦慮經驗影響愈正向，則愈傾向於尋求需要公開發表的職業選擇（曾瓊慧，2004）。另學生選擇軍人為職業的意願，顯示在五大人格特質中只有外向性會影響選擇軍人為職業的意願；而國軍組織形象與軍人職業特性認知相關顯著（林明德，2005）。另職業選擇涉及核心職能知覺，核心職能愈佳，愈有可能選擇航商就業。男性核心職能知覺高於女性，而年紀輕者選擇航商、船務代理的可能性高於年長者，卻較依賴社會資訊來決定職業選擇（謝曉琦，2005）。在休閒相關學系大學生就業職能、職業興趣與職涯決定之關係研究，發現就業職能、職業興趣對職業（選擇）決定具有正向顯著影響（林溢寓，2023）。以上研究顯示職業選擇的相關因素，涉及個人自我概念、動機、學業成就、焦慮、情緒、社會同儕支持、就業職能等，可供職業抉擇參考。還有很多相關研究，篇幅限制無法列舉說明。有興趣者可參酌博碩士論文相關研究資訊，對未來選擇職業當有指引作用。

課後問題探討

1. 何謂職業？從事職業的目標何在？

2. 解析職業與工作有何異同？你對職業涵蓋的要素有何看法？

3. 職業的選擇與發展有何特色？

4. 分析職場大觀園有關職業的類型為何？

5. 略述職涯抉擇及發展過程？

6. 上網找尋職業發展測驗，略述個人搜尋心得和結果。

生涯活動 ❶　參觀活動，用心體會生計職業的百態

活動目標：　1.透過參觀，實際了解某類型職業的環境及內容。

2.透過工作人員的經驗分享，增加對生計職業的了解。

一、參觀前置作業

步驟1：選定參觀適合從事之職業類別的地點。

步驟2：考慮路程交通、車費、空間大小、參觀時間長短等。

步驟3：了解受訪公司機構商家的配合意願，及可停留的時間長短。

步驟4：由班代先行探路，了解實際路程，與參觀單位直接洽談相關事宜。事先了解在參觀過程中應配合的事項。

步驟5：班代與參觀單位聯繫與確認，並回報老師。前一週聯繫確認。

步驟6：必須於活動前讓同學及家長了解。同時設計「任務單」引導學生觀察、思考、發問。「任務單」內容可包含以下問題：

1.今日參觀職業為何？　2.參觀的職業內容為何？3.與工作人員是否有互動？互動內容為何？4.參觀完職業後有何感想？5.以後有機會，我是不是也會想選擇此職業類型？為什麼？

二、參觀活動流程

1：集合、點名。2：班代說明本次參觀活動的目的。3：班代報告注意事項。4：班代發下「任務單」，逐題說明。5：進行參觀，待參觀結束前，班代收回任務單、成員解散（改自臺北市基督教勵友中心生涯活動設計，1998）。

生涯活動 **2** 職業與工作型態

一、期待的工作型態

步驟1：班代列出如下工作型態項目：

- 有固定收入　・收入視業績表現而定
- 固定上下班　・假日不用上班
- 不用加班　　・有機會交際應酬認識更多人
- 可以坐辦公室吹冷氣　・工作時間有彈性
- 可以認識更多志同道合的朋友　・可以獨立完成自己的工作
- 工作地點交通便利　・受到他人推崇和尊敬
- 有機會出名　　・有機會擔任主管
- 與主管和同事好相處　・有升遷發展的機會
- 可以學習新知加強自己專業能力　・容易看到自己工作果效
- 是個可以發揮創造力的工作　・工作有變化不枯燥單調
- 工作內容固定沒有突發狀況

步驟2：請同學填寫出三個自己有興趣的職業名稱，再對照上述的「工作型態項目」。自行勾選符合自己期待的工作型態項目。

二、分享期待的工作型態

步驟1：談在自己想從事的三個工作中，最符合自己期待的工作型態？

步驟2：如果要從事這個工作需要哪些條件？現在可努力的又是什麼？

　　最後教師可問學生：有那一種職業可滿足自己所有的期待？「選你所愛，愛你所選」，當選擇某種職業，其實也同時選擇了這種職業的生活型態（例如會接觸那些人、環境、消費模式等）。每種選擇都有好處及必須付出的代價，一旦決定了，就要去適應並接受，使自己成長。

生涯活動 ③　生業謀職知人生　討論分享

　　生業謀職知人生，當老闆說：「你明天不用來了！」，員工就該離職嗎？專家建議先確認公司解僱的理由，與解僱的方式是否合法？但如果真的是雇主違法解雇勞工怎麼辦？(https://guide.1111.com.tw/)參考 1111 人力銀行在臺灣的勞動環境，勞資不平等的問題層出不窮，像是 2019 中華航空機師罷工事件，過去中華航空與長榮航空兩大臺灣航空公司，存在著許多過勞班表，其中機師在長程航線要連續飛行 12 小時，而身為求職者身分，可理解各方的考量與盲點。不管是在面試時的當下聽到，或是發現入職之後，老闆可能和你說的狀況與當初面試時不同，記得要多加留意與小心自身權益，後在投遞一份履歷前有哪些事情是可以預先防範，以減少未來進入一家地雷公司的機會。

　　請同學上網找尋相關資訊，在生業謀職的過程如何保障個人權益，防範謀職的風險，請個人分享看法，透過討論凝聚共識，為生業找出一條生路展現豐實的人生。

發光解夢營
璀璨生涯

本部分主題描述發光解夢營璀璨生涯。第七章闡釋生涯階任盡本分發展，解析生涯發展的意涵，生涯發展也可從廣義來說明，涵蓋人一生為工作而學習專業知能，將來能順利找到合適的工作，期間從孩提時代至長大成人，成家立業，所作所為的求職發展過程。同時也涉及非職業或工作的發展過程，如從少小到老大的社會行為、人際關係的發展，從襁褓之遊戲玩耍至長大成人之後，學習做人處事旅遊休憩的發展。洞悉生涯發展的階段，生涯發展的改變過程因階段而有別，分成成長、試探、建立、維持、辭退等階段，各有不同的目標。承擔生涯發展的任務，各階段有不同的發展任務，任務完成理想實現了，人生經營由平淡變為璀璨。人生學習做到「不憤不啟，不悱不發。」即所謂人生發啟，學生想求明白而無法獲得時，開導他，學生想說卻說不出來時，啟發他。生涯營理得好，將人生善端仁義禮智發揚光大，即人生發光解夢，經營夢境工程帶來璀璨生涯。

第八章解析涯計運籌得營理實效，生涯營理含經營和管理，針對政經社會情勢的發展作適切之因應。增強工作的技能，了解並開發自己的潛能。運用社會學習資源，從事終身學習，以典範人物作為學習榜樣，參加進修訓練，取得第二專長，運籌生涯整裝待發，獲得營理實際效用。第九章論述撒活進修履生涯教育，闡釋生涯自證預言的理念，伸縮生涯理想邁向超越體驗，善用生涯科技優化科技生涯，解析生涯教育與訓練進修。皆需要我們未雨綢繆、未演籌練，做好營理工作。

營理生涯可參照生物醫學科技資訊，加以掌握新訊有助於規劃未來專業生涯。如 2000 年科學家完成「人類基因圖譜」草圖，為癌症治療、新

藥研發、延長壽命提供前景。科學家可以瞭解基因的運作，設法阻止或逆轉許多疾病的發病過程來加以治療。還可確認這些基因所製造的蛋白質及其功能，以研發治療藥物。甚至可以針對個人基因差異採取不同的療法，或許在一個人出生前修正其基因缺陷。人類基因密碼解譯，可有辦法延年益壽，但要懂得向大自然學習。隨著生物醫學研究日益精進，2019 年諾貝爾獎醫學獎得主因研究細胞如何感知及適應氧氣的供應，將食物轉化為有用的能量，發現分子機制，可調解基因的活性以應對不同含量的氧氣，有助抗拒貧血、癌症等。進而在 2024 年諾貝爾生理醫學獎，主要發現微小 DNA 基因調控機制使肌肉細胞、腸道細胞及各類神經細胞能執行其特殊功能。基因活動需要不斷進行微調，以適應我們身體和環境的變化。基因調控一旦失常，可能導致癌症、糖尿病、自體免疫疾病。再者，管理生涯在經濟專業上，如榮獲 2006 年諾貝爾和平獎的經濟學家尤努斯和鄉村銀行，證明一貧如洗的人也能自食其力，世上每個人都有潛力和權利過好生活，除非廣大人民都能找到擺脫貧窮的方法，否則不會有持久的和平。微額貸款就是一種方法。從底層發展也能促進民主和人權。其哲學是自助人助：給人一條魚，只能餵飽他一天，但教他如何釣魚，能餵飽他一輩子（2006/10/14 聯合報）。在 2019 年諾貝爾經濟學獎都注意全球貧窮問題的紓解研究，將問題拆解成較小的面向，藉實證研究得到答案。班納吉和杜芙若為夫妻檔，同為麻省理工學院經濟教授，合著「窮人的經濟學：如何終結貧窮」。管理生涯可改善生活豐實生命。

經由上述，吾人若想在基因科學生涯、人類和平經濟進程上能擁有頂尖科學人生發展的璀璨成就，就必須孜孜不倦於研發工作，並要確實掌握政經情勢和生態環境的發展。或許你會認為獲得諾貝爾獎的鳳毛麟角，望塵莫及自看不如，但舜何人也，予何人也，有為者亦若是。你也能發光，生涯夢境逐漸解開，呈現曙光明朗，同時需要生涯營理，培養專業超強的能力，就可水到渠成，營造璀璨的人生。假若能掌握生命科技控制人類壽命的基因，則可活到 120 歲，那你要如何安排經管這一生呢？由生涯孵夢逐夢進入解夢的階段，如同上所引用獲諾貝爾獎的實例，從孜孜不倦竭力營理研究生涯，至終生涯璀璨光明。本篇置焦於生涯發展、生涯營理及生涯教育。

【生涯寓言】

◎ 一群動物有麻雀、蝴蝶、蜜蜂、烏龜互相結拜為兄弟，一起歡暢共飲，以示慶賀。席間，麻雀提議，大家都各說「一句警語」來彼此交心。於是，麻雀先說：「人為財死，鳥為食亡。」蝴蝶說：「願從花下飛，同飛也風流。」蜜蜂說：「採得百花成蜜後，一生辛苦為誰忙！」最後，烏龜一時說不出話，把頭一伸，不料卻被一個頑皮小孩看見，就用石頭打他的頭。烏龜好痛，把頭趕緊縮回來，也對諸弟兄說：「煩惱皆因強出頭，是非常因多開口！」人若常只顧說話，便無暇深思啊！

◎ 一隻烏龜非常羨慕老鷹在天空自由翱翔，於是請求老鷹帶牠一起飛上天，老鷹答應了。老鷹要烏龜用口緊緊地咬住牠的腳，而且千萬不可開口說話。當牠們飛到天上時，引起許多動物嘖嘖稱奇，不但有羨慕的眼光，更有讚美的聲音，使烏龜非常得意。此時，牠聽見有人問道：「是誰這麼聰明，想出這個好方法？」烏龜心花怒放，忘記老鷹的交待，想要告訴大家是牠想到的好方法。剛要開口，便從高空中摔下去了。

◎ 動物園管理員發現袋鼠從籠子裡跑出來，一致認為是籠子高度過低。決定高度由原來的 10 米加到 20 米。結果第二天他們發現袋鼠還是跑到外面來，決定再將高度加到 30 米。沒想到隔天又看到袋鼠全跑到外面，決定將籠子高度加高到 100 米。一天長頸鹿和幾隻袋鼠們在閒聊，你們看，這些人會不會再繼續加高籠子？長頸鹿問。袋鼠說：很難說，如果他們再忘記關門的話！認清事有「本末」，關門是本，加高籠子是末。

◎ 兩馬各拉一貨車。一馬走得快，一馬慢吞吞。於是主人把後面的貨全搬到前面。後面的馬笑了：「切！越努力越遭折磨！」誰知主人後來想：既然一匹馬就能拉車，幹嘛養兩匹？最後懶馬被宰掉吃了。這就是經濟學中的懶馬效應。讓人覺得你可有可無時，你被辭退的日子就不遠了。

◎ 南非曼德拉曾被關押 27 年，受盡虐待。他就任總統時，邀請了三名曾虐待過他的看守到場。當曼德拉起身向看守致敬時，在場所有人乃至整個世界都靜了下來。他說：當我走出囚室，邁向通往自由的監獄大門時，我已經清楚，自己若不能把悲痛與怨恨留在身後，那我仍在獄中。

【生涯智言】

- 經濟似有不景氣，人們卻有不爭氣；各行不怕沒生意，各業只怕沒創意。用創意努力打造今天的人傑，才能贏得美好的明天。

- 得意之日常是危險之時；在稍有成就時，當心存謙卑，是有別人助一臂之力。而生涯要規劃，更要經營，起點是自己，終點也是自己。就算飽學之士，如不能了解自己，掌握自己，就稱不上是個有智慧的人。

- 悲傷、慘劇、仇恨都只是一時的；美善、追念、情愛卻是綿綿無盡。

- 獲致幸福的不二法門是珍視你所擁有的、遺忘你所沒有的。

- 一個人的心靈和品格熟睡的時候，人們才會注意到他的服飾。

- 儀容整潔有助於建立自信，但健康的心靈和生活才是美麗外表的根本。不要畫地自限，勇於自我超越。

- 腳踏實地，培養實力；不要想在一小段人生裡登峰造極。只要想法願意改變，事情就有轉機，改變的意念愈強，勝算就愈大。成功的機會，永遠留給擁抱變化、渴望改變的人。

- 不要因怕辛苦，就拒絕一個想法、夢想或目標，成功通常伴隨著辛苦。

- 了解自己的強項，才能選準人生的職業方向；練好自己的強項，才能成就自己的事業。大多數人想要改造這個世界，卻少有人想改造自己。

- 把握時間，做好該做的工作，努力充實自己，提高競爭力，規劃成功。

- 手心向下是助人，手心向上是求人，助人快樂，求人痛苦。

- 生涯生計規劃的軌範是：先覺知、有意願、量己力；衡外情、訂方針、找策略；重實踐、善反省、再調整、重出發的不斷往返的過程。

- 全方位生涯規劃可涵蓋四領域：繽紛生活愜意、快樂工作進展、豐富學習歷練、成功職涯達人。以恆心為良友，堅忍是成功的一大要素。

- 在人生的大海中，雖不能把握風的大小，卻可調整帆的方向。

- 若你有幸成功，就有責任拉下面的人一把！

Chapter **07**

生涯階任盡本分發展

本章學習目標

1. 認清生涯階任盡本分發展的意涵,為個人生涯發展舖路。
2. 熟知生涯發展的階段,並自我充實每個階段的內涵。
3. 深諳生涯發展的任務,且腳踏實地身體力行。
4. 正向發展個人未來生涯,兼顧階段發展及達成階段性任務。

【引言與摘要】

　　從發展心理學角度言，生涯發展是指人一生的身心發展，發展涵蓋身體和心理兩面改變的歷程。生涯發展隨著年齡的增長，而產生不同的階段，每一階段各有其發展任務。本章先說到生涯發展的意義。再說到生涯發展的階段，闡述各階段的發展任務，完成階段性任務。學子認清在青年期的任務，讀書求知外，學得一技之長，學到為人處事灑掃應對進退的技巧，在個人未來生涯上有一個正向積極的發展。

　　本章生涯階任盡本分發展，引用階任典故，元朝馬致遠曾說：光陰似過隙白駒，世人似舞甕醯雞（見聞狹眼光淺），便博得一階半職，何足算不堪題。藉前人所言，光陰如白駒過隙，現代年輕人生涯發展經歷千辛萬苦，並非只為謀得一官半職，與其博得一階半職，還不如學得一技之長，覓得全職工作，服務社會鄉梓，能受人肯定和愛戴，足堪重任。本章強調生涯發展乃指一個人在學習、求職、就業、休閒和退休等方面終身發展潛能的過程，以達到個人的人生目標。生涯發展其實是個人一生中透過職業工作實現抱負願景的發展過程，因此生涯發展不只涉及謀生工作，還與個人成長過程、學習經驗角色轉換及環境變遷有關。生涯發展可以分為不同的階段，前述生涯學理已提及成長期、探索期、建立期、維持期和辭退期。生涯發展也涉及不同的角色，例如兒童、學生、教師、公民、作家等。個人在每一階段發展扮演不同或多重角色，在全方生涯發展多元角色，達成人生終極目標止於至善的境界。

第一節　解析生涯發展的意涵

　　從狹義的生涯言，生涯係指職業或行業，因此生涯發展乃從職業的發展觀點加以探討。而廣義的生涯，著重從人一生的發展加以探討。職業為人一生發展的重心，職業的追尋、從事工作的過程，關係著個人自我概念的發展。職業的進展達到養家活口的目標，則夢想願景的實現可隨之而至。賀爾和克拉瑪(Herr & Cramer,1996)強調從生活廣度的生涯輔

導諮商之立場，談到生涯發展(career development)係指「透過各自心理、社會、教育、體能、經濟、機會等因素所形成個人終生的綜合性發展歷程；是個人面對教育、職業、休閒、嗜好等層面的選擇、投入和生涯進展有關之自我認定(self-identity)、生涯認定(career identity)、生涯成熟(career maturity)等特質的發展歷程。」若從發展心理學的觀點言，全人生(life-span)發展強調整個人生的發展過程。發展並不終止於青年期，成年期以至老年期都具有成長和發展的潛能。發展一般的原則遵循一共同的模式，且有個別差異的事實。因此原則上每個人的生涯發展是有共通性，但又因人而異，各有其獨特風格。底下分別敘述生涯發展的差異性、共通性之意義，以及配合特性而有健全的生涯發展。

一、生涯發展的差異性

生涯發展有獨特或差異性，一樣的米養百樣的人，人心之不同各如其面，鍾鼎山林各有天性，皆顯示每個人生涯發展的差異性。正如生涯發展學家舒波(Super, 1990)在生活－生涯發展論(life-career development theory)中所提的，人們在能力、人格、需求、價值、興趣、特質和自我概念上有個別差異。個人擁有某些特定的能力和人格特質組型，就適合從事某些職業。每一個人適合不同的職業，而且每一項職業適合不同的人。由於每個人自我概念不同，它為遺傳性向、體能狀況、觀察機遇扮演不同角色、評估角色扮演之結果所交互作用歷程的產物。自我概念在個人和現實社會之間的調整妥協，是角色扮演和從回饋中學習的歷程。而工作和生活的滿意度，取決於個人如何為自身的能力、需求、價值、興趣、人格特質、自我概念尋找適當的出口，且取決於個人是否能確定在某一工作、工作情境、或生活方式的適應。個人從工作中所獲得的滿意感，取決於個人實踐其自我概念的程度。由此展現每個人自我概念不同，生涯發展自然因人而異的現象。

二、生涯發展的共通性

　　凡人皆有仁義禮智，惻隱之心、羞惡之心、辭讓之心、是非之心，人同此心，心同此理，生涯發展有其共通性。譬如職業偏好、能力及生活和工作的情境，隨不同時期而改變的自我概念，會在青年期以至成年期逐漸穩定和成熟。多數男女透過工作和職業發展其人格特質。人們對工作者、學生、休閒者、家庭照顧者及公民等角色的偏好，通常受社會性別角色刻板化、楷模學習、種族偏見、環境機會及個別差異等因素決定。由此可找出生涯發展的共通性。

　　生涯發展可說是個人在自我因素和社會因素之間，不斷交融與相互影響的動力歷程，居間調節的是個人的自我概念；此動力歷程的發展結果，決定了個人在不同生涯階段中所選擇扮演的重要生涯角色。生涯角色包括兒童、保母、學習者、保全員、船長、董事長、校長、精算師、業務經理、教授、房屋仲介員等，個人所從事的工作決定其生活角色的不同，其生涯選擇影響其一生發展至為深遠。雖生涯發展因人而異，但仍可找到共通點：每個人都希望如願尋得適性的工作，並在工作中展現才華和能力；成家立業後能安身立命；保持身心健康生涯有成，維持生涯成就以至退休頤養天年等。猶如一般發展的原則，有獨特性或個別差異性，也有共同模式或共同性。

　　以大專生而言，其生涯發展有差異性，由於就讀校系、性別、性向、專長、個性、生涯信念等之不同使然。而其共通性也可理解，皆以職業生涯學得一技之長為發展重點，謀生得一官半職，此符合生涯狹義的觀點。然按廣義的生涯觀點而言，除本身所學專門知能外，學得第二專長、處世為人灑掃應對之道、良好的人際溝通、保持身心健全發展、適切的理財、優質的休閒旅遊也是不可少的發展要點。如何在生涯廣義多元的發展之下，兼顧自我、人際、親子、師生等關係的全面發展是大專生共同要面對的課題。

第二節 洞悉生涯的階段發展

一、發展階段概述

在第二章論及生涯的基本理論時，曾提到生涯發展階段論。依發展心理學的原則，發展呈現階段的現象。而舒波的看法，認為生涯改變的歷程可歸納為一系列的生活階段，此為主要發展的階段，又稱為大循環或大週期。主要的階段涵蓋成長、探索、建立、維持和辭退等時期。其中探索期又包含幻想期、試驗期、實作期等次要階段，而建立期則包含嘗試期、穩定期等次要階段。在每一個階段至下個階段之間的「轉型」(transition)期，又稱為「小循環」或「小週期」，包含新的成長、探索、建立、維持、辭退等歷程。譬如在青年期確有開始的生涯成長的信念，接著探索個人心目中生涯的發展，再來建立一個理想的職業藍圖，並持續穩定發展在一定的水準上，而後任務達成終止此段生涯。其他各期也可經歷這樣的循環。生涯各主要階段及次要階段如圖 7-1 所示。

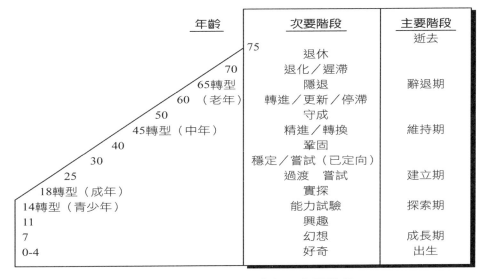

圖 7-1　生涯各主要階段及次要階段

二、發展階段週期循環

　　個人進入一個新的生涯發展階段，會經歷新的發展週期循環過程，亦即重新經歷成長、試探、建立、維持、辭退等系列過程。如表 7-1 所述(Zunker,1998, 2015)。此週期循環可在每個階段的生涯發展，配合個人的生活經歷見真章。

表 7-1　發展階段週期循環

生涯發展週期 ＼ 人生各期年齡	青年期 14-25 歲	成年期 25-45 歲	中年期 45-65 歲	晚年期 65 歲以上
辭退期	減休閒活動時間	減體能活動時間	僅專注必要活動	減少工作時間
維持期	確認今職業選擇	維持職位的穩固	自我執著抗競爭	維持生活之興趣
建立期	在選定職業領域中起步	確定投入某一工作，求職位升遷	發展全新的因應技巧	完成未竟之夢想
試探期	從許多機會學習	尋找心儀的工作	確認處理新問題	選養老良好地點
成長期	發展實際我概念	學習與人建關係	接受自身的限制	發展非職業角色

　　生涯發展大小週期能達到成熟的目標，關鍵在任何生涯階段是否能成功地因應環境需求和個體需求，並取決於個人的準備度或生涯成熟度。生涯成熟(career maturity)是個人生理、心理和社會特質等所組成的整體型態，個人能成功因應生涯發展階段的程度。生涯階段中的發展是可引導的，一方面促進個人能力和興趣的成熟，一方面協助其接受現實的考驗和自我概念的發展。生涯發展歷程基本上，即是發展和實踐職業自我概念的歷程。前述舒波曾描繪一個「生活－生涯彩虹圖」(life-career rainbow)來說明在人生各個發展階段中幾個主要角色。這些生活角色的自發性組合，就形成了個人的「生活風格」(life style)，而其序列性的組合締造了「生活空間」(life space)和「生活循環」(life cycle)，其整體結構為「生活組型」(life pattern)。若當事人角色扮演得宜，生涯

時空配合妥當，能掌握生涯發展每一段落，則生涯成熟確定，自然能迎向彩虹的人生，展現多采多姿的生活面。反面說，若生涯發展遭遇一些難題，自己無法解決，如生涯未定向或生涯遲定者，則可求助生涯輔導諮商人員。

三、生涯發展危機論

美國心理學家艾瑞遜(E. Erikson)的學說焦點在心理社會發展理論(psychosocial theory of development)，將人一生分為八個時期，每個時期對某些行為的發展特別重要，因此八個時期相當於八個關鍵。每一時期個人行為表現若能符合社會文化要求，此一時期的關鍵自然可順利化解通過；若不能符合社會要求，則將遭遇困難，並出現心理危機或衝突。如果危機不能解除，非但不能順利過關，且阻礙以後各期的發展。因此艾氏的心理社會論又可稱為發展危機(crisis)論。艾氏以自己親身體驗的三度危機（姓氏、種族、自我迷失）來說明每一階段都有危機存在。艾瑞遜的各期發展危機情況及理想的發展境界，如表 7-2 所示。

表 7-2　艾瑞遜的各期發展危機

時期	概約年齡	危機或衝突	理想的發展境界
一	出生至 1、2 歲	不信賴人	對人基本的信賴感
二	2-3 歲	羞愧懷疑	活潑自制
三	3-6 歲	退縮內疚	進取獨立、自動自發
四	6-12 歲	自卑自貶	勤奮努力、能幹有成就
五	青年期 12-20 歲	角色混亂	人格統整、生活有定向
六	成年期 20-45 歲	孤獨疏離	友愛親密、人際和諧
七	中年期 45-65 歲	衰滯頹廢	精力充沛、事業有成、家庭美滿
八	老年期 65 歲以後	悲觀絕望	統合無憾、老有所終、頤養天年

　　每一階段都有可能出現危機或衝突，如嬰兒期最重要的發展是在安定無虞之環境中受到成人的愛護，而產生對人信賴的心理；若嬰兒得不到愛撫信賴，就會造成對人不信任之危機。其餘各階段以此類推。

　　生涯發展的階段比照人一生的發展階段，若以十年為一段描述的原則，從二十歲至六十歲，這期間每隔十年描繪人生之奮鬥目標。或如上述以五個時期描述生涯發展，或有另外的分期分段說法，都可盡你所能展現生涯豐富多采的一面。期望呈現如生涯彩虹繽紛燦爛的光芒。

四、生涯發展階段與任務

　　有關生涯發展階段與任務之間存有密切之關連，個人在人生發展的每一階段，皆有其任務期待完成。表 7-3 顯示發展階段和任務（修自 Herr & Cramer, 1996；林幸台，1987；吳芝儀，2000）。每個階段發展任務各有特性可作區別。

表 7-3　生涯發展階段與任務

成長期 （0-14 歲）	探索期 （15-24 歲）	建立期 （25-44 歲）	維持期 （45-64 歲）	辭退期 （65 歲後）
經與家庭或學校中重要他人之認同而發展自我概念，需求與幻想為此一時期最主要的特質，隨年齡增長，社會參與、現實考驗之逐漸增加，興趣與能力逐漸重要 1. 幻想期(4-10) 　以幻想遊戲中的角色扮演為重心。	在學校、休閒活動及各種工作經驗中，進行自我檢討、角色試探及職業探索。 1 試探期(15-17) 　考慮需要興趣能力機會。作出暫時性決定並在想像討論課業工作中加以嘗試。思考可能職業領域和工作層級。	確定適當的職業領域，逐步建立穩固的地位。工作職位可能會有升遷，但職業則不會改變。 1. 試驗、投入和建立期(25-30) 　在已選定的職業尋求穩固安定，或因尚未感滿意而進行若干調整或變動。	在職場上取得相當地位，致力於維持現有的地位，較少創意的表現，面對新進人員的挑戰。 發展任務： 1. 接受自身條件的限制。 2. 找出在工作上新的難題。 3. 發展新的工作技巧。	身心狀況逐漸衰退，從原有工作舞台退休，發展新的角色，尋求不同方式以滿足需求。 1. 隱退期(65-70) 　工作速率減緩，性質改變，找到兼差工作。

表 7-3　生涯發展階段與任務（續）

成長期 （0-14 歲）	探索期 （15-24 歲）	建立期 （25-44 歲）	維持期 （45-64 歲）	辭退期 （65 歲後）
2. 興趣期(11-12) 喜好為其抱負 和活動的主要 決定因素。 3. 能力期(13-14) 能力表現具有 重要性，並能 考慮工作所需 條件(含訓練) 發展任務： 1. 發展自我形象 2. 發展對工作世 界的正確態度 並瞭解工作的 意義。	2. 轉換期(18-21) 進入就業市場 或專業訓練， 更注重現實的 考慮並企圖實 現自我概念， 將一般選擇轉 為特定選擇。 3. 承諾期(22-24) 初步確定職業 選擇並試驗其 成為長期職業 的可能性。投 入該職業的承 諾仍暫時性的 發展任務： 1. 職業偏好具體 2. 職業偏好特定 3. 實現職業偏好 4. 發展合於現實 的自我概念。 5. 學習開創較多 的機會參與。	2. 晉升期(31-44) 致力於工作上 的穩固安定， 大部分人處於 最具創意的顛 峰狀態，同時 身負重任表現 優異。 發展任務： 1. 找到從事所期 望之工作機會 2. 學習和他人建 立關係。 3. 尋求職業的穩 固和升遷。 4. 確立並具備重 要性與安全性 的職位。 5. 維持職業和生 活的固定不變	4. 維持在職業領 域中既有的地 位與成就感。 5. 持盈保泰，事 業、家庭、人 際穩定發展。	2. 退休期(71 後) 停止原有的工 作，轉移至兼 差、義務或志 願服務工作， 從事休閒活 動。 發展任務： 1. 發展非職業性 角色，逐漸退 隱。 2. 做想做的事。 退而不甘休 3. 淡泊名利、與 世無爭。

第三節　承擔生涯發展的任務

一、生涯發展任務概述

　　有關生涯發展的任務，從發展心理學來看，按階段性的原則，嬰幼兒時期的發展任務是仰賴父母的撫養，接受衣食的供給，只要默默接受無微不至的愛撫，不違抗拂逆，自然日漸長大。兒童時期學習與父母互動，接受父母教導，學習基本的禮節，灑掃應對進退，都能虛心領受。進入小學之後，學習與老師互動，與同學互助合作，觀摩仿傚，習練學齡期兒童應學會的做人處世之道。到了青少年期，國高中職階段，學習正常的交友互動情誼，學習面對身心變化尷尬時期，如何與同性交往，認識異性和正常交往之道，有同儕團體的認同和崇拜偶像的正確認知。成年時期，進入大學，研習高深學術，探討人生哲理，認知信仰和人生的意義，學習接受挫折失敗的考驗，發揮個人潛能，為將來職業及婚姻做好未雨綢繆的準備工作。成家立業之後，與配偶溝通相處互信互諒，認知正常婚姻生活家和萬事興，做好撫養下一代準備工作。有了孩子之後，學習克盡為人父母之天職，有良好的親子溝通，尊重孩子常有良性的溝通，讓孩子在充滿愛的家庭成長。到了中年期，維持事業的穩定和家庭的美滿，孩子長大離家之後，學會調適心靈工作，鍛練心靈充實的功夫，為晚年生活提前部署。進入老年期，老當益壯，退而不休，學習作志工，生活不感空虛，有老伴和朋友可交談，老而彌堅，頤養天年！

二、成年後生涯發展重點

（一）成年期（18～45歲）

1. 擇偶成婚。在尋覓的過程，從與同儕團體相處中，或參與戶外聯誼自強活動，或透過親友師長之介紹，得以認識適合自己個性特質的異性。擇偶的條件，足以吸引異性交往的因素，如內在人格、能力、興趣、價值觀等，以及外在環境時空因素交織而成的產物，至終能找到天作之合百頭偕老的對象。克盡擇偶成婚之天職。

2. 學習在婚姻中與配偶共同生活。擇偶完成之後，接著文定之喜，與配偶同心進入結婚禮堂，完成終身大事。婚前婚後需要做好生涯規劃，如何扮演好為人夫、為人妻的角色列為重要事。以往婚姻生活都是憑媒妁之言、父母之命而建立起來的，缺少愛情甜美的結合。如今彼此互訂終身，學習互信互諒相尊相愛，雙方共同經營美滿的婚姻生活，期待互愛的結果。

3. 成立家室之後，即將面臨養育小孩的問題。如何扮演好親職角色，為人父為人母之道往昔甚少顧及，大多等到有孩子之後才會想到的課題。如今透過有關資訊的研讀，實際參與親職講座，可以承擔養兒育女的神聖天職。

4. 初為人父、初為人母需要一個好的開始，共同經營一個家庭。婚姻需要規劃，養兒育女也需要規劃，所謂家庭計畫就是要提醒新婚夫妻，要生育多少孩子，有多少能耐多少預算，如何共同營建一個人人稱羨的幸福家庭，都要事先籌謀定調。

5. 目前晚婚趨勢明顯，因此先立業後成家是必然的現象。若想夫妻同心經營企業或繼承衣缽子承父業，先結婚再立業也是自然的事。在開始從事某一行業或職業時，要花多少心血代價在事業上，仍須規劃定妥。在職業難覓，工作難尋的不景氣時代，能覓得一官半職，怎不珍惜？光陰似過隙白駒，千辛萬苦博得一階半職。

6. 承擔成年人應有的公民責任，在政治民主化、社會多元化、資訊科學化的過程，扮好一個現代化公民的角色相當重要。若有心從事政治活動，參與民意代表的選舉；或想福利他人，從事慈善工作，為人排難解紛；或欲從事百年樹人的教育工作，傳道授業誨人不倦，為國家造就人才，都是承擔公民應有的責任。

7. 尋找加入一個志趣相合的社交團體，或參與工會組織，或組成球類、爬山、海外救援聯誼隊，或參與教會傳道救人團契。因志同道合、朝乾夕惕，彼此談心交契，而覺得生活既充實又有意義。每當發生天災人禍時，災區即有慈善志工不畏艱難危險，參加第一線救援工作，其精神毅力誠可佩。

（二）中年期（45～65歲）

1. 承擔成年人的公民和社會責任。無疑的，人到中年，家庭事業都有相當的成就，其所承擔的責任除了養家活口外，還要盡公民和社會該有的責任。人活在社會上，取之於社會，用之於社會，亦即對社會要善盡公民之責，以自己所得回饋社會，貢獻一己之力。現今社會錦上添花的人不難見，而雪中送炭者實不多，因此須承擔對社會應盡的責任。

2. 協助青少年期孩子解憂，成為有責任和快樂的成年人。中年人對社會善盡公民之責，以身作則，自然能帶領青少年期小孩成為對社會有責任，不至成為只坐享其成或忘恩負義者。同時成為一個快樂的成人，青年人由於課業或感情、求職的壓力，感覺憂愁掛慮特多，而喪失年輕活力，須透過中年人引導解憂排難，使之快活豪邁。

3. 中年人奉養自己年老的父母本是天經地義的事，可惜很多為了事業拼命賺錢，忽略了對年老父母的撫育，不僅未生活在一起，也未定期省親，被冠上不孝的罪名。等到樹欲靜而風不止，子欲養而親不待，想要洗掉不孝的罪名也來不及了。因此趁著父母健在時，多與其相處聊天、陪伴出遊，善盡為人子女之天職是責無旁貸之事。

4. 建立和維持生活的經濟基準。很多中年人處在事業的顛峰，要建立一個相當不錯的經濟水平是輕而易舉的，因此要維持富足的生活也是水到渠成之事。然而由儉入奢易，由奢入儉難，有些中年人不善節儉儲蓄，經常揮霍無度，入不敷出。故平時需要節省不必要的開銷，學習理財規劃，才能轉虧為盈，維持生活最起碼的經濟基準。

5. 發展自己的休閒活動，中年人事業有成之後，身體負擔加重，有時健康亮起紅燈就會猛然醒覺身體健康的重要。健康的身心須有休閒活動來配合，除了兢兢業業於工作之外，每天定時運動、休閒不可少。在週休二日之後，如何提升休閒品質，往何處休閒是相當值得關懷的課題。因此趁著中年事業有成之際，為身體健康規劃多下功夫，準備迎接健康的老年期。

6. 培養與配偶之間知己密友的感情。中年人任何事業的成功，卻難彌補失去配偶或失敗的婚姻所造成的虧損。與配偶之間應常有交心密談，無所掩飾；若有過節誤會即刻破解清楚，否則雙方彼此有心結，此時若有第三者趁虛而入，即可能出現婚外情或紅杏出牆，因此不可掉以輕心。

7. 接受並適應中年期的生理機能改變。步入中年之後，可能在精神體力、學習記憶各方面都逐漸由盛轉衰。因此有識之士體會到豪情壯志今不若昔，想當年意氣風發，今則徒留感嘆。只有接受現在的處境，識時務者為俊傑，適應中年期生理機能的改變才是智者。

8. 剷除阻礙生存發展的忌諱。從美聽視頻(2024.10.25)看到成年世界處世為人的一些忌諱，譬如口無遮攔話多錯多，看破說破到處樹敵，冒尖露頂遭人打壓，掏心掏肺付出真心，期望過高受人傷害，老實善良缺乏手段，從眾心理缺乏理性，心軟是病不夠決絕，多管閒事犯人利益，虛榮炫耀早晚吃虧，這些忌諱宜盡早去除。

（三）晚年期（65歲以上）

1. 調適身體健康的衰退。退休後，望逐漸發福的身軀，日漸衰退的體力，總是難以接受。事實擺在眼前，年輕時常作美夢不切實際，如今往事不堪回首，堪回味者只有作了有意義的事，生涯正確抉擇。不管如何，身體健康狀態不可能始終如一，衰退現象得調適才行。

2. 坦然面對退休生活及收入減少以至沒有收入。退休之前若已作好規劃，在退休後即能坦然面對無工作的生活。軍公教人員或有制度的私人企業機構訂有退休撫恤優惠辦法，退休後仍有相當收入。退而不休者當志工，即使沒收入卻樂此不疲，對晚年生活仍懷有憧憬。

3. 即使到了晚年，對社會及公民應盡義務仍有未了心願。晚年期並非代表人生無望，大勢已去。有些老年人仍舊老當益壯，面對公民責任一馬當先，責無旁貸，對社會盡義務，不吝於捐獻。臺灣近年來

震災、風災、水災、疫災不斷，老年人本著人飢己飢人溺己溺的精神援助弱者，可傳為佳話。

4. 晚年和老伴相依為命，相惜為生。若配偶先行離去，留下孤獨老人鬱鬱以終，情何以堪？身體逐漸老化以至逝去，乃是自然的定律，任誰都無法改變的事實。因此順應自然演變，天行有常，面對人生的無常能釋懷，遲早總得調適應變。

5. 物以類聚，老年人總喜歡與自己年齡相仿的傾心交談。有些專門為老年人設置的機構，如長青學苑、老人活動中心等，經常聚集很多長者，可以談心下棋運動，何樂而不為？研究發現老年人在參加志同道合的團體後，生活有了重心，還可激發未開展之潛能，甚至可以延年益壽。

6. 建立能滿足生理心理需求的生活方式。晚年期有較多的時間思索人生的意義和價值，總會在此刻想到將來大限一到往何處去的問題。於是面對人生信仰宗教的問題浮出檯面，確實發現很多耆老在人生的晚年找到自己的信仰歸宿。加入某一信仰的老者對人生的體驗深刻，懂得世故人情，往昔心靈上覺得空虛無望，今有了信仰之後，人生黑白變成彩色，身心有了 180 度改變，心理需求獲得滿足，生理需求也無虞匱乏。正如大衛的詩篇所說：「因此我的心歡喜，我的靈快樂，我的肉身也安然居住。」身心靈全顧到，何等的美好。

三、發展任務觀

賀威斯(R. J.Havighurst 1900-1991)於 1952 年提出發展任務的概念，並將此概念用於一生發展的分析中，它關係著對人類發展基本過程的理解。一個人「可教導的時期」係針對一項特定任務的學習相當敏感的時期。人類發展是人們努力完成社會所要求於他們的任務適應之過程，這些任務隨年齡而變化，社會對行為發展通常以年齡作為劃分期望等級之尺度。現代社會要求生活於其中的人們，來完成所期望的任務，而不斷的發展茁壯。能達成圓滿任務的人，得到個人的滿足和社會的讚許，反

之可能帶來悔悟和受社會譴責。依其觀點，發展的任務由一套技術與能力所構成，可增進對環境的適應。這些任務可以反映出身體的、智力的、社會的或情緒的、技能的、自我理解的成就。如嬰兒期的發展任務之一，是產生對照顧者的依戀。此任務出現於個人發展的早期，且必須在一生中的這一時期完成。一個人在成年生活中發展親密關係的能力，是奠基於嬰兒期對照顧者最初的依戀感上。

每個人一生中各個時期認知有關身體、情緒、智力、社會及自我發展的任務，都有助於提高人們應付生活考驗的能力。能描繪出我們所確認的發展任務，有助於增加生活經驗和生涯發展；同時了解各個階段的發展任務具有重要的學習價值。賀威斯的發展任務論兼重社會和生物因素的影響，將發展任務視為個體達某個年齡時，社會期待他在某些行為發展應達到的程度。若符合社會期待，則身心發展良好。如青年期的發展任務能適當扮演性別的社會角色，情緒穩定，考慮選擇對象，會為未來婚姻做準備，學習特定專長，為職業做準備，有自己的行為價值觀。發展過程中有關鍵期存在，強調重要事件即時發生與正常生命歷程相符時，個體較能順利處理。其來自生理的成熟成長，社會的要求或期待，個人的價值或期望。當社會角色及相伴而生的發展任務呈現一種學習準備的高峰期，是可教的時機。而教育目的在解決發展任務上的問題，發展任務完成無後顧之憂，否則可為後續輔導補救參考。

在特定階段中，完成發展任務而獲得有效的自我生涯技能。上一階段發展任務成功，會帶給下一階段成功的喜悅(Inge; Tim, 2008)。個人任務完成，危機得以解除，二者交織在一起，如此構成了個人生涯的發展史。從表 7-4 所列各生活階段的發展任務，可對照上述生涯階段概況。

表 7-4　各生活階段的發展任務

生活－生涯階段	發展任務	生涯發展重點
嬰兒期（0-2 歲）	社會依戀，感知覺運動機能，原始因果關係	
幼兒期(2-4)	情緒發展，移位運動，幻想遊戲，語言發展	
學齡兒童(6-12）	友誼；自我評價	
生涯成長期(0-14)	具體運算；技能學習；團隊遊戲	懵懂身心成長
青少前期(12-18)	身體成熟，邏輯推理，情緒發展，同伴群體	
青少後期(18-22)	對父母關係的自主；性角色認同	
生涯探索期(15-24)	內化的道德；職業選擇	知能蓄勢待發
成年早期(22-34)	結婚；生育子女	家興內外兼顧
生涯建立期(25-44)	工作；生活方式的建立	
成年中期(34-60)	夫妻關係的培育；家庭管理	
生涯維持期(45-64)	養育子女；職業上的經營管理	挑戰高峰穩健
成年晚期(60-75)	智慧活力促進，對新角色和活動精力之轉換	
生涯辭退期(65-)	接受個人辭退生活，建立一種正向積極生死觀	老而彌堅 長青發旺
老年期(75-)	處置身體變化，生涯心理歷史觀，跨越未知地帶	

　　表 7-4 依賀威斯職業發展任務的觀點，個人職業發展有四階段，首在重要他人如父母認同中，形成工作概念和自我理想（5- 10 歲）。其次開始形成工作與遊戲相關的習慣，學習連結時間和能源（約 10-15 歲）。再次對真實工作加以認同，開始為某一職業做準備（約 15-25 歲）。其後成為具生產力的工作者，掌握技巧，獲得升遷（約 25-40 歲）。賀威斯的發展任務論對教育及職業發展確有相當貢獻，可進而研

究或搜尋階段發展任務相關資訊，評估或發展量表測試其論點。如製作發展任務量表(Developmental Tasks Questionnaire)測量年長者回顧前半生的身心狀況(Zadworna-Cieślak, 2019)。發展任務的完成受到前一階段心理社會危機解決程度的影響。這一解決導致了新的社會能力發展。當一個人面對新階段發展任務的考驗時長了一智，由此增加處世的能力和經驗，積極面對人際關係的態度以及對自我價值的感受。

 課後問題探討

1. 何謂生涯發展？生涯階任盡本分發展？
2. 簡述生涯發展的特性。
3. 生涯發展如何分階段說明？
4. 青年期及成年期、中年期生涯發展的任務為何？
5. 比較每個階段發展任務的異同。

生涯活動 ❶ 人生發展階段規劃

一、 請回顧你所走過的人生旅程,再仔細想想對未來有甚麼規劃,然後嘗試將未來的行程劃分成幾個階段,並簡要列出每一階段的目標或待完成的事項,如表 7-5 所示。

表 7-5 列出每一階段的目標或待完成的事項

項　目 ＼ 階　段	目標或待完成之事項	執行的步驟	預期的成果
青年期	順利完成大專學程 利用假期打工或擺地攤賺取學費		
成年期	準備繼續深造		
中年期			
晚年期			

二、 按現代醫學對人類未來壽命的推估,人可能活到 120 歲。假如你能長命百歲,你要如何劃分及規劃每一階段任務?自行填寫表 7-6。

表 7-6 劃分及規劃每一階段任務

發展階段(年齡區分)	任務計畫特點	執行步驟

生涯活動 ❷ 生涯發展危機與轉機

　　想像自己正面臨生涯發展危機（例如：通知工作臨時資遣、未通過出國留學計畫申請、父母身體微恙等），你該如何面對？如何處理？如何由危機變成轉機？請分享你的想法，每個人有三分鐘報告，可分成小組相互討論學習，然後各小組派代表報告。最後請老師將親身體驗現身說法，如何在某個生涯發展階段化解危機而成長？可為同學指點迷津。

　　範例：台大教授林以正也有生涯迷惘？引用自我決定理論克服中年危機。這理論認為「內在動機」包含：自主自己的選擇；勝任感覺自己有在進步；關聯有志同道合的夥伴。「堅持一個生命故事已經不容易，有改寫故事的勇氣與彈性，更難。」唯有同時滿足這三點，才會有足夠的內在動機去打破現狀、突破困境。「我覺得如果我抓得更緊，陰影也會更強。如果我現在走，才 56 歲，還有很多機會。於是我選擇離開，重寫自己的生命故事。」於是林以正毅然放棄教職，離開學校進入企業。今年已 64 歲的他，已是企業教練。每小時諮詢費輕鬆超過 3600，還可以把自己的經驗跟同樣有中年危機的人分享，只是因為不穩定而沒以前當教授爽（參網 https://www.threads.net/）。

　　同學可上網找尋和自己情況類似的例證，然後分享個人感受或相互討論交換創意，突破生涯困境，轉危機為有利契機。

生涯活動 ❸　生涯成語接龍考驗團隊智趣

　　與生涯發展有關的成語，如：知能齊備、蓄勢待發、家和事興、內外兼顧、事業有成、人際和諧、長青發旺…等。

　　可分組進行成語接龍遊戲，以「知能齊備」為例，考驗各組智趣，觀看哪組反應快，快者馬上接下去，如「備而不用」、「用人唯才」,「才高八斗」,「斗膽直言」，以成語末一字開頭持續下去，直至最後哪組反應次數最多即獲勝。可請老師頒獎或加分。

Chapter

涯計運籌得
營理實效

本章學習目標

1. 認識涯計運籌得營理實效之意義。
2. 知曉生涯營理的要素,參與研習經營智理的課程。
3. 接受有關生涯教育與訓練進修,以發揮專長潛能。
4. 觀摩生涯營理有成之人物實例,也能好自為之。
5. 渴望掌理生涯經營,與未來有約,未雨綢繆,留心學習新鮮事,配備齊全。

【引言與摘要】

　　本章涯計運籌得營理實效，生涯生計運籌獲得有成效經營管理，強調營理的概念，學子在校就讀期間作最好的規劃營理。論及生涯營理的意義；生涯營理的重點，分別敘述學校協助學生營理生涯規劃，組織協助員工營理生涯活動；人力資源的發展與儲備。生涯營理的要素，掌握終身學習的理念，利用社會資源進修，善用時間學習有效營理的課程，以及掌握未來生涯發展趨勢等。面對未來教育發展趨勢，期望學子勇於面對 AI 迅速發展、少子化人才培育、中美競爭科技超越等挑戰，前瞻未來教育能適才和適性的發展。雖然人工智能全球走紅，但人生發展籌謀規劃要符合時代潮流，甚至走在時代前端，也離不開 AI 賦能加持。或許有些職場工作機器人可以取代人力，但人與人的溝通力表達、創新發散力、持續終身學習力是 AI 無法取代的。所以在生涯營理方面要掌握學子的溝通、創新、終身學習能力，才足以達到有效的生涯營理目標。

第一節　分解生涯營理的意涵

　　在學校期間，生涯管理是引導學生規劃其學習生涯活動。學成後就職，生涯營理是協助員工規劃職業生涯發展。生涯管理通常是企業界為員工實施生涯規劃，個人為前程或組織為業務開展作準備，執行及檢視作業的過程。生涯營理得宜，端視組織的需要如何配合員工願景，以正式方案培育可拓展的能力，分配有限資源，發展檢核能力，獎勵績效。

　　生涯管理在企業界有所謂生涯管理(career management)，又稱事業前程規劃管理。向來有優秀的員工，才有成功的企業。企業成功以人才為本，人才為企業組織中最寶貴的資產。任何企業為求長遠永續經營的發展，必須重視人力資源的發展與管理，而員工的生涯管理則為人力資源發展的重心。為一種協助企業組織內員工規劃其個人生涯發展目標，並透過企業組織內的工作經驗、工作努力、教育與訓練、人力發展規劃等的配合活動，以實現個人的生涯目標，並藉此促進企業組織發展，達

成既定的目標。員工生涯管理規劃是一種過程，包括對員工個人狀況的了解分析，對企業組織的深入探究，以確定其生涯發展目標，以及為達成生涯目標所發展的各種管理方式。依此在學校的生涯營理，教師可幫助學生營理其學習、就業的生涯規劃。而生涯管理涉及經綸(economy)之意，照解經學的觀點，造物主滿腹經綸是有目的、有旨意、有計畫的。經綸希臘文 oikonomia 意指家庭之規律管理，行政的安排計畫。照此經綸，人定意安排，人謀事為自己的一生策劃綢繆，望天成就。後引伸為經世濟用，經濟學以最少的資源成本獲取最大的產品利潤。學校援用經濟原則，本經綸理念有效協助學生管理其生涯願景，有計畫經營前置作業，配合適當的時間資源、生活情緒等管理，至終達成生涯目標。

大專生在校求學的過程，首先對時間的運籌相當重要，抓住這一段黃金學習的機會，戮力於專業課程的學習。大專生不只為職業做打算，也要學會做人助人。由於現今大專教育鬆綁，繼續深造的機率增多，只要多用一點心在課業上，把握學習機會，做好時間運籌，適切分配每天任何時段學習規劃，將來一定能更上一層樓。在資源運用方面，不管電腦資訊、材料儀器等資源都是有限的，要善於運用經濟的原則，資源盡其效用，不致造成有形或無形的浪費。期能以最少的花費來達到最大的效果。在生活情緒智理方面，善與人溝通相處，多替別人著想，能站在對方立場，具有同理心，情緒表現得宜，深受人歡迎，則在處事做學問方面必然有長足進步。依卡內基工業大學調研一萬個成功的案例，發現他們成功有 85%得利於人際關係良好，也就是情緒智理得當。照此，大專生若想要成功，須在生涯營理上下功夫，在時間、資源、生活情緒等方面作適當的運籌。國學大師南懷瑾說過，世上各種宗教修行的方法都是求得心念的平靜。引用諸葛亮誡子書的話，非淡泊無以明志，非寧靜無以致遠。將來在職場上要功成名就，若能培養此胸懷，淡泊明志寧靜致遠，淡視名利靜心修身，做好情緒智理，則事業成功指日可待。

一、協助學員生涯營理

　　學生一進入學校就讀，教師或導師或輔導人員就有責任引導學生認識生涯的意義，讓學生及早營理今後的規劃，無論是升學或就業，都要未雨綢繆、提前部署，對未來有確定的把握和信心。至於畢業後進入職場，在某一行業，參與一個組織，即面臨在組織內應如何規劃個人生涯的問題。那麼組織為凝聚員工向心力，就要協助員工生涯發展。企業組織為員工規劃一個完整的生涯管理方案，譬如員工對自己能力、興趣、需要及生涯目標的評估，組織對員工能力及發展潛能的評估，提供有關組織發展需求、生涯路徑及選擇機會等資訊，彼此訊息之溝通交流。

　　就學校協助學生營理生涯規劃而言，有所謂生涯規劃的 7C 要素：1.清晰(clarity)，學校、家庭、企業和社區對學生生涯規劃的目的和角色，責無旁貸有清晰的共識，學生有權責學習生涯規劃能力。2.投注(commitment)，學校、家庭、企業和社區要持續投注各種資源。3.綜合(comprehensive)，要關切所有學生，提供有關生涯和教育的機會，在學校本位生涯規劃中，教師、家長、社區雇主都能得到整合的資訊。4.合作(collaboration)，需要有關學校、家庭、企業和社區共同參與。5.關聯(coherence)，學生都有文件化的生涯相關計畫，且能全力協助與支援。6.協調(coordination)，要協調整合資源，生涯規劃能持續發展。7.能力(competency)，顯示學生獲致的相關能力（改自李隆盛，1998）。以上七項要素主要是學校引導學生做好生涯規劃，培養學生職場所需的專業知識能力，對規劃未來生涯有清晰了解，並投注於多元規劃學習。其實需要結合社會、企業資源，協調整合學校、企業、社區、雇主，協助學生謀職相關事宜，俾有助其生涯發展，且能有效營理其全方生涯，運籌繽紛多采的一生前程。

　　若學生或員工無法管理自己的生涯各種活動，則需要透過生涯諮商(career counseling)協助其訂定務實的生涯目標與行動計畫。而學員需要配合的是在致力生涯發展的過程中，即使遭遇困難與挫折，仍能保持高昂的鬥志和動機，可以迅速整備自己，有勇氣重新迎向挑戰，獲得最後勝利。同時對個人和環境具有洞察力(insight)，能以務實的觀點分析自己的優劣及所處的內外環境，並以此為設定個人生涯目標之依據，設法越過本身的缺陷及環境的限制，而逐步達成生涯目標。學員不僅對工作涉入，且對組織有承諾，對工作、組織或專業的認同(identity)，即將個人的生涯發展融入整體的人生目標，對自己所從事的工作或專業能更深的投入，甚至完全的奉獻，因而能順利達成個人的生涯目標。學員將生涯管理重點置於統合自我、學習工作和家庭三方面的整體發展，要充分了解自己在不同的人生發展階段可能面對的情境和需求，而進行生涯規劃時，須密切契合個人的自我成長，與對家庭幸福的追求。

二、協助學員生涯發展

1. 協助學員生涯發展評估：譬如編印生涯規劃手冊、舉辦生涯規劃工作坊或研討會(workshop or seminar)、舉辦職前、職中、升遷、退休前各種工作坊等。

2. 實施學員個別諮商：學校輔導室或人事管理員負責聘請專業諮商人員擔任諮商工作，提供升學或就業諮商、生涯轉換諮商等服務。

3. 學校或組織提供進修或行業的勞動市場資訊：學校公布求職求才資訊；組織定期或不定期公告企業內部的職位出缺狀況，提供企業內部各項職務的資格條件，或從事該項職務所需具備的能力清單，企業內各項領域的生涯階梯或生涯路徑流程的設計。學校可設置前程規劃或生涯資訊中心，備存各種資訊，編印各種手冊、傳單、小冊子或印刷品供學員參考。

4. 學校或組織對學員發展潛能之評估：輔導室利用心理測驗或透過導師了解學生所具潛能、性向、價值觀等。組織對員工實施發展潛能

之考評，對個別員工升遷可能性之預估，讓員工了解未來發展趨勢，或實施接棒計畫，考驗員工發展潛力。

三、人力資源的發展與儲備

在各行百業競爭日烈的情況下，各職業學校、大專校院亦受到相當的衝擊。近年來家庭少子，學校招生入學每況愈下，由於國中及高中職畢業人數短少，在選擇升上高中、五專之外，其他選擇高職、四技、二技的明顯減少，須提升危機意識，辦好高職及大專教育，以吸引學子來就讀，否則會面臨裁撤的命運。有鑑及此，學校組織對人才的培育並非盲目，應配合教育部、勞動部相關單位的人力資源規劃，培植業界所需的各專門人才。學校有計畫培育職場所需人才，做好人力資源管理和發展，建立人才庫，以應不時之需。人力資源是指社會的人們智力、體力、勞動能力質和量的總稱，或指組織內的人力用以製造產品或提供服務的資源。人力資源重視個人的發展，是從個人內在配合組織外在的發展。運用科學化策略方法，系統性發展個人與工作有關的能力，並且強調達成組織和個人的目標。同時重視以人為本所創造的知識與技術等無形資產，是現代企業的核心競爭力來源。

在以知識為導向的 21 世紀，企業有無能力提升人才素質，成為影響未來勝負的關鍵。為提升業務人員的競爭力，許多公司藉由教育訓練和發展作為強化業務能力的工具，即以人力資源發展作為組織在競爭激烈環境生存下的重要原動力。生涯當事者為公司提供合適的人才，不斷創新想法和出路，內部規劃儲備人員的工作和培訓內容，外部招聘儲備所需人才。組織培養優秀人才，學校培育業界所需人才，產學合作，做好人才培植儲備工作，則人才規劃妥善就緒，準備就職升職加薪了。由此經濟部產業人才發展資訊(https://www.italent.org.tw/)2024 提出產學攜手合作計畫 2.0，教育部建置業界與學校緊密教學實習合作平台，發揚技職教育「做中學、學中做」務實致用辦學特色。

第三節　運用生涯營理的學習資源

一、掌握終身學習的理念

（一）終身學習的意義

　　人的一生是由不斷接受教育、時刻學習及身心持續發展成熟所交織而成的歷程。所謂「活到老，學到老」，意謂人一生從開始至終結時時刻刻都可學習。因此終身（生）學習(lifelong learning)之理念乃應運而生。美國教育家杜威(John Dewey)提出教育即生活、學校即社會之說法，即含有終身學習之意。許多教育學者分別提出教育是終身學習的歷程，將終身學習視為將來教育改革的主要方向，同時普遍引起各國的重視。國內也經常有人提起終身學習或終身教育(lifelong education)的概念。意指一個人在其一生中擁有不斷接受各種不同形式的教育或學習機會，藉此獲取工作或生活所需的知識和技能，以便能適應社會快速變遷的環境需求。同時在企業機構常有機會接受在職訓練，以便能跟得上新科技潮流腳步。若有機會可參與第二專長訓練，以應不時之需。或許再利用一些社教機構充實學術，如此必能經歷多元化學習。

　　教育部為推動終身學習教育，於民國 87 年 3 月 18 日由當時林清江部長主持，發表「邁向學習社會」白皮書，規劃研究型、教學型、科技型、社區型及遠距型五類大學，入學方式彈性化。當前教育部設有終身教育司以終身學習體系為主軸，並整合具有教育功能的一切機構和體系，包括正規、非正規和非正式的教育，以建立不同型態的學習機制。在規劃上是將幼齡到老年連成一個繼續性的教育時程，同時將家庭教育、學校教育和社會教育連成整體的教育體系，使人人在生命中任何時地，都有學習的管道和機會，且使國民從出生到老年的整個人生旅程上能夠持續獲得成長與發展。110 年臺灣發布學習社會白皮書及終身學習中程發展計畫，為推動學習社會的一大里程碑。（查教育部終身教育司

網站 2020/5/8，2024/10/25）。當前協助社區大學度過疫情難關，成人學習樂趣，樂齡學習有活力。臺灣預計在民國 114 年將邁入超高齡社會，每五人就有一名長者（65 歲以上，20%），在 113 年 10 月 18 日以樂齡 2.0 永續發展為主軸，發表樂齡學習成果，創造樂齡價值銀髮經濟，面對挑戰永續推動樂齡學習，學無止境接軌國際。同時政府機構設有終身學習網，如環境教育終身學習網、公務人員終身學習網，各縣市終身學習網，足見對終身學習重視的程度。

終身學習可視為個人欲整合正規或正式的學校教育，與非正式的各種學習活動，並考量時空因素，連貫所有學習活動，使個人一生不斷接受教育和訓練的考驗。要有成功的生涯，往往需要接受生涯教育或終身教育。為了適應社會的快速變革，舊有的教育結構必須重作調整。生涯教育的理念基於教育的統合原理，闡釋教育是為了因應人生在時間系列上的各個時期，所作的垂直式統合，以及在社會各個層面上所作的水平式統合。教育不局限在學校，從幼兒期到老年期無不在接受各式各樣的教育學習。因此生涯教育的理念即是透過整個人生，將學校教育、家庭教育和社會教育統合起來，使教育有系統有組織，不單是「活到老，學到老」而已，更將國民的生涯學習作計畫性、組織性的整體規劃。

（二）終身學習的時代趨勢

全民終身學習已躍升為當前人類的新教育典範，塑造全民終身學習文化與建立學習社會，更是廣受各國重視。終身學習是一種教育的整體觀，從發展迄今，無論在理論或實務層面均產生了多樣面貌。以終身學習的理念與實踐為核心，內容涉及終身學習的概念化與發展潮流，理念與實務，指標與內涵，全民針對新冠疫情與疫後的衝擊與挑戰。終身學習與數位落差及行動策略，終身學習與知識智理，創造個人及組織的發展優勢，公共圖書館的終身學習角色、功能與推展策略。掌握國際成人學習的興起與實施策略，新學習文化的塑造與發展，先進國家新學習文化的發展及對臺灣的啟示。比較終身學習的發展取向與國際發展趨勢，

可從理念及實踐層面得啟發與獲益，樂為現代社會的終身學習者，以促進終身學習願景的實現。

隨著知識更新速度的不斷加快，終身學習已成為每個人的現實需要。與此同時，電腦、人工智慧和網絡技術的發展提供了豐富的知識來源，網上學習獲得新知。終生學習為人提供均等的終生學習機會，正視學習社會的知識管用。思考近年國際興起人工智慧、知識智理的熱潮，教育領域結合人工智慧、知識智理，促進新科技研究發展。歐洲經濟合作開發組織(OECD)在 2000 年將學習社會與知識智理這兩項概念作結合並詳加探討。2020 年後隨著人工智慧，大數據的發展，以及結合知識智理，不斷自我提升學習層次，彰顯終身學習智慧。新世紀的創新與知識經濟發展蓬勃，學習型組織的智慧資本和知識智理聯於組織的核心能力、附加價值和績效，成為組織永續經營和企業競爭力的重要資源。意謂學習要與時俱進，不斷自我學習現代科技知識，方能成長進步。

有一職場員工在大學畢業後，即到一家建築公司上班，兩年的上班生涯使他漸漸感到空虛和貧乏。考研究所並不合他志趣；出國唸書又非經濟情況所能負擔。究竟選擇哪一種既能繼續充電，又能保有現在工作的方式，來擴大自己的學習生活？由於高中時對「藝術欣賞」即有莫大的興趣，所以他選擇加入「藝術欣賞協會」，成為該協會的會員。在此找到一種單純的學習快樂，認識一群興趣相投的朋友。最近他計畫舉辦一個「藝術下午茶讀書會」，討論彼此有興趣的話題與交換讀書心得。他說找到了生命中另一種感動。此意謂傳統學校教育雖然提供學習知識的來源，不過在踏出學校之後，卻又是另一個學習的起點。社會上提供的學習資源與途徑愈來愈多，如成長團體、研習班五花八門，任君選擇。近幾年來傳播媒體、智能手機的普及，坐在家裏也可以聆聽一場演講，學習資源不再僅限於學校教育或面對面的課堂教學。未來新型科技媒體的發展，學習途徑更將突破時空限制，並增進學習的效率，使我們迎向一個多元化、多媒體、多管道的學習時代。

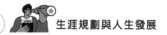

（三）終身學習的實例

　　終身學習理念所強調的是除了傳統的正規學校教育之外，對學齡前及正規學校教育後之學習均應予以重視（羅文基等，1995）。此理念認為人生的許多重要學習經驗，並不是只在學校或正規教育系統才能獲得，學校的學習也只是個人生命歷程的部分經驗而已。其實「學習」是可以在各種不同的情境中發生，並由個人來完成。欲落實終身學習須有效激發個人終身學習的意願，以及培養自我導向學習的能力。底下列舉國內外一些終身學習的實例。

1. 終身學習機構。在空大上課的學生，有些年齡比老師還大，聽訊息作報告不落人後，其學習精神可佩，是終身學習的典型例子。87 年 9 月 28 日臺北市設立全台第一所社區大學（文山），89 年 4 月 8 日高雄市成立第一所社區大學（新興），對社區民眾提供終生學習的適當管道，是未來發展的趨勢，甚獲好評。目前「社區大學」、「長青學苑」、「成人教育」、「市民大學」，各種名目不勝枚舉，其實這些都與終身學習有關。從社區或社會大學開辦至今二十多年來，各縣市爭相設置社區大學，不論在數量、規模及學員等面向上，皆有相當顯著的增長，為社會終身學習的內容，注入了一股嶄新的動能。因應高齡人口遽增，教育部結合國內大學校院豐富的教學資源環境與高齡者共享，辦理短期學習計畫。為養成高齡者固定學習習慣，補助大學校院試辦學期制的「樂齡大學」計畫，一圓高齡者上大學的夢想。推動至今使高齡者有機會進入校園和年輕學子互動學習，促進世代共融（參終身教育司網）。

2. 投資大師巴菲特(Warren Buffett)的終身學習。在別人眼中，是令人難以企及的投資大師。他每天都會堅持的好習慣，就是堅持終生學習和讀書。一篇關於巴菲特的報導寫道：每天巴菲特都會按時起床，然後花大量時間閱讀各種新聞、財報和書籍。在巴菲特的辦公室裡，沒有電腦，沒有智慧型手機，最顯眼的是書架上的書籍，還有桌子上攤開的新聞報紙。每天到辦公室之後，他就坐在那裡閱讀

和學習。這樣獨特的生活方式，他堅持了六十年，一甲子年如一日 (https://kknews.cc/education/)。從一個富有活力和激情的年輕人，變成蒼蒼白髮的老年人。年輕人讀書、學習，不只為了應付考試，而更為了培養終身堅持、終生學習的好習慣。有了學習能力，才能擁有選擇的權利，選擇有意義，有價值的工作，才能活得有尊嚴，有成就感。「活到老，學到老」乃表達出一種「生命不息，學習不止」的進取精神。

3. 張忠謀：有目標、有紀律、有系統的終身學習。2024/7/10 經濟日報報導張忠謀度過 93 歲生日，這位享譽國際、律己極嚴的企業家總透著幾分神祕感。工作哲學：「我工作，所以我存在」。我的人生的意義就是工作，假如沒有工作，我的人生也就沒有什麼意義。「大人的確做的不夠好，你們的前一代、我的後一代，的確做的不夠好，他們也盡了他們的力了，自己要有自己的願望，自己長大後可以做的更好。」鼓勵年輕人要正面面對社會。「在一個講究包裝的社會裡，我們常禁不住羨慕別人光鮮華麗的外表，而對自己的欠缺耿耿於懷。就我多年觀察，我發現沒有一個人的生命是完整無缺的。」「創意可以有很多個，但是能夠將創意成功實踐才是創新。」「快跑的未必能贏，力戰的未必得勝；智慧的未必得糧食，明哲的未必得資財，靈巧的未必得喜悅；所臨到眾人的，是因為時間與機會。」「我體認到，生命中的缺口，彷若我們背上的一根刺，時時提醒著我們要謙卑，要懂得憐恤他人。人生不要太圓滿企業要好及成功，須同時具備四大核心價值，誠信正直(Integrity)、承諾(Commitment)、創新(Innovation)、客戶信任關係(Customertrust)，簡稱「ICIC」。有個缺口讓福氣流向別人是很美的一件事。談起經營理念時，他表示：「Do no evil」（不做壞事）是互古不變的哲學。他寧可被客戶辜負，也不願先背棄客戶。他每天有足夠的閱讀時間，從外文期刊、外文雜誌、社論，隨時掌握時代的脈動與發展。持續學習，從他年少開始，特別是十八歲赴美求學後，建立的好習慣。他說，自己在

哈佛大學、麻省理工學院求學的經驗，學到兩樣重要的能力，就是懂得如何學習以及獨立思考(https://www.cw.com.tw/)。張忠謀創辦台積電時，就清楚，要做一流企業就必然面對全球競爭，而這競爭到了今日，更是白熱化。張忠謀提醒大學生要打破三個迷思，才能清楚掌握未來的潮流。迷思一，認為頂尖大學畢業就是鐵飯碗的保證。迷思二，以為「自己的競爭舞台只在台灣」。和我們競爭的對手是全世界的人。迷思三，以為「不必創新也會成功」。大學生要培養的能力，分別是：養成終身健康的生活習慣、培養志願、用功學習、學習時要徹底了解、學會獨立思考、學創新、學中文、學英文、學習世界、學辯論與講演、做誠與信的人。學習不僅對個人是一種享受，也是邁向成功事業的道路，學習可以成為終生的習慣。

4. 孫越終身學習之例。他 16 歲就吸菸，54 歲戒菸，擔任董氏基金終身義工，也是世界展望會董事。59 歲宣布退出演藝生涯，但退而不休，此後投身公益志工事業，並與家人朋友經營關係，年輕時沒有機會做的事現在來彌補。他 41 歲起就開始準備老年生活，他沒有懼老、怕老的心態，甚至拍電視公益廣告的時候，還要求把頭髮處理得更白一點，很真實的接受自己的一切。70 歲才開始碰觸電腦，隨身攜帶 PDA 及家用電腦，活力不輸年輕人，把行程資料輸入電腦。孫越「把每一天都當作最後一天在用，我愛人，也被愛，不論哪一天生命結束，都沒有關係。」（康健雜誌網 2018.4.10）其實年紀大的人仍不能停止成長，不論思維上或是行動力的展現，都不能因退休而停頓，才能成為一個快樂的老人。

5. 陳明毅之終身學習。報載陳明毅淡大國貿系畢業，事業有成。他說：「人家說臺大醫科很難考，我兒子卻考上了，我也想來試試看。」當時 53 歲考上臺大醫學系公費生，陳明毅做兒子的學弟。大學畢業後他從事古典唱片業、汽車材料業，稍有成就後，公司結束。陪兒子大學聯考時，興起再考一次醫科的念頭，從此進入全新生活。民國 90 年末代聯招，不妨試試看，終於如願考上。多年前的

夢想，如今圓夢了，其中充滿許多執著與奧妙機緣，確實是相當動人的故事。他說教育應是連續性的，讀書也該伴隨生命前進的腳步而延續，他很幸運到了人生已過半百仍有此機會，也願日後以所學回饋社會。陳明毅通過臺灣精神醫學會專科醫師考試，已超過六十歲。在署立桃園療養院接受住院醫師試鍊，不時熬夜值班處理精神科急診，及來自各病房的醫令。完成住院醫師訓練後，轉到樂生療養院，繼續完成公費服務。大部分同年齡、而且事業有成者，早已享受含飴弄孫的退休生活，但是他選擇燃燒自己的生命，見證靈魂的能量到底能散發多強烈的光芒。其奮鬥歷史告訴我們，只要有所堅持，圓夢沒有時間表，共事的同仁見證獨自奔馳卻不孤單的不老騎士（自由評論網 2012.11.12）！公費生招生並無年齡限制，即使老人仍能回饋社會，何況高齡學生努力考取高難度的醫學系，精神值得鼓勵。老年人的行醫能力可能不如年輕人，但日益受重視的老人醫學，若能由老醫師投入，以親身經驗關心病人，會更有說服力。陳明毅實踐了活到老學到老的名言，希望年輕人有信心，只要肯努力發憤學習，一定可達成目標。

6. 美國人歐克斯(Nola Ochs, 1911-2016)活到老學到老的實例。曾於2007 年 5 月 12 日自海斯堡堪薩斯州立大學畢業，當時 95 歲曾創下世上最高齡大學畢業生的金氏世界紀錄(From Wikipedia, the free encyclopedia)。21 歲的孫女亞莉珊卓和阿嬤一起畢業。歐克斯說「我不會老去想自己年紀有多大，否則可能會自我限制。只要我的身心都健康，年齡就只是一個參考數字。」歐克斯畢了業，有志出門行萬里路，也許再到社區大學聽課。3 年後再接再厲，2010 年以98 歲高齡拿下堪薩斯州立大學文學碩士，可謂創下全球最老碩士。活到到學到老，還是學不完。

以上終身學習的事例也許較為特殊，不能代表一般人的學習狀況，但值得鼓勵，效法終身學習活到老學到老的典範。

二、利用社會資源進修

（一）認識社會學習資源

　　個人生涯能力的發展，除在學校接受專業教育培養專業知能，以及在企業機構所提供之訓練以進一步發展所長外，社會本身所提供的學習資源也可善加利用。在今天多元化的學習社會中，生活科技資訊發達，人們就有任務不斷地學習，才能因應社會變遷及工作生涯之需。同時大家應充分運用廣大的社會學習資源，時刻不間斷地學習，以擴大個人認知層次及見解，謀求個人生涯之成長和發展。

（二）有效運用社會學習資源

1. 參與公民營訓練機構所舉辦的講座。隨著科技發展和專業知識不斷創新，由公民營專業團體所提供之教育訓練機會日增，如中華電信、資訊工業策進會、外貿協會、金屬工業發展中心、臺灣經濟研究院、救國團社會科學院、電腦資訊公司等所提供的專業教育或訓練課程，可報名參加進修。如採用單元訓練課程，增加學員修習彈性，內容多以溝通與人際關係，資訊管理及工程技術為主。學員可利用暑假赴公民營企業機構研習。

　　目前行政院為培植資訊人才蔚為國用，刊登廣告，可在網路線上報名參加訓練。此配合經濟發展與技術創新，以前瞻性眼光培育一般民間不易自行訓練之人力，俾因應實際需要。由政府推動和辦理的職業訓練，勞動部勞動力發展署於民眾就業前開辦職前訓練，以多元方式協助民眾求職，幫助企業求才。勞工就業期間，亦提供各種在職訓練課程，積極建置職能基準，提升整體勞動力。為照顧就業弱勢民眾，對於身心障礙者、中高齡、二度就業婦女及原住民等特定對象提供各種就業協助。為因應國家經濟、社會發展，辦理跨國勞動力聘僱許可與管理，落實保障國人就業權益，有效運用外國勞動力（參勞動力發展署網站）。之前勞委會北區、中區、南區職訓中心，青輔會青年職訓中心，農委會漁業幹部船員訓練中心，各

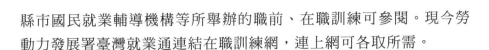

縣市國民就業輔導機構等所舉辦的職前、在職訓練可參閱。現今勞動力發展署臺灣就業通連結在職訓練網，連上網可各取所需。

2. 汲取社教機構及相關組織所提供之學習資源。例如：國立自然科學博物館、國立科技工藝博物館、國立海洋生物博物館，各縣市社教館、圖書館、文化中心，各縣市救國團團委會，臺北市、臺中市及高雄市、臺南美術館，臺北市、高雄市交響樂團等相關社教機構，經常開辦相關的實用技藝課程，提供社會大眾學習或進修之機會，善加運用以獲取新知技能。

3. 參酌國內各政黨及民間各類顧問公司提供之學習資源。通常辦理相關的教育、講習、訓練列為主要業務。國內自開放黨禁、政黨輪替後，不再是一黨獨大的局面，乃是各政黨互別苗頭、各顯神通的情勢。因此各主要政黨無不卯足勁作選舉文宣、服務選民，為贏得選戰，而投下龐大經費開辦政治人才訓練班或政策研究、講習班，以凝聚黨員共識，增進黨國福祉。民間企業管理顧問公司所辦理的教育訓練課程，主要以小班制、時間短、課程精緻、務實為取向。另有工程顧問公司辦理工程技術訓練，電腦公司辦理各種軟體編製及應用訓練。一般私立補習班辦理之外語、企管、國貿、秘書和會計訓練課程等，採全日制或利用夜間，每天定時上課方式，培訓工商企業人才。補習班也大行其道，為國考、考證照或插大、科大、專校或職校生提供服務。不過運用這些學習資源時，應謹慎選擇對自我學習及成長有幫助者，方能水到渠成，自圓美夢。

三、參與生涯營理課程和訓練

（一） 在工作中不斷學習

　　一面工作，一面學習，依據「從做中學」(learning by doing)原則，學習和工作雙管齊下。為提升生產能力、工作效率，從詢問、訂單、銷售、簡報、產品數額，收入或利潤等，衡量對公司的價值，透過觀摩學

習，自然形成一套規範制度。同時為自己定下生產效率標準，設法精益求精，自我期許將來成為產銷部門主管。然後以身為公司主管人員研擬辦理在職進修，與各種經理人訓練課程，使員工隨時趕上時代的發展潮流，掌握時代脈動趨勢。

（二）生涯管理課程實例

1. 參加為期三天的人際溝通課程演練。領略溝通的意義及重要性，有效溝通的祕訣，語文及非語文溝通方式解析。人際溝通過程及實作，溝通演練及評估；溝通生活化，在實際生活之運用。每一時段兩小時一個主題；以演講、座談、演練等方式進行。

2. 參加三天半的研習會「有效管理」的課程。以中階或高階的經理人為對象，以發揮經理人管理風格，真正達到有效管理為目標。參考聰明(smart)的訓練原則，即能明確特殊化(specific)，計畫內容、時間運用和達成的步驟明確特殊化。可予以量化的(measurable)，如營利目標為每個月二百四十萬元，著作目標每年三本好書等。可達到的(attainable)，如預定年底達到目標。務實性的(realistic)，如打高爾夫球，六公里的行程，很少人一氣呵成，可分上下二場打完，打到第九洞時休息一下。計畫須具體的(tangible)（修自李淑嫻譯，1997）。課程以自我分析、與他人的交流溝通技巧、在組織內增進工作關係、個人與工作團隊的關係、工作團隊與組織的關係、建立個人的管理風格、臨機管理等為主題。

3. 參加為期一天研討會課程。例如：臺灣生涯發展與諮詢學會舉辦的組織生涯管理與諮詢研討會(2019/6/22)。生涯發展與職涯諮詢脫離不了產業組織，目前的生涯發展與職涯諮詢工作者，其訓練背景都比較偏向個體性服務與諮詢，對組織內部運作，尤其對組織生涯管理與諮詢議題，並不熟悉。參考國外最新進展與研究文獻，先提出研究報告，再展開課程研發，並進行研發成果發表，以期對臺灣生涯與職涯服務有所貢獻。採多元角度回應座談，邀請各界翹楚與會

討論，透過不同聲音的對話與碰撞，討論組織生涯管理與諮詢認證課程之效益價值（臺灣生涯發展與諮詢學會網站）。

四、掌握生涯營理的發展趨勢

個人一生善加規劃管理，就像一巧婦料理家事成竹在胸；也像股市分析專家，對股票市場瞭然於胸分析命中要害；又像工程技師對災區希望工程信心滿滿，留下深刻痕跡。生涯善加營理提前部署，圓夢成真。

（一）生涯營理的展望

1. 兼顧客觀和主觀的生涯

所謂「主觀的生涯」係指個人做生涯決定時的態度、感覺和知覺，偏重個人主觀的感受層面。而「客觀的生涯」乃指個人在作生涯選擇時可觀察的種種活動，如研擬的專業領域為何？工作的接受度為何？因應社會需求，生涯須做何種改變？偏重客觀可觀察的層面。若欲知曉人們在組織中如何發展其生涯，不僅知曉個人如何做好生涯決定，同時也知曉為何做那些決定，以及對其所做決定的感受為何？此說明主客觀因素都要顧及，才能相得益彰，相輔而行。

2. 組織和個人的生涯發展雙管齊下

組織的生涯發展著重組織如何規劃與執行用人、調任與升遷政策的事務，例如組織採用何種標準作為用人的依據，組織如何設計與執行生涯發展方案等。而個人的生涯發展則著重個人如何決定其職業領域，如何選擇第一份工作，以及其後如何決定更換職業或更換工作跑道。個人除了做好生涯規劃外，還須在組織中發展各人的專長，做好自己應盡的組織任務，並須協助組織認真做好生涯規劃，因為組織的規劃成功，個人參與決策規劃，榮辱與共。

3. 生涯和生命階段相融合

心理學家認為必須了解人們工作上的問題，才能真正解決其個人生命問題。同樣地，管理者必須了解員工的生涯發展階段，才能了解他們未來的事業發展，對其生命成長的助力。於是為了解個人對本身生涯所抱持的態度和知覺，就須了解個人在工作史中每一階段所面臨的挑戰，以及這些挑戰在個人生命成長中可能產生的改變。由此融合事業生涯和生命的成長，彼此分不開。

4. 生涯發展的理論與實務相印證

有些學者在建構個人生涯決策的理論模式時，並未檢視這些模式在工作實務上所隱藏的意涵。而有些學者則偏於實務清單，如何成就獲利達標的前提，以設計各種生涯策略。基本上，理論與實務應是相互配合的，若顧此失彼，則為偏頗不實的作法。

（二）生涯營理發展趨勢

1. 運用資訊傳播科技、人工智慧，解決員工生涯發展的各項疑難問題與接受任何挑戰考驗。

2. 重視就業與失業的心智健康(mental health)問題及所帶來的影響，注重身心靈全人整體的(holistic)健康。

3. 研擬生涯發展方案，在個人及組織中更廣泛地進行務實落地生根的工作，務使生涯發展有進度，有成效，能立竿見影。

4. 生涯決定若出現狀況，則可求助於日受重視有證照的合格生涯諮商員(career counselor)。並依問題的重輕，採取難易的生涯諮商(career counseling)。隨著經濟不景氣與失業率攀升，可預測未來研究生涯發展與生涯諮商的小團體，將如雨後春筍般地冒出。

5. 後中年期(postmidlife period)之生涯營理廣受矚目，如職涯高峰的維持、危機處理和轉機及退休規劃(retirement planning)，生涯進展維持穩實安定。

6. 在職場上，強調工作調適(work-adjustment)的因素，特別是生產力和品質提升有關的因素。而在工作調適研究和實務上，對決策過程相關因素的探討會愈來愈多，也愈需更費心營理。

7. 強調生涯發展文獻間的關係。生涯發展的理論與實務反映現象哲學的觀點（改自空大學訊 251 期）。假以時日須落實生涯文獻現象哲學實務化、生活化，能與生涯管理緊密融合。

　　由以上所論，可發現生涯管理的發展趨勢，乃是漸趨於多元化、整合性以及長期性。21 世紀 20 年代當下年輕一代的生涯營理正面臨嚴厲的考驗！須針對實情因應之。

（三）環保趨勢及科技發明

1. 注重環保。環境品質文教基金會在每年 4 月 22 日「世界地球日」，推廣全球性的環境保護運動。臺灣環境保護與經濟發展力求平衡，減低生活痛苦指數。環保強調永續經營，藍天綠地，監測空污，減少懸浮微粒(pm2.5)排氣污染(pollution)對人體危害。進而提升空氣品質，發展綠能，節省水資源，每一家庭減少垃圾、廢水排放、塑膠容器。做好水土保持、噪音管控，環保人人有責，不濫殺稀有動物，不濫墾，不濫建，實施垃圾分類，這樣人人才有美好生活。

2. 21 世紀 20 年代的科技趨勢。Gartner 在 2019 曾預測 2020 年十大科技趨勢(https://www.gartner.com/)，揭示未來 5~10 年將影響世界科技走向，包含超自動化、自動化物件、多重體驗、增進賦能、透明可追溯、邊緣運算、專業知識全民化、分散式雲端、區塊鏈應用、人工智慧防衛等。財訊（705 期，2024/2/16）調研發現影響世界的未來十大黑科技，涵蓋生成式 AI 與大型語言模型、量子技術、細胞療法、封裝技術、AI、完全自動駕駛、低軌衛星、核融合、氫能源等。騰訊 tech trends 2024 Top 10 分別為高性能計算機、AI 助手、機器人、AI 和基因編輯、遊戲引擎、腦機介面、沉浸式多媒體、衛星直連手機、電動垂直升降飛機、充電寶等。2030 科技趨勢全解讀：

元宇宙、AI、區塊鏈、雲端、大數據、5G、物聯網（金知賢，2022）。而華為(http://industry.people.com.cn/)發布全球產業展望報告，2025 十大趨勢：是機器更是家人、超級視野、簡化搜索、智能交通懂我道路、機器從事三高（高危險、高重複、高精度）工作、人機協創、人工智能大數據順暢溝通、共生經濟、5G 加速、數字治理等。運用新科技管理新生涯活動。

3. 新科技新發明。2019 年臺灣創新技術博覽會中，科技部和教育部共同成立創新發明館，集結各大專研發機構參與，以創新 DNA 夢想無界限為主題，展出智慧生活、智慧醫療、智慧交通和智慧綠能等創新應用技術，帶動未來科技夢想無限可能。如中研院發明的逆轉糖尿病的小分子藥。2024 創博會 10 月展示生成式 AI、半導體、資通訊、生技等領域，展現望新技術，見證台灣研發實力。2023-2024 年臺灣青年學子在各項國際發明展中再創佳績，共獲得 258 面金牌的肯定。獎項（僅列金牌）包括：2023 年「烏克蘭國際發明展」26 面；「波蘭華沙國際發明展」24 面；「韓國首爾國際發明展」23 面；「印尼發明家日」17 面；「克羅埃西亞國際發明展」32 面；「德國紐倫堡國際發明展」11 面；2024 年「馬來西亞 MTE 國際發明展」2 面；「俄羅莫斯科阿基米德國際發明展」37 面；「瑞士日內瓦國際發明展」10 面；「曼谷國際發明展」7 面；「羅馬尼亞國際發明展」27 面；「馬來西亞國際發明展」26 面；「波蘭國際發明展」12 面；「法國巴黎國際發明展」4 面。(https://www.edu.tw/News) 其他銀牌、銅牌不勝枚舉。青年創新研發，還會有更多發明聞名於世，展現新科技、新發明。

（四）教育發展趨勢

1. 因應 21 世紀教育變革。生涯管理須了解教育資訊。高等教育要採學年制與學季制並行，以提高學校資源使用效率，並縮短學習年限，以學分制取代學年學分制，學習規劃更有彈性。教育部參考新加坡模式引進國外一流大學來臺設分校，配合國際化趨勢並可提升國內

大學體質。唸哈佛、MIT，不必踏出國門。學校不只要教知識，更要教素養。根據國家發展委員會規劃，108 年入學的小一新生在接受完整的 12 年國教後，盼 2030 年具備雙語智能有國際競爭力。未來教育中，學生須具備批判思考、合作、對全球關懷的意識。

　　21 世紀智能手機可以快速取得「知識」，將知識變成「能力」、「素養」(competencies)。人類可以經由不斷的練習而成為專家，具有終身學習的能力。只要把孩子放對了地方，讓孩子天賦能夠得到發展。為孩子勾勒願景：適性揚才、終身學習，成就每一個孩子。人才須具備對人與世界的語言、自然與科學的數理、電腦與 AI 編程的基本能力。透過科技，AI、Big Data、臉部辨識系統等，將可創造「科技賦能教育」的新學習型態：「數字畫像」讓老師能夠從不同課程中認識孩子的潛能；「知識圖譜」將教材碎片化為知識，選點出難易度適合的課程；「智能學伴」根據學生本身的數字畫像，提醒課中學習及課後加強；「AI 助手」使教學者獲得人工智慧幫助，更能深入地認識學生。結合素養、語言、新科技教育起跑，直接受到衝擊與應對的是處在教育第一線的學校行政主管和老師，再來是學生 (https://futureparenting.cwgv.com.tw/)。當跳脫學科本位，回歸學子的學習與發展。勢須掌握教育發展生態，營理個人生涯，不斷發展知識、語言、良好態度，具備應對進退職場素養，才能穩操勝算。

2. 遠距教學升級。2020 新型冠狀病毒衝擊，境外學生無法如期返臺上課，遠距教學成了停課與否的關鍵平臺。臺灣微軟攜手產官學，打造遠距教學平臺，整合教育部雲端帳號，全國中小學不需申請就可免費利用。中港澳僑生不須購買付費直播軟體，讓線上學習不間斷，老師還能追蹤學生的學習狀況。目前網路無遠弗屆，學生口中的「上學」，可不是出門搭車去學校，而變成在家中隨時的「上機」。而課程的編排內容，也可以隨機、隨意按照自己的進度及喜好而選擇，不必行萬里路。從積極面來看，透過遠距教學，最好的師資可以從世界各地請進你的電腦成為你的個別導師。並且可以在電

腦上與其他學生一起參與腦力激盪深入討論。對不同程度的學生，有不同的輔助教材，因材施教的特色可以發揮得淋漓盡致。

　　當今 AI 走紅，數位、創新、雙語、人才發展均脫不了 AI。數位學習利用電子方式創造更具活力及啟發性的學習環境來進行學習。全家透過數位或遠距教學分享交流及溝通，避免人與電腦結合而疏遠了家人。當然學校仍舊有存在的意義，群育、體育、美育如樂團等，仍須透過人際關係才能正常發展。而且除了在網路上爭取好成績外，EQ 培養及學歷的認定仍須有更客觀的標準，需要機構整體規劃。教育除了讀萬卷書變成看 YouTube 下載分享萬卷影帶外，另一個「行萬里路」也有重大的突破。透過多媒體與電腦科技的配合，虛擬實境(Virtual Reality)的發展會愈來愈神奇。我們不必經繁雜的出國手續及長途的飛行疲勞，就可以選擇到世界各地去「實地」遨遊，在疫情及疫後透過虛擬飛行，隨時隨地就完成了「行萬里路」的宏願。而好老師必須也是好導播，要將他的課程內容技巧融入「節目」中，用生動的畫面、感人的情節，深入淺出自然讓學生津津樂道回味無窮。電腦是沒有國界的，學生也是沒有校界的，世界大同乃是必然的趨勢。而選擇能力和思辨能力要加強，挑選適合課程。網路教學課程的多樣化，好像進入一個大型百貨店，學生必須有好的導師來教他如何配合自己的興趣、性向及需要選擇自己適切的課業。學會如何抉擇、慎思明辨相當重要。面對多元文化教育，族群融合，尊重別人發揮創意，每個人有成功的特質及發展可能性，而創意發揮，遠距教學人機融合仍有待進展推廣。

3. 工作所需技能有國際視野即學即用。世界經濟論壇曾指出，2025 年以前，將有 9,700 萬個新工作問世，8,500 萬個工作消失。在轉眼之間，即將成形實現；工作所需技能的改變，其實也從未來式變成了現在式。如瑞典的公共就業服務局就運用各種求職廣告與工作趨勢文章中累積的大數據，抽絲剝繭出人們需要、即時又精確的新技能(https://reading.cw.com.tw/)。讓學生循序漸進地累積全球視野與思

考、跨國問題解決技能，也學到時時可以探索新知識、帶來正向改變的態度與能力。長期大量的學習行為資料數據之蒐集、分析、應用將大大提升學習成效，改善教學模式及落實適性教學。數據可以隨著學生到任何年級、課堂、學校運用，能有效地強化提供每個學生客製化的學習經驗。教育理論驗證過，一對一家教是有效的教育方式，現在的生成式 AI 教育工具，就可以轉換成蘇格拉底式的 AI 家教，具備同理心與引導力，是未來發展教育競爭力的關鍵。AI 賦能教育發展競爭力的基礎(https://official.junyiacademy.org/)、讓孩子不論出身，都有機會成為終身學習者的願景不再遙遠，因為沒有學不會的孩子，只是每個人都需要更適合自己的學習方式。

五、生涯營理學

　　中國特有的「生涯營理學」揭露中國先賢，在人生布局與生涯規劃的智慧。探索人事際遇、建構生涯願景，預測人生歷程的運轉軌跡與做好生涯準備。蘊藏豐富的人生哲學，個人的一生，可避凶趨吉，減少不幸，能體會「逆境必須埋頭，順境才能出頭」的積極人生觀。書云：「不知天命，無以理性安命」。可扮演生涯、心理諮詢的顧問角色。瞭解自己的天賦，明白人生歷程的起伏軌跡、進而正確掌握奮鬥的目標，做好生涯準備，能少勞多獲，成就人生階段的規劃。而個人是生涯的主人，人生也有涯，能管理自己的生命，使之充實有意義，生命管理學「就人類一生的階段過程視之，生命管理是融入生活的生命質素，是規劃生涯進境的階梯，是啟亮人生完整能見度的生命櫥窗」（劉易齋，2005）。探討生涯發展如何營理，從有關資料擬出一個簡明的模式，如圖 8-1 所示。個人未來發展牽涉四方面因素，若能掌握這些因素，化被動為主動，採取有效方式，各方面均衡發展，則可成善於營理生涯者。

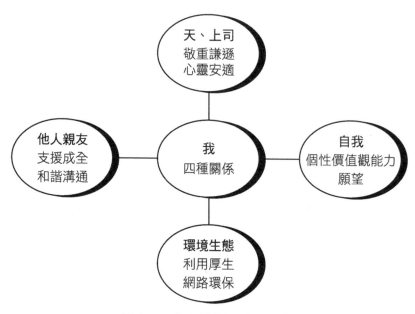

圖 8-1　未來發展四方面關係

　　圖 8-1 所列未來生涯發展歷程，若要達成每一階段的任務和目標，須同時考慮四個經緯向度及每一重點內涵。第一向度指的是「自我」，包括能力、性向、興趣、需求和價值觀等。第二向度指的是「我與親友的關係」，支援成全、和諧溝通等。第三向度指的是「我與天、上司的關係」：含敬重謙遜、心靈安適等。第四向度指的是「我與環境生態的關係」，利用厚生，網路環保。由此達成個人生涯發展階段的任務和目標。個人生涯在這四個向度的發展均衡整體，則生命管理得當，能安身立命，穩妥和樂。

　　在生涯發展中實現自我的歷程涉及理性思考作用，根據實證研究發現，在生涯發展歷程中，有一連串的變化，構成一發展系列，對個人生涯發展有重要影響作用(Giannantonio, 2006)。個人作決策時，受內外控人格特質之左右，以及決策論(decision theory)採決定模式之影響，如經濟學上揭示生計目標或職業的選擇在求得最大的收穫(maximize gain)和最小的損失(minimize loss)。個人能透過協助，預測每個選擇方案的結

果及出現的概率，然後選擇一個投資後能獲得最大酬賞及最小失敗的方案。因此決定的產生是一個選擇的過程。

　　一個人在正式進入工作世界之前，固然要接受學校基礎教育、職業準備教育或職業養成訓練。而在實際就業之後，仍須不斷學習，接受有關教育或訓練，如此才能因應各方面發展需要，逐步達成個人生涯目標。若要進一步分析，可將個人以職業為主的生涯能力發展的基本模式訂為：從幼稚園小學階段的生涯認知，到國高中階段的生涯試探，進而到技職大專的生涯準備，以至生涯建立與調適進展。

　　在技職教育的生涯營理方面，促進技職教育多元化與精緻化，建立技職一貫體系與彈性學制，以提升技職教育本質，落實職業證照制度。然後推動終身教育與資訊網路教育，健全終身教育法制，培養國人終身學習理念，統整終身教育體系，各級各類學校配合從事終身學習，建立回流教育(Recurrent Education)制度。成人離開學校已有一段時間，與學校的關係也疏遠，基於鼓勵成人終身學習，如果有機會再回學校重溫學生之夢，是一件有趣且有益的事情。凡此須培訓生涯管理的人才，以因應大學及科大之永續經營發展。當前大專面對招生人數逐年縮減，辦學永續經營受到嚴厲挑戰，若經營不善，未能永續發展，則勢必減班減系或關門大吉。學校須做好生涯營理，讓學生擁有專業外，妥製課程訓練培養第二專長，以應職場所需，發展長才。運籌生涯生計得營理時效。

 課後問題探討

1. 解說涯計運籌得營理實效之意義。
2. 生涯營理之重點何在？
3. 何謂終身學習？說明終身學習之現況及成效。
4. 簡述現代教育發展趨勢。
5. 未來生涯發展趨勢為何？何謂生涯管理學？
6. 舉例說明生涯營理可以掌握的學習資源。

生涯活動 ❶ 生涯營理與生命體驗

一、 討論主題：認識生涯營理離不開生命體驗，我們該如何珍惜愛護生命，並活出自我人生的繽紛色彩？

二、 活動方式：3~5 人為一組，分組討論生涯經營治理與生命體驗有何關連？想一想，在日常生活中是否表現熱愛生命之舉，抑或傷害生命，讓師長憂傷？如何珍惜與經營治理我的生涯，進而發揮生命之光與熱？討論完後，請各組派一代表總結報告。

生涯活動 ❷ 觀賞「為臺灣築夢的人」心得

　　請各位同學自行觀賞由天下雜誌影視中心錄製的「為臺灣築夢的人」記錄片，觀看完畢後，請選擇分享三位令你印象深刻，各行業生涯有成的人物（如：孫運璿、王永慶、張忠謀等）？了解他們如何經管其生涯？對你的生涯經管產生了甚麼影響？另可上網找尋不在紀錄片內的現代為台灣築夢的人，描述分析探討對自己的深刻影響為何？或者若有公播版可在教室放映，觀賞後寫下個人心得。

生涯活動 ❸　終身學習取得第二專長　討論分享

　　終身學習如同穩賺不賠的生涯投資，不論身為朝九晚五的上班族或是自由工作者，在事業生涯規劃的地圖上，你把自己定位在那裡？是攀登一座又一座的事業高峰，追求登頂的剎那快感？還是追求自我實踐，尋找生命活水源頭？終身學習企圖擺脫制式的教育體制，強調自由、彈性、興趣取向、心靈成長的體制外學習，以建立一個美麗的工作新世界。透過終身學習有了第二專長就如同有另一分身，如虎添翼爆發力無限！當站穩腳步，人生是充滿希望的。

　　請同學們搜尋相關網站，並參考上述有關終身學習的範例，為自己的前程規劃，你定位在那裡？可分享自己想法見地或分組討論。

Chapter **09**

撒活進修履
生涯教育

本章學習目標

1. 認識撒活進修履生涯教育之意義。
2. 知曉生涯自證預言之涵義。
3. 伸縮理想生涯邁向超越體驗之意。
4. 解析善用生涯科技優化科技生涯。
5. 分解生涯教育與訓練進修，伸出生涯的觸角，另
   類生涯營理。

Life-Career Planning & Development

【引言與摘要】

　　本章撒活進修履生涯教育，撒活或撒貨，亦作撒和(百度百科)，意指散步舒暢身心。出自《兒女英雄傳》：「借著出善會，熱鬧熱鬧，撒和撒和。」或餵養牲口。元王實甫《西廂記》：「頭房裡下，先撒和那馬者！」或擺設筵席款待客人。元鄭光祖：「先把新女婿撒和撒和，不認生。」推衍撒和或撒貨之義，藉進修訓練來舒暢身心，在生涯經歷進修訓練的過程，有時為聯絡友情善結人緣，而設宴款待客人使身體得滋養。履行生涯教育意謂在營理生涯的活動或措施中，接受生涯教育，除取得主要專長外，又伸出生涯觸角獲得第二專長。

　　接著闡釋生涯自證預言的理念，自證預言古已有之，吾心信其可行終必有成就。伸縮生涯理想實現之道，有抱負有理想有願景的生涯，人生朝正向至善發展。另述善用生涯科技，洞察科技的發展趨勢而善用之，優化科技生涯，科技為生涯效力，與科技融合為一。解析生涯教育與訓練進修，闡明教育與訓練的意義，生涯教育的意義及程序。伸出生涯的觸角，接受第二專長的訓練。在建教合作的組織內培養專長，利用組織的教育訓練方式，提出生涯培訓計畫。從另類生涯營理與適任工作之關係，闡釋生涯連結星座之意象。

第一節　闡釋生涯自證預言的理念

一、自證預言的含意

　　自證預言(self-fulfilling prophecy)在古時有一則典故，「塞翁失馬」出自淮南子人間，邊塞附近有戶善於養馬的人家，某天家中的馬兒忽然跑到胡地去了，鄰人前來慰問安慰。父親卻不在意地說：「這沒什麼好難過的，怎知不會帶來什麼好運呢？」過了幾個月，那走失的馬居然帶著一群胡人的駿馬回來，鄰人們前來道賀。但是父親卻說：「這也不必太高興，怎知不會是災禍的前兆呢？」果然不久，兒子在騎馬時跌斷了腿，鄰人們又趕來慰問。父親說：「腿跌斷了，怎知不是我們的福氣

呢？」過了一年，胡人入侵，當地年輕人都被徵召去作戰，大多數人不幸戰死，兒子卻因為瘸腿，保全了性命（參考教育部成語典）。從正面看塞翁失馬，塞翁好像料事如神未卜先知，說失馬豈不帶來好運，後來果然得了一群駿馬，驗中自證預言。之後得馬又說是災禍的前兆，兒子騎馬跌斷腿，果然也應驗自證預言。兒子騎馬摔斷腿，塞翁說是福氣，因禍得福，果然又自證預言了。自證預言可應用在生涯理念上，擁有真才實學，信心十足。在孫文學說自序：「吾心信其可行，則移山、填海之難，終有成功之日；吾心信其不可行，則反掌、折枝之易，亦無收效之期也。」《史記項羽本紀》中記載，項羽率領楚軍前去營救趙國，以解巨鹿之圍。渡過漳河以後，項羽讓士兵們飽餐戰飯，每人再帶三天乾糧，然後下令把渡河的船鑿沉，把做飯的鍋砸爛，表示有進無退、奪取勝利的信心。於是楚軍大受鼓舞、以一當十，經過九次激戰大破秦軍。不但解了巨鹿之圍，而且把秦軍徹底打垮，兩年後秦朝滅亡。到了明清時期，有人將驚心動魄的歷史，編成一幅盡人皆知的對聯：「有志者、事竟成，破釜沉舟，百二秦關終屬楚；苦心人、天不負，臥薪嚐膽，三千越甲可吞吳。」以古鑑今，若有把握信心，心有靈犀有預感定能找到適配的工作一展所長，後來果真如願，應驗正面的自證預言。從正面思考，常對孩子說積極鼓勵的話，久之果然表現優異。

自證預言說明個人對他人的期望，往往成為他人自我實現的預言，亦即個人期望他人成功，他人就會成功，相反的期望他人失敗，他人就會失敗，可稱期望理論，又稱比馬龍效應(Pygmalion Effect)。也許比作馬就像馬，比作龍就像龍，比作甚麼就像甚麼。可解釋一個人的信念或期望，不管正確與否，都會影響到一個情境的結果或個人或團體的行為表現，例如標籤某人為罪犯，而以罪犯對待之，那個人可能就傾向於他人期望而產生犯罪行為。教師對特定學生期望特定行為和成就，因為不同期望，教師會以不同行為對待學生，教師對待學生不同態度，使學生知道教師所期望於自己的是甚麼行為，進而影響學生的自我概念、成就動機與抱負。若教師對待學生態度持續一段時間，高期望學生將達高成

就水準，低期望學生則達低成就水準。學生的成就與水準會越來越接近當初教師的期望。因此教師對學生的學習行為與表現具有很大的影響。態度決定行為，保持積極、奮勇向上的精神，若出現悲觀、敗北思想，終究會窒礙個人生涯成長。有信心加上適度期望，則正向自證預言。

二、生涯心想事成

美好祝福「心想事成」，心想就能事成嗎？近年來，大批心靈勵志書提出吸引力法則，成功學上有這樣的說法：世界上約有 96%的財富掌握在 1%的人手中。這些 1%的少數人明白某個祕密，運用吸引力法則提升氛圍，為自己帶來更多的財富。人們利用情緒感覺影響想法，透過不同的實踐方式讓想法自行實現，達到事成的目標。上述比馬龍效應，如同故事中的比馬龍對少女雕像懷抱強烈願望，而雕像最終如他所願變成真人。內心常帶著正面期望，如我有自信心，就算難事也可以作好，則容易成功。當人做成了一件事後，就會產生成就感，他自然就會流露出自信，從而產生積極的氛圍。若人沒有外在好事的刺激，透過改變自身的認知，也可以讓氛圍變得積極更加自信。積極的心理暗示，能幫助被暗示者穩定情緒、樹立自信心，從而戰勝困難，消極的暗示會給被暗示者帶來恐懼，甚至對身體造成不良影響。心想事成或夢想成真、如願以償已流傳上千年，每個人都渴望自己事業成功、家庭美滿、一生過得無憂無慮。「先堅定思想信念，產生強大信心，成為一個樂觀主義者，然後發揮孵夢做白日夢、以心造境的能力；一旦思想前進的方向對了，情緒的推動力有了，想像力的藍圖完成了，最終採取相信的行動，還有什麼夢想不能成真呢」（修自 https://www.seth.org.tw/）？想從事的工作，想過的生活，心怎麼想事就照所想的成就了。如經書所說：說有就有，命立就立。前舉塞翁自證預言和比馬龍期望實現雖中外有別，期望自己或他人也有差，而基本上都應驗了，生涯規劃心想事成、夢想成真、如願以償，信心的效力是蠻大的。

第二節　伸縮生涯理想邁向超越體驗

一、超越體驗

　　馬斯洛的需求金字塔，也稱為需求層次理論，很多人都曾經讀過，也被許多生涯規劃專家拿來使用，發展成檢測自己人生階段的指標。當底層的生理需求獲得滿足，人們會往上追求，希望獲得安全的環境；安全了，就會想在群體中找到歸屬感；接下來，會想獲得敬重與尊嚴；最後是實現自我理想、發揮潛能，成為自己想要成為的樣子。不少學者都認同，達到自我實現，才能造就理想、優質的人格。不管東方或西方，在生命中找到突破自我、發揮潛能的領域，也能大大提升個人對生命的滿意度。根據馬斯洛晚年指出金字塔盲點，自我實現並不是金字塔的頂端，達到自我實現後，還有更高的超越(transcendence)。超越個人為出發點來思考，甚至是利他的。最頂峰、也最全面的愉悅，此時一個人所關注的事物，會完全超越其他的層次，超越會創造出真正的高峰體驗或經驗(peak experience)，那是一種「視野無限寬廣的感覺」。當一個人進入高峰經驗，就更容易與外界的人事物融合在一起，比如一對愛侶合而為一、創作者與自己的作品融合為一、母親感覺與自己的孩子是為一體，都是高峰經驗（參網康健雜誌，2022）。自我實現的需求是在努力實現自己的潛力，使自己越來越成為自己所期望的人物，不斷充實自我、持續成長、學習創新。在生涯發展上仍需要再接再厲，不斷挑戰自我，達到超越頂峰體驗。或許是達到靈性需求滿足的境界。

二、生涯超自我實現

　　伸縮生涯理想實現之道，若有抱負理想和願景的生涯，則人生朝正向至善發展。達到靈性需求滿足的境界，超自我實現(over actualization)是馬斯洛在晚期所提出的理論。當一個人的心理狀態充分的滿足了自我實現的需求時，所出現短暫的高峰經驗，通常都是在完成一件事情時，

才能深刻體驗這種感覺，通常出現在藝術家或是音樂家身上。如一位音樂家在演奏時，感受到的「忘我」的體驗。藝術家畫圖時，感受不到時間的消逝，在畫圖的每分鐘，跟一秒一樣快，但每秒卻活得比一個禮拜還充實。當我們凝視浩瀚的星空、廣闊的海洋、壯麗的風景時，那種心曠神怡高興到忘記自我的同時，又認知人渺小而生恐懼的「敬畏感」，就是一種高峰經驗。馬斯洛認為「超越」是不容易達到的狀態，想要達到這一步，還得先解決對安全感的需求，然後透過多探索、多愛、多尋求目的，之後才能向著「超越」邁進。真正自我實現是獨特、不可被取代的，只有我可以完成的事。是核心的自我，符合生命的本質，且不會因為時間流動而消逝。能發揮影響力，並非只對自己有影響力，也對他人，至少自己關心的人產生力量。同時與自己密切相關，內心渴望自己真正在乎的事物，或想要成為的自己。自我實現重視的是過程，而非用結果代表一切。Kaufman(2021)於《顛峰心態》一書重新詮釋自我實現理論，自我實現在人的一生中會不斷更換，且不一定要完全滿足低層次需求才能到高層次需求；每個人的自我實現需求是不同的，不一定都放在高薪或高學歷；除自我實現外，Kaufman (2021)也提出帆船、成長和超越的概念。Kaufman(2021)也認為每個人都有能力達到自我實現，但其最大阻礙是大部份人都花太多時間注意自己的不足，而未能成就真實自我。他認為追求自我實現的過程，不會總是擁有幸福，可能也會感到體痛與心痛，需不斷走出生活舒適圈，付出勇氣克服困難危急，才能成為最好的自我。超越需求凌駕於船體、風帆和自我實現之上，超越需求類似天人合一概念，能靜觀萬物的變化，接受自己的完美和不完美，達到人生內在心靈及外在事物最高的和諧。引用曾國藩所說本色做人，角色做事；若再加上特色造局的職涯設計，則可打造理想的生涯。而理想的生涯是超越的需求滿足，超自我實現或超越自我體驗天人和諧合一，此為邁向生涯功成要經歷的高峰或頂峰經驗。生涯超自我實現或自我超越可伸可縮，能屈能伸，怡然自得，體驗人與自然和諧一致。

第三節　善用生涯科技優化科技生涯

一、生涯科技與科技生涯

　　正如教育科技與科技教育意義有別，生涯科技與科技生涯也有別。生涯科技可視為在生涯教與學過程中對科技的學習與應用，強調如何讓教學更具成效，而延伸出科技生涯。科技生涯可說是探討科技的系統，涵蓋科技在生涯上的影響與衝擊。除生涯歷程中所採用的科技工具有助生涯發展外，生活上還有許多的科技，例如生物醫療、資訊傳播、運輸營建、能源農業等科技都需要透過生涯的歷程，培養國民應具的科技素養。科技生涯充分運用生涯科技產品，而生涯科技應備的能力是加強對科技的認識與運用。在抗疫期間生成式 AI 用在生涯科技升級，遠距教學的硬體需求可衝高生涯教育科技的熱度，既有技術搭配 AI 達到加乘效果，成為擴展應用在生涯網繆的利器。生成式 AI 在 2022 底問世，大幅翻轉 2023 的數位生涯教育發展。在 2024 年，面臨數位生涯教育的挑戰與關鍵議題（修自 https://flipedu.parenting.com.tw/）。重視生涯科技大數據，避免演算法的偏見。使用生涯科技的過程中，不斷檢視系統產生的建議，以及學生的學習狀況，並視實情與需要修正。全力培養生涯工作者的數位素養，探索科技生涯工作的新職涯路徑與技能認可形式，提供生涯工作彈性、靈活取得培訓機會。自 ChatGPT 爆紅以來在生涯應用也多有討論。期待生涯歷程發展的過程運用許多科技工具或產品，以提升生涯規劃能力，改善生活品質，使人生朝向樂觀正向的發展。有了這樣的生涯正向發展，進而產生有科技素養的多元生涯，不拘在謀職工作上，同時在學習溝通、理財旅遊、婚姻家庭等生涯領域廣加開拓。

二、善用生涯科技

　　生涯科技產業在數位教育與轉型扮演關鍵的重要角色。生涯應用 AI 提供更個人化學習與體驗。在生涯教育常用的科技工具產品，如線

上學習平台、生涯即時問答軟體、互動式學習、遊戲式學習等。2025後疫情時代的來臨，意味著生涯科技將更廣泛佔有我們的生活。因應當前學習趨勢，數位科技是幫助孩子探索世界甚佳的學習工具，數位工具和數位資源為學習帶來更多的可能性，尤其當前全球許多頂尖學校當開設了線上課程，青年人對生涯領域的認知、生涯的探索，隨時可以避免沉迷於網路暴露隱私與霸凌。而在《經濟學人》雜誌新一期封面故事裏見識(https://tw.news.yahoo.com/)，當今科技狂潮將對未來就業市場產生巨大的衝擊，據牛津大學一項新研究顯示，未來 20 年，大約一半的現有工作可能被自動化取代。建議各國政府應未雨綢繆，革新國家教育妥善因應。科技進步雖讓世界變得更好，但對許多工人而言，他們可能未蒙其利而先受其害。在過去 30 年中，數位革命浪潮已取代許多中等技能的工作，譬如打字員、票務代理、銀行出納員，以及許多在生產線上的工作。科技浪潮對勞動市場的衝擊，首吹向富裕國家，終掃向窮國，無人駕駛汽車或人工智慧家居產品，這些所謂的創新科技都可能消滅一大堆現有工作。許多人可能擔心飯碗不保，最有風險的工作大多處於社會階梯的底端，譬如物流和倉儲；而最不易受自動化影響的技能則多位居高端，譬如創造力和管理專業知識。在未來的世界，我們不該退化害怕機器大軍，只要有愛溝通同理心理解力，還有創造力靈巧性等不怕被人工智能取代。未來較無憂的職涯志業，如心理醫生、物理治療師，以及護理師、智能研究員工程師、教師、科學家、管理者等，都需要善用科技創新產品，營理個人未來生涯。

三、優化科技生涯

　　從優化財富來看，進行財務規劃就如同建造房屋須先打好地基，月薪不僅支撐你的生活需求，也為財務規劃提供必要基石。理財有如一個試煉場，引導我們跨入人生的下一階段，並實現更多元的可能性。已有堅實的地基，在此基礎上想要建構怎樣的「房屋」。若沒有精確的生涯規劃，就無法設計出合適的理財策略。賺取的金錢不僅是對社會貢獻程

度的體現，更是生活質量的指標。理財和投資是一種財務規劃，也是生活的重要組成部分，和日常生活息息相關(https://vocus.cc/)。生涯規劃優化未來想像與生涯進路。教師面對自主學習的教學，需要更多實例與經驗，為優化教師自主學習教學力，讓教師、家長及學生了解自主學習對於未來生涯發展的重要性，以重視自主學習。教師提升自主學習力，可利用夥伴關係、學習環境、善用科技、實施教學與學習評估（台灣教育評論月刊，2023/12）。人憑著創意不斷推陳出新，而科技產品日新月異，蔚為一股創新潮流，為人提供應時的協助，提升生活品質生涯水平而效力。所以科技生涯顯示時下青年一窩蜂追求高科技產業，能擠身執行高科技創新的一員是無可厚非，此為科技生涯發展的趨勢。自從臉書(Facebook)的創辦人祖克柏在 2021 年 10 月底宣布將公司更名為 Meta，要將臉書轉型為元宇宙(Metaverse)公司，搜尋量大增，成為當下熱門的話題。Metaverse 事由 Meta（超越）及 universe（宇宙）組合而成，譯為元宇宙，或可譯為虛實平台或虛實空間，讓人們可以與身處不同物理空間的人交互的虛擬空間，包括社交活動、工作、娛樂、學習和創造等多種可能性(https://www.eventx.io/)。由於疫情的關係，人的生活方式大改變，多數人不出門、需要遠端工作，造成在虛擬世界的互動需求大增，因此疫情成了元宇宙發展的重要推手。數字化的虛擬空間，是由網路生成的世界和現實世界相互結合，為我們提供交互式體驗。而隨著元宇宙技術的成熟，對未來的生活方式、交流社交、娛樂媒體、工作教育產生深遠的影響。可以通過虛擬現實技術在遠程合作提高工作效率，更具互動和沈浸的教育體驗。彭博經濟和彭博情報(2024/11/1)發表更新報告，顯示「中國製造 2025」，13 個關鍵技術領域的追蹤結果，在無人機、太陽能板、石墨烯、高鐵及電動車和鋰電池等五項關鍵技術領域領先世界，科技生涯優化，可透過領先科技產品為生涯生活效力，與科技融合為一。

第四節　解析生涯教育與訓練進修

一、教育與訓練的含意

（一）教育、訓練的分野

在「教育辭典」中對教育與訓練的定義有別。「教育乃是個人經由所有的歷程，以發展其對社會具有積極價值的各種能力、態度及其他行為之總和。」「訓練乃是一種特殊之教學，在此一教學過程當中，其目標訂定得極其明晰，且目標之達成與否通常較易顯現出來。又訓練通常要求達到某種程度之嫻熟。而欲達此嫻熟之境，則有待學生反覆練習，以及教師對於學生已呈現進步之表現能力，加以指導與評估。」

教育和訓練在性質上、目的、範圍和歷程上顯然均有不同。馬戲團裡的馴獸師可「訓練」獅子跳火圈、鸚鵡駕駛模型汽車、大象跳土風舞等，這些我們都不認為是一種教育。在方法上，訓練多半是採用控制式的、灌輸式的、單向的模仿或機械的行為制約反應方式，來達成特定的學習。而教育則採用開展、啟發、激勵和鼓舞的方式。

（二）教育的規準

依英國觀念分析學派皮德思(R.S.Peters)的說法，教育視為一個任務成就(task-achievement)的概念；教育是多樣態的歷程；教育即是啟發。任何教育的活動或歷程，要符合三項規準：1.有價值的活動。教育是一種價值的傳遞與創造，任何教育活動都不能與道德規範相悖。2.合認知的意義。教育的活動要注重原理原則的瞭解與洞察，要合於真理的規準，求真求實，具有認知的嚴肅性。3.是自願的歷程。教育不是強迫的灌輸，而是要合於身心之發展、意志之自由、學習者內心自願性的活動（修自郭為藩等《教育學新論》，1988）。

　　教育要藉助於訓練，才能達到潛能的開發及人盡其才的目標；而訓練須符合教育的規準，才能發揮自我效能。雖然教育和訓練在性質上、目的、範圍和歷程上顯有不同，但二者在功效上，其實可以相輔相成。

二、生涯教育的意涵

（一）生涯教育的起源

　　生涯教育(career education)，係 1971 年由曾任美國教育署長的馬連博士(Sidney P. Marland)提出的一種創意構想，認為生涯教育是全民的教育，從義務教育開始延伸至高等及繼續教育的整個過程。這種教育同時具備學術及職業功能，升學及就業準備，它強調在傳統的普通教育中建立起職業價值，其目標是培養個人能夠創造有價值的人生，這是發揮教育真實價值的整體構想。生涯教育理論上應該連貫幼稚園到成人階段，成為教育歷程中不可缺少的一部分。將生涯概念納入現有的教育課程中，一直被認為是達成生涯發展目標最可行的辦法。生涯教育不只是傳統的課程增加一個額外的項目，而應將生涯的理念融入現有課程中。

　　生涯教育改革傳統教育之缺失，一般傳統認為「萬般皆下品，唯有讀書高」，讀書是為了「一舉成名」獲取功名利祿，而對整個生涯發展並未顧及。當前大家認同教育應兼顧生涯的發展、態度和價值。生涯教育的主要目的是讓每一個體都能為未來的生活和工作做好準備。這是一種必要的教育策略，將教與學的活動納入生涯發展的概念之後，可達到提升教育成果的目標。生涯教育可將學術世界擴充到工作世界。其範圍含蓋從早期童年到職場工作年齡整個歷程的教育經驗，課程包含對工作世界的認識，職業方向，專業及非專業職場，對選定職業類群的深入探討，生涯的準備及對經濟體系中各工作和安置情形的了解。同時讓學生了解自己的能力、興趣、價值觀及決策技巧。

（二）生涯教育的理念

　　生涯教育的理念乃在滿足人生中各個不同階段的學習需要，對於教育、職業、休閒的時間分配，作彈性的安排，並重視德智體群美五育的平衡。倘能透過「生涯學習」制度化的途徑，將更能迅速提供大家一個高品質的社會和快樂充實的人生。當前生涯教育或學習，以日本而言，從理念的引進到政策的實施，已從理論階段步入實踐的時期。為使每一個人隨興隨時隨處都能有學習的機會和學習的環境，進而建立全民生涯學習的體制。國內空中大學秉持生涯教育不斷學習的精神，不受年齡的限制；而社區大學的設置著眼於全民教育理念的推動，發展茁壯，如雨後春筍般為生涯教育提供善策良方。而在學校教育方面應重視教導學生有自主學習的意志和能力，如此進入社會之後，才能繼續在社區大學進修學課，不斷保持主動學習的精神。

（三）生涯教育的發展

　　教育部於 87 年 9 月 30 日公布「國民教育階段九年一貫課程總綱綱要」，103 年 11 月 28 日發布 12 年國教課綱，106 年 5 月 10 日修正發布課程總綱。確定「生涯規劃與終身學習」為國民十大基本能力之一。然後在資訊、環保、兩性和人權四項重要課題外，增加生涯發展。生涯發展課題基於九年一貫課程之精神，為確認一至九年級學生所應具備之生涯發展核心能力及融入各學習領域課程之方式。90 學年度開始實施九年一貫課程，有助於生涯教育的發展。108 學年度起逐年實施 12 年國教課綱，生涯發展融入各級教育之中，配合中小學生涯成長期、建立期的發展，實施生涯教育。建議融入之領域/科目：綜合活動領域及高中生涯規劃課程等，引導學生適性發展，開展生涯願景，並陶冶其終身學習的意願與能力。

　　生涯教育的發展從 1850 年代起，因工業革命的衝擊，使許多國家產生社會及工作環境上的重大改變。迄今 2020 年代，許多學者對生涯教育發展進行大量廣泛的研究，也出現許多不同學派的生涯模式及理論

導向。然而人的發展並非是獨立、分離的，因此從一個階段轉換到另一個階段的過程中，須建立一有效的生涯發展任務。期望學校中生涯輔導的發展型態也能有多元化的思考角度，使教育策略將生涯發展的概念融入教導及學習活動中，將學術的世界延伸到工作的世界，以幫助學生獲取學術與職業的基本技巧。

推動生涯發展教育可建立指標，如行政工作推動、教師專業提升、課程教學規劃、生涯試探選擇、生涯進路支持等（謝旻蒼，2023）。確保生涯發展教育推動之成效。生涯發展課程對學生生命意義感有顯著立即性效果。有助於建構正向生涯發展與生命意義感（沈芳賢，2022）。教師將生涯發展課程有關的活動融入傳統的學術科目中，譬如知情意行並重的生涯教育活動方案，實驗教學符合學生學習需求，配合導師的班級經營策略，有助提升學生學習表現（修自黃微清，2004）。知情意行並重的生涯教育，課程活動的豐富化，使得學生更加了解職業選擇及學校所傳授的知識、技術和生涯選擇之間的關連；能在學期間不斷成熟發展；也使生涯發展的概念能受到普遍的重視。

（四） 生涯教育的階段程序

學者對於生涯教育課程的內容和程序未有一致看法，但都同意發展概念是生涯教育的基礎，因而一致認為生涯教育是一種發展性的課程，每個人都依一定順序由課程中得到一些學習經驗。五個生涯教育的階段都是以年級和一般特徵來描寫。

1. **生涯覺醒階段**—幼稚園到小學六年級，重視自我、職業角色、工作的社會角色、社會行為及應負責任等的覺醒。對生涯歷程和發展必須有所自覺，一個廣泛的自我了解是要透過各種學習活動和經驗。在這個階段，教師提供學生某學科領域的學習回饋，經由教師的反映指點，學生可更加明瞭個人的技巧、興趣和價值，因而許多課堂的活動，可以提供不少增進學生自我了解的機會。

2. **生涯探索階段**—國中、高中職發展有關自我和工作世界的概念及基本技能；生涯知識、決策技能和其他生涯選擇的重要因素。對個性特質、興趣、能力、價值觀的探索，以及對就業市場的認識，視為必須戮力為之的歷程。

3. **生涯定向階段**—高中職、大專發展進一步的職業知識，評介謀生工作角色，發展工作的社會及心理層面知識。澄清自我概念，述說社會可接受的行為，了解生涯計畫的基本經濟需求。主要課題是在獲得職業知識和決策技巧。

4. **生涯準備階段**—大學技術院校養成專業知能，進入一個行業所需的知識，工作道德，了解工作的社會和心理因素，做好職業生涯準備的工作，澄清可能就業的方向，進行相關技巧和活動。澄清對代表性職業的興趣和性向；探討職業偏好之後的連續行動結果。

5. **生涯確認階段**—大專學成之後，強調興趣和技巧的進階發展，並準備好進入選定的職業。建立生涯目標的評鑑標準，進而探索興趣及性向並重新認定職業選擇；發展生涯專長技能知識及優質的人際關係；正式進入選定的教育或職業旅途。

三、伸出生涯的觸角

（一）第二專長訓練

擁有一技之長找出職場定位，而第二專長有助突破職涯困境。第二專長可為你的職業生涯加分，然先得紮根你的第一專長。學子生活在科技資訊發達的社會，應充分運用廣大的學習資源，擴大個人度量及認知領域，以謀求個人生涯發展和成長。而為因應近來科技之快速發展、社經結構及就業市場之不斷變動、開發國民職業能力、增進工作轉換之能耐、實現個人的生涯發展目標，於是社會人士大力倡行第二專長訓練。

接受第二專長訓練確有其必要性：首先，第二專長可增強競爭力，現在社會的競爭越來越大，擁有多方面的專長成為提高自我競爭力的表

現。以目前的職場生態來看，有能力比有學歷要受歡迎。再者，由於疫情當道經濟不景氣，經濟結構的調整或改變，原有職業知能失效，須學習新的職業知能。其次，人力培育與就業市場需求失調，新科技的發展運用，改變或取代了原有的生產技術，因應科技發展及經濟結構轉變之就業需要，防範經濟不景氣導致之局部或立即的失業問題，鼓勵失業者或其他原因退出就業市場者重返就業市場，而須接受另一專長訓練。此外，各行各業優勝劣敗，遭裁員者須另謀他就，可藉著另一專長開創生涯第二春以滿足個人發展所需。同時，有在中途退出職場相當時間後，復出謀職，重新出發，因此須學得欲前往應徵的該項產業專長。可協助剛畢業學生順利進入就業市場。

第二專長訓練與其他訓練有別。首先，第二專長訓練是在原有工作之餘，騰出部分時間培養新的職能，或在失業後退出職業再出發，訓練時間及課程較短，不同於養成訓練著重第一種職業知能的培養，在正式進入職業之前，以長期密集式訓練為之。其次，第二專長訓練重在開發拓展在職和非在職人員新的職業知能，不同於進修訓練著眼於充盈升級一個人原有的職能。此外，第二專長訓練側重積極防範失業於未然的策略，以社會新鮮人、在職人員或退出就業市場復出者為訓練對象，不同於轉業訓練消極解決問題的措施，以實際或潛在失業者為訓練對象。不過第二專長、轉業訓練性質相近，同屬能力再開發訓練的範疇，也以更新職業知能為目標。

（二）第二專長訓練實例

一技之長是你熱愛，且專業可以延伸。假設你熱愛跳舞，發展舞團團隊品牌，製作其他相關周邊商品，教導他人成為老師，舉辦活動等，都可以是相關的專業衍生。媒體時代越能夠展現自己熱情的是職業，培養第二專長，成為人人都必須進化的功課。依維基百科說曹操，多數人只會用一句話形容他，可能是謀略家，或是詩人。其實曹操是個軍事家／政治家／文學家／謀略家／詩人，可說是一個斜槓古人。說到斜槓源

自於斜線／即英文 slash，專欄作家艾波赫(Marci Alboher)的(Multiple Careers)，譯雙重生涯，描述愈來愈多擁有多種職業身分，每當人問到「你在哪裡高就？」時，很難用一個詞彙完整介紹自己工作，而名片會用「斜槓」表示自己的多種身分，如音樂家／詩人／諮商師／學者。不過也當慎用之以表虛懷若谷，不斜過其實較好。

　　行政院相關部會，與大專院校聯合辦理大專畢業青年第二專長補充訓練班課程，如電腦軟體工程師班、廣電人才培訓班、企業行銷人才培訓班、網際網路工程師實務班等。由於新冠肺炎疫情導致經濟不景氣，失業率攀升，現後疫情時期，接受第二專長，甚至第三、第四專長訓練。主要考量是萬一第一專長無用武之地時，第二專長馬上可以派上用場。2025 年利用在職進修發展第二專長，政府有補助訓練課程，可參考勞動部、人力銀行相關網站，掌握未來發展方向，讓專業再延伸。

（三）在組織內培養專長

　　學校固然可培養專才以應社會所需，事實上人事供需情形不一定能契合，因此各行各業在招募人才及在職訓練方面，仍有助於個人專長之進一步培訓，俾能知人善任，人盡其才，才盡其用。而個人事業生涯的發展多半要在某組織或公司企業內進行，企業組織往往要訓練員工發展長才，以求突破業績瓶頸，提高工作效率。建教合作企業機構會主動為員工辦理訓練，或提供相關的學習活動，著眼於因應科技發達，訊息增長一日千里，因此個人稍一疏忽不顧，可能就跟不上潮流。而且以往所學的，過了幾年就被汰舊換新，於是各公司組織無不藉助訓練員工，引導員工汲取新知或訓練員工使用新器材，以適應變動的社會。同時為滿足組織和工作所需，組織的發展和有關工作的推動，均需有人力資源的充分配合。企業機構為員工辦理訓練，即在讓員工有充電的機會，充實及儲備可資運用之人力，有效達成組織發展的目標。為激發個人潛能充分發展，透過訓練可讓員工發掘個人潛能，並協助他開發運用。個人藉此獲得充分學習機會，且能在工作中不斷成長，在競爭中求突破，在穩

定中求發展。尤其同行顧及現實利益及企業責任，須為員工辦理訓練，以求突破困境，並趨於穩定成長，有望成為同業中之翹楚。

（四） 組織的教育訓練方式

為配合組織發展的需要，員工規劃個人生涯之前，要充分了解及配合組織本身的發展需要，此為組織內整體人力資源規劃和發展之基本模式。有職前訓練，以盡早適應組織環境和工作。管理訓練增強員工管理才能，一般訓練因應工作過程中組織和個人需要。目前企業界領悟協助員工終身學習是企業成功的關鍵，常用的訓練方法，有公司內部的教育訓練，有參加外部的訓練課程，也有委外教育訓練公司。之前的訓練方式，有工作場所內的訓練及工作場所外的訓練（李再長等 1997，工商心理學）。在工作場所內的訓練，例如工作崗位上的訓練，工作經驗的累積與學習；靠近生產線的走道或空間訓練法；工作單位輪流受訓；採師徒制訓練。另有補習(coaching)；接替或候補計畫、計畫指派、任務編組、工作會報、資料研讀等。在工作場所外的訓練，例如講演法，視聽法，研討法，編序教學法，電腦補助教學法，模擬法，角色扮演，敏感度訓練等皆可用。另如企業單位自行辦理的教育訓練、參加研習活動、進入國內學校進修、派赴國外進修等。在很多企業機構都有為員工辦理訓練的教育中心，負責規劃。新進員工的在職訓練，新進員工均須至中心接受為期一至二個月的全日密集式與工作相關職前訓練。所有員工從辦事員至高級主管，均須定期至中心接受進修訓練。訓練內涵以專業技能、企業經營及管理知識、人際溝通為主。

（五） 生涯培訓

在培訓專長之生涯發展上，學校固然可培養專才以應社會所需，事實上人事供需情形不一定契合，因此各行各業在招募人才及在職訓練方面，仍有助於個人專長之進階培訓，俾能知人善任，才盡其用。如主管告訴員工必須利用晚上時間去參加為期三週的在職訓練。許多企業的訓練重量不重質、忽略員工自身的成長，造成員工怨聲載道，因此重視員

工潛能開發的自我認知訓練便取而代之，成為時勢所趨。自我效能可以提升員工工作的自信心，激發員工工作的動機，進而提高工作的績效，已引起大家重視。例如：壽險業的訓練活動可了解自我效能與績效間的關係。近年來物流管理業發展茁壯，員工線上學習蔚為風氣。研究發現（蘇雅頌，2006）現場管理服務人員認為線上學習對工作有幫助，對線上學習輔助在職訓練的方式持肯定態度，也對線上學習的成效感到滿意。線上學習系統或可作生涯培訓參考。而同儕關係、師生互動、打工與線上學習意願對五專生線上學習成效具有影響（熊漢琳，2024）。在校學習線上輔助是一趨勢，而在職場上員工透過線上學習可提高工作效率。不拘是實體正面或線上輔助學習皆可培訓業界需要的人才。

另生涯培訓以麥當勞為例，從計時員工到高階主管，結合他們的職業生涯規劃，有著不同的培訓計畫(https://wiki.mbalib.com/)。通過各區域的訓練中心以及漢堡大學進行階梯式培訓，使麥當勞員工能持續不斷學習、成長。麥當勞非常重視員工的成長與生涯規劃，在培訓技術上投入巨資。麥當勞的計時員工分為服務員、訓練員、員工組長與接待員。麥當勞為何要培養他們？為何給他們這麼多訓練？除了傳遞全球一致的產品與服務以外，更重要的是促其員工持續不斷學習，最終成為一名國際型企業的優秀員工。

另以國防役的生涯培訓為例，其培訓有關訓儲人員，重點在專業知識的增進、人際溝通與團隊合作、科技管理知識與實務、各式活動或專案之籌辦。各方面的訓練，使訓儲人員未來可擔任專案經理、企劃人員、科技管理人員等職務，於民間企業研發部門或政府機構企劃幕僚單位，都十分適合發展。內政部役政署研發替代役制度，讓碩士學歷以上役男投入用人單位，繼續從事研發工作。產業界亦可運用優質穩定之研發人才，提升產業整體研發技術能力。可諮詢網站，內政部研發及產業訓儲替代役資訊管理系統。

生涯培植訓練是針對當事人職場需求以提升專業知能、人際溝通與實務技巧而培訓，乃對自我能力的挑戰與磨練，不能等閒視之。

四、另類生涯營理與適任工作

　　另類生涯管理，透過星座文化、命理哲學，了解自己的星座或命理特質，規劃發展職業生涯。參考相關網站，生涯抉擇決定適合的職業，善加營理，可成術德兼修的生涯主人。西洋星座水瓶座(Aquarius)具有前衛創新思想、樂於助人、富於社交互動，可從事的工作，如藝術家、設計師、心理學家、攝影師、律師等。雙魚座(Pisces)溫柔纖細、慈悲為懷、富有想像力，較不切實際，可從事的職業，如音樂家、舞蹈家、小說家、攝影師等。白羊座(Aries) 鬥志旺盛、膽大冒險、激進熱情、可從事的職業，如現場採訪記者、演藝人員、程式設計師、外科醫師等。金牛座(Taurus)講求實際、高貴優雅、熱愛大自然，可從事的工作，如建築師、庭園設計師、稅務師、經濟顧問、雕刻家等。雙子座(Gemini)熱衷學習、聰敏靈巧、善於口語表達，可從事的行業，如廣告企劃編劇、翻譯員、業務員等。巨蟹座(Cancer)溫馴含蓄、敏感多愁、包容力強，適合從事的工作，如醫師、教師、廣告設計師等。獅子座(Leo)相當自信、重視表現、熱情待人、坦白無私，可從事的行業，如電視節目製作人、企業經營者、造型設計師等。處女座(Virgo)追求完美、過分挑剔、富批判性，可從事的工作，如評論家、會計師、研究員、新聞分析員等。天秤座(Libra)謙虛有禮、適應力強、負責任、有美感意識等，可從事的工作，如服裝設計師、營養師、美容師等。天蠍座(Scorpio)意志堅強、精力旺盛、性情多變、神秘有個性，可從事的工作，如律師、工程師、作曲家、考古學家、命相家等。射手座(Sagittarius)慷慨大方、機伶風趣、富正義感，可從事的工作，如貿易商、教師、登山員、佈道家、旅遊業者等。而魔羯座(Capricorn)堅強不屈、刻苦耐勞、富有野心，可從事的工作，如科學家、商人、公務員、建築師等。

　　以上所論另類生涯星座，提供生涯適任工作考慮個性隨星座不同而異其趣，如同我國十二生肖和職業、婚姻、命運的關係。至於坊間所謂紫微斗數、手相面相、民間算命之類的說法，僅供參考。若缺乏科學根據，難登學術殿堂。依 1995.1.20 英國皇家天文學會會員指出以十二星

座來推算命運是不可靠的，事實上不是十二星座，乃是十三座，這多出的星座，名為蛇夫座，含蓋 11 月 30 日至 12 月 17 日出生者，性格特質比較理性，處事果斷。可說和天蠍座、射手座有部分重疊。美國天文學家 2020.2.27 聲稱在距離地球 3.9 億光年的蛇夫座，發現了巨型的爆炸。進而追述探究天文學星座和生涯適任工作的關聯。其實天文學和占星術是屬於兩個不同範疇。

課後問題探討

1. 何謂生涯自證預言？在生涯發展上如何應用？
2. 如何邁向理想生涯自我超越體驗境界？
3. 如何善用生涯科技，優化科技生涯？
4. 何謂生涯教育？如何實施生涯教育？
5. 為何要接受第二專長訓練？第二專長訓練和其他訓練有何不同？
6. 另類生涯星座和適任工作有否關聯？

生涯活動 **1** 生涯自證預言創意分享

一、 討論主題：認識生涯自證預言，我們該如何透過自證預言，活出自
我人生的繽紛色彩？

二、 活動方式：3-5 人為一組，分組討論生涯自證預言與人生發展有何
關連？想一想，在日常生活中是否實現自證預言，如何實現生涯自
我期望，進而發揮生命之光與熱？討論完後，請各組派一代表總結
創意分享報告。

說明：自證預言或稱自我實現預言、自我應驗預言等，某人預測或
期待某事的社會心理現象，而這種預測或期望之所以成真，因為該人相
信或預期它會發生，並且該人由此產生的行為與實現該信念一致。這表
明人們的信念會影響他們的行為。這種現象背後的原理是，人根據先前
對該主題的了解，對人或事件產生後果。一個自證預言，帶有實現它自
己的預測。因此，對可能的未來的預測具有決定性的影響，並且是這種
未來也會發生的主要原因。人們相信預測，他們以實現它的方式行事。
期望和行為之間存在正回饋。

生涯活動 ❷ 生涯邁向超越分享頂峰經驗

　　每個人都有自己的夢想和目標，而要實現這些夢想和目標，需要不斷地探索自我，超越自我，達到頂峰經驗的境界。只有在充分理解自己需求和渴望的基礎上，才能夠找到通往顛峰的道路。頂峰經驗意謂人們在某些特定時刻或經歷中所獲得的極度愉悅、意義深遠和豐富的體驗。在這種經驗中，人們感覺到自己身心融合、全神貫注、自由自在、忘卻時間和環境的限制，並且對生命的意義和目的有更深刻的理解和體驗。請各位同學自行查閱生涯理想境界，超越頂峰經驗相關訊息，你有經歷過頂峰經驗嗎？它對你的生涯發展產生了甚麼影響？可自由分享或分組討論，累積分享經驗整理要點總結，後分組派代表報告。

生涯活動 ❸　《金法尤物》、《扭轉未來》影片賞析

　　請同學自行觀賞《金法尤物》、《扭轉未來》兩部影片，分享賞析心得，或分組討論底下問題。

1.　從「金法尤物」探討第二專長的取得，女主角艾兒有何能耐從時尚業轉入法律界？

2.　從「扭轉未來」中年與童年的生涯規劃對談，探討未來生涯要如何經管管理？

生涯活動 ④　亮點青年發想創新生涯潛力討論分享

　　就業、科技創新運用、創業三大課程，實踐亮點新世代築夢計畫。微軟 YouthSpark(https://www.microsoft.com/)發起活動是為了創造機會給全球超過三億個年輕人所設計的。藉由與政府、非營利組織以及商業夥伴的合作關係，讓年輕人去想像並且實踐他們的潛力，希望他們能獲得更好的教育、工作以及商機。而「亮點青年工作坊」是微軟 YouthSpark 中的一環，延續網路社群幫助世界各地的「Innovate for Good 科技讓公益好正點」活動，致力於打造一個以知識為基礎的平台，幫助年輕人在有效率及激發潛能的情況下互相交流，發想創新的理念，鼓勵年輕人朝夢想前進，讓世界看見他們的潛力。「現在年輕人面臨的挑戰與以往不同，然而資訊科技的進步，讓今天的年輕人具備比以往更多的能力來發揮自己的潛能、主導自己的未來。臺灣微軟十多年來致力於投入臺灣人才的培育，也攜手政府與學校創造許多精彩的故事，我們希望持續透過亮點新世代計畫(YouthSpark)協助臺灣年輕世代發光發熱。」

　　請同學上網了解找尋相關資訊，可參與討論或分享個人經驗，為生涯就業累積投石問路的實力和機會。

展現圓夢達生涯功成

在醫學界中留傳著，一位卓越的外科醫師，最好要具備「老鷹的眼」，眼力佳、觀察敏銳、診斷精確；「獅子的心」，心胸寬大、病人至上、積極進取、勇往直前；「女人的巧手」，手藝細膩、技術精湛。外科醫師如此，其他各行各業要成功，何嘗不須具備生涯能力？機會是留給準備好的人。機會來時，若你還沒準備好，它稍縱即逝。所以要抓住機會，展現實力，又有膽識，才能穩操勝算。在各行各業中，若你想成為生涯贏家，一炮而紅，就得從今起培養實力，有膽識，抓住機會，準備應付任何挑戰，才能自我實現美夢成真。

本篇名展現圓夢達生涯功成，先探究種啥得啥結生涯美果，針對生涯能力與生涯抉擇加以探討，分解生涯成功的要素，洞悉生涯能力的內涵，伸縮生涯能力的發展，正視生涯邁向成功之路。再論及收斂抉擇於生命轉折處，解析生涯抉擇的意義，分析生涯抉擇的要素，影響生涯抉擇規劃的因素，執行生涯抉擇的步驟，實作全方位的生涯規劃。期能培養知與能齊備、專才通才兼具的現代公民，接受多元化社會的考驗，在學業事業，生活處事上兩全其美，發揮大專生已培植的生涯能力。另探究割捨存真成識時俊傑，聚焦生涯重點精準規劃，認識時務的全人規劃。識時務者乃為俊傑，提前部署、未疫兵推，規劃綢繆，踏實築夢。運籌時間以贏得一生真（善美）愛（信望）。疫情緩和之後，以平常心面對人疫和平共處，規劃如常，平時規劃其實亦用於抗疫病時，同樣原則有備無患，術德備用，防患未然，防微杜漸、未雨綢繆，篤實踐履，以致生涯功成。

【生涯寓言】

◎ 榮譽就像玩具

居禮夫人因發現「鐳」而榮獲諾貝爾物理獎,也因此成為全世界知名的人物。當她獲諾貝爾獎之後,有人勸她,可以將分「鐳」的技術,拿去申請專利賺錢。不僅生活無後顧之憂,也可以造一座頗具規模的實驗室。可是居禮夫人卻嚴詞說道:「科學家的發現,都是人類的公共財,而且鐳是用來治病的,我們怎麼可以在病人最痛苦的時候,伸手向他們要錢?」提議申請專利者啞口無言。有一天,朋友到居禮夫人的家作客,看見女兒正在玩她的一個獎章。友人吃驚地說:「妳怎麼可以讓小孩子把玩這個象徵英國至高無上、最高榮譽的獎章?萬一獎章弄壞了怎辦?」居禮夫人聽了,笑著說:「我要讓孩子知道,榮譽就像玩具一樣,不能當真,不然的話,一生將會一事無成。」

◎ 音樂在人心裏

有位著名的小提琴家,在一次演奏會中發現手上所拿的小提琴,不是平日所珍愛的那把名琴,而是一把破舊的琴。原來是被人故意掉包了,存心讓他難看。他心中非常懊惱,但演奏時間已到,仍須上台表演。他對聽眾說:「今天我要證明給各位看,音樂並不在樂器裏,乃在人心裏。」於是他用心演奏起來,聽眾從那把破舊的小提琴裡,聽到一陣陣悠揚悅耳的音樂,個個如醉如痴。演奏結束時,大家都給予最熱烈的掌聲,肯定他的音樂才華和演技。

◎ 跳脫習慣性思考

一家大公司的董事長即將退休,想找一位能突破現狀的經營者,經各方推薦甄選,挑出兩位候選人(甲與乙),兩位候選人都善於騎馬。有一天,老董事長約兩位到他的農場,領著兩匹馬走出來說:「我知道你們都精於騎術,這裡有兩匹好馬,我要你們比賽一下,勝利者將成為我的接班人。」兩位候選人正在打量著自己和對方的馬匹,乙心想:「比賽馬!太棒了,正是我熟練的事情,董事長的位子如探囊取物。」此時,董事長宣布

比賽規則：「我要你們從這裡騎馬跑到農場那一邊，再跑回來。誰的馬『慢』到，誰就是下一屆的董事長！」乙從美夢中乍醒，滿臉狐疑；甲一付不知所措，表情錯愕。兩人正在懷疑自己的耳朵有沒有聽錯。董事長看出他們的不解，再次強調說：「這次比賽，是比『慢』，不是比『快』的。」隨著董事長的指令「預備，一、二、三，開始」槍聲響起後，甲和乙仍站在原地，不知該怎麼做。過好一會兒，甲突然靈機一動，跳出習慣領域的束縛，迅速跳上乙的馬，快馬加鞭，向著另一邊馳騁，把自己的馬留在後面。乙看著甲的舉動，正奇怪：「甲怎麼騎了我的馬？」，當乙想通怎麼回事時，已經太慢了。他的馬已被甲騎回到終點，乙輸了。當甲從乙的馬背下來，董事長向前致賀甲：「恭喜！恭喜！你能以創新的思維，有效解決問題，請你接棒下任董事長。」

　　甲能跳脫出這種習慣性的想法，想出解決問題的方法，因而成為下任董事長。可知習慣領域如影隨形，可能不知不覺就受其奴隸。經營環境是動態的，我們的思考模式與行動也要隨機應變，不能再固步自封、墨守成規，如同賽馬中的乙。因此別拘泥於過去，要以開放的心胸，定期審察內外環境的變化，適時摒棄不合時宜的作法，積極採取對應的行動，才能在變中求新求得勝利。

◎ 辭職的代價

　　有一部門經理向總經理辭職。由於該經理才略出眾，業績超人，總經理多方慰留，還主動給他加薪，承諾短期內給他晉級。結果經理打消辭意而繼續為公司服務。消息傳到另一部門耳裡。他想如法泡製，如果向總經理辭職，必定會給他加薪升級以作慰留。於是他走到總經理辦公室要求辭職。總經理想也不想地對該部門經理說，既然你去意已決，我也不好強人所難，祝你前程似錦。請你盡快補交一份辭職書給我，謝謝你。其實總經理對這部門經理的表現向來頗有微詞，只是找不到適當機會請他調職或離職，現在逮到機會，自投羅網。若能揣摩上意，也不會落此下場。

◎ 光明與黑暗

　　有兩支火把，奉命到世界各地考察，兩支火把中有一支沒有點燃，另一支點燃發出光芒。過了一段時間，兩支火把回來提出考察報告。第一支火把說，整個世界都陷在濃鬱的黑暗中，他覺得很沉痛，因為目前世界的情況很壞，已壞到了極點。可是第二支火把的報告正好相反。他說走到哪，都可找到一點光明，帶來一些內心的喜悅。聽完了完全不同的報告，派他們出去考察的造物主就對第一支火把說，也許你該問問自己，有多少黑暗是因自己沒點著火把造成的？

【生涯智言】

- 榮譽有如螢蟲之火，在暗黑的夜空裡，放著光采，顯出美奐，極其可貴；然而趨近一看，立刻就會明白，它是何等的軟弱無力。

- 大作沒有開始，夢想永不會實現；積極學習，勇於冒險，會激發潛力。

- 我個人所為可能是一小步，可是對週遭的人可是一大步。「成人之美」不但是一個修養，更是一項美德。

- 絕不輕言放棄，失敗能讓你更接近成功。在心中保有對那份成功、卓越的渴望，才能帶領你坦然面對失敗，並從失敗中學習，從失敗中細思揣摩，讓你更有自信，最後躋身卓越的水準。

- 人生常這樣，在通往成功的過程中，會經歷什麼過程、會遇到什麼挑戰，事前完全不知情，這就是現實人生。唯有不輕言放棄，你才會成功。

- 條條大路通羅馬，成功沒有固定模式，自然也沒有規定要走哪條路，才能到達理想目標。下決定的過程中，旁人意見對你造成的影響，反倒是幫助釐清內心想法的契機。這是一個不斷與他人對話、也與自己對話的過程，因為你所做的決定不只對自己負責，還要對家人朋友交代。旁人也許會七嘴八舌，但最後能下決定的，終究只有自己。

- 新鮮人進入職場要先確認三件事，自己喜不喜歡這個產業？這家公司有沒有發展前景？企業主有沒有企圖心？如果答案都是正面的，接下來就要每天努力耕耘，把事情做到最好。盡可能創造自己的貴人，新鮮人要open mind，把觸角、聽覺打開，多方蒐集別人的經驗，寫下筆記，當時用不到沒有關係，因為當你遇到機緣，你就曉得該如何處理事情。

- 不為失敗找理由，要為成功找方法。所謂生涯贏家，就是對自己了解很清楚，知道自己想要什麼，想做什麼，想過怎樣生活的人。人的一生，是一連串決定交織而成的過程，其精華在於自己如何選擇。生命的最高境界，就是選對舞台，盡情揮灑才華，走出自己的路。成大功立大業的人，都是抉擇力甚強的人。在抉擇的哪一刻，成敗實已露出端倪。

- 人就這麼一輩子，如果我是英雄，便要創造更偉大的功業；如果我是學者，便要獲取更高的學問；如果我愛什麼人，便要大膽地告訴她。因為今日過去便不再來了。這一輩子過去，便什麼都消逝了。一本書未讀，一句話未講，便再也沒有機會了。這可珍貴的一輩子，必須好好把握。

- 長江後浪推前浪，世上今人勝古人。若使年華虛度過，到老空留後悔心。好好學習天天向上。堅持不懈久煉成鋼。三百六十行，行行出狀元。冰生於水而寒於水，青出於藍而勝於藍。書到用時方恨少，事非經過不知難。身怕不勤，腦怕不用。手越用越巧，腦越用越靈。三天打魚，兩天曬網，三心兩意，一事無成。拳不離手，曲不離口，一日練，一日功，一日不練十日空。刀不磨要生鏽，人不學要落後。書山有盡勤為徑，學海無涯苦作舟。師父領進門，修行在自身。

- 業精於勤荒於嬉，行成於思毀於隨。–韓愈

- 人生不可無夢，世上做大事業的人都是先由夢想而來；無夢就無望，無望則無成。生命中夢想幸福的一瞬間常成一生甜蜜的回憶。

- 成功涉及許多因素，我不喜歡只做我喜歡做的事，我卻喜歡做能讓公司成功的事。–Michael Dell 戴爾電腦創辦人

- 自我實現讓人興奮，天人合一使人平靜。而後造就一個有價值的人。

- 成功的人可以無數次修改方法，但絕不輕易放棄目標；不成功的人總是修改目標，就是不改變方法。

- 登高必自卑，自視太高不能達到成功。因而成功者必須培養泰然心態，凡事專注，這才是成功的要訣。–愛迪生

- 天下無難事，唯堅忍二字，為成功之要訣。–黃興

- 成功的祕訣就是每天都比別人多努力一點。–臺灣長鴻益集團廠訓

- 當機會呈現在眼前時，若能牢牢掌握，則十之八九可以獲得成功，而能克服偶發事件。並且替自己找尋機會的人，更可以百分之百獲得勝利。一個人事業上的成功，15%是由於他的專業技術（硬本領），85%則依賴其人際關係、交際本領(軟實力)。–卡內基

- 不管人生或事業，都是像跑馬拉松，成功往往是長久的努力，不是一兩年就能做到。–張忠謀

- 本來無望的事，大膽嘗試，往往能成功。–莎士比亞

- 沒有好的習慣，事業很難成功；沒有壞的習慣，事業很難失敗。要做一個成功快樂的人，不但 IQ 要高，EQ 也要高。只要我們的 HD（習慣領域）能不斷擴展豐盛，我們的 EQ、IQ 自然會不斷提升。–游伯龍

- 成功的人生需要自己去經營，別再說了，莫再等了，此刻就為自己的人生作好規劃，為人生點亮一盞明燈，贏在人生起跑點上。

- 設計階段人生，是適度且具體的發展規劃，才是你追逐的夢想。

- 創業是一種人生態度，創業就是要不斷挑戰自我的極限！人因夢想而偉大！我有機會實現自己的夢想，非常開心！-雷軍(小米手機創辦人)

- 我的新夢想是希望能夠平等地對待生命，人們消除了偏見，讓這個世界變得更加公平。-比爾蓋茲

- 就像日常生活人對水和電的依賴，我們要做成互聯網的水和電。-馬化騰（騰訊集團手機即時通訊平台微信掌門人）

- 思路決定出路，佈局決定結局。容易，能容則易。小勝憑智大勝靠德。

Chapter **10**

種啥得啥結
生涯美果

本章學習目標

1. 體認種啥得啥結生涯美果，生涯成功須具備之要素，並能全力以赴達成目標。
2. 認清生涯能力的內涵，並能積極培養一般及專業知能，熟練寫作履歷表及自傳等謀職技巧。
3. 知曉生涯能力的發展，以完成階段性發展的任務。
4. 洞悉個人生涯漸進發展，激發潛能孕育特色，披荊斬棘開闢生涯路通達成功之境。

Life-Career Planning & Development

【引言與摘要】

　　本章種植有成種啥得啥結生涯美果，辛苦流淚撒種，完成了前述人生基礎建設各項措施之後，期望歡呼收割美果的時刻。從認識自己的個性特質性向興趣價值開始，找出自己的人生目標和一生的職志，規劃一生的學習、職涯和人生願景，充分備好行囊，迎向人生各個階段的旅程。設計各種生涯活動與評量表考驗自己，透過實際測試操作，生活知能齊備實現夢想，同時拓寬領域與視野，具體籌劃屬於自己的人生道路。從生營孵夢開始，進而逐夢做好生涯營理，發展各階段生涯，進而解夢釐清生涯發展現況，面對順逆境隨遇而安，在生命轉折關口作生涯決策或適時生涯轉換，直至圓夢，美夢成真，生涯功成。

　　生涯成功是生涯各階段目標的達成，完成學業、立業成家，婚家美滿，為人羨人慕所嚮往的美果。本章闡述生涯成功的要素，亦即達到成功生涯的必要條件，有天賜時機、地盡其利、人和脈通、治理情緒、圓融處事、確定目標、身體力行等因素的配合。在生涯能力的內涵，可分為普通知能、專業知能、謀職技巧等方面詳加說明。攸關生涯能力的發展，可從多方面磨練，完成知能齊備，術德兼修，並開闢一條適合自己走的路，走向成功之境。

第一節　分解生涯成功的要素

　　生涯種啥得啥種甚麼得甚麼，生涯達到成功境地，無疑的為人人所嚮往，而成功絕非僥倖湊巧來的，必然要經過辛苦艱難的過程，亦即要具備一些條件或要素才稱得上成功。簡言之，欲達成功可參考一些名人和學者的看法，歸納從天賜時機、地盡其利、人和脈通、治理情緒、圓融處事、確定目標、身體力行等要素分別探討。

一、天賜時機

（一）把握時機

　　生涯專家高橋憲行在「人生企劃書」中曾提出一套創造成功生涯的公式：生涯＝環境×基礎資源×行動×時機×策略的運用。其中時機就是懂得如何預測機會、掌握機會；學會巧妙地化危機為轉機。知名的趨勢作家平克(Daniel Pink)說，想要提升自己的效率、健康和幸福的指數，你就必須找對做事的時機。《最佳時機》(When)書中，以時間運籌為題材，他花了兩年時間，分析七百多份跨領域的研究報告，從大數據中挖掘掌握時機的祕訣。研究顯示人們每天都會經歷高峰、低谷和反彈三階段：高峰期該做分析工作，低谷期該做行政工作，而反彈期則適合做創意發想(參網 https://www.cw.com.tw/)。要把握時機做對的事。

（二）善用時間運籌，活在當下

1. 分析你使用時間的習慣，使自己有組織、有規律，培養時間運籌的習慣。如何有效規劃時間？可決定你生命的方向；設定優先順序；不要因緊急而犧牲重要的（吃緊弄破碗）；定時間的預算；了解你的極限；要有彈性。譬如 2026 年的生涯規劃，將目標明確寫下來，積極思考，找個朋友幫忙，然後分析目標，為目標定下達成的時限。

2. 尋找有效運籌時間之方。檢視那些事會造成不良的時間運籌，譬如行事曆上總有排不完的活動，缺乏處理問題的能力，倉促的決定，害怕接受別人主動提出的幫助，短視近利不求中長程收穫，處理日常危機總是做「臨時滅火」的事，沒有能力拒絕新的工作，訂個約會需等二個月。找出這些不良的時間運籌因素之後，採取適當的手段，以快刀斬亂麻的方式，革除不良習慣，因為不良的時間運籌源於不良的蹉跎光陰習慣，而能養成愛惜光陰的習慣。

3. 活在當下，不念舊往，往者已矣，來者可追。知道你的身分，活在此時此刻，做好當下分內要盡職的事務即可，無須為瑣碎的事煩心

費力。除非你的職位非常重要，例如當董事長要運籌帷幄，要日理萬機，對內統理各項事務，對外應對同行競爭威脅，要維護友人情誼。須設法控制場面，認清目標和事情的輕重緩急，無須完美又盡善，而須紓解壓力和避免過勞。當下有時間給家人，也有時間從事社交活動或休閒活動。認清目下時間在你掌管中，沒有必要為明天憂慮，因為「明天自有明天的憂慮，一天的難處一天擔就夠了。」

二、地盡其利

（一）環境順逆

上述「人生企劃書」創造成功生涯的公式中有「環境」，包括你的工作場所、朋友圈、居住處所等。環境對人的影響頗大，必須對自己的工作及生活環境有充分的了解和掌握，即使遇到逆境，卻能逢凶化吉、化險為夷，轉危為安，而能有好的生涯發展。

（二）善用成功訣竅，克服難關

1. 規劃自己未來藍圖，學習處理情緒低潮，善用生命的資源（陳雅玲譯，穩贏，1998）。如此克服難關，發揮生命潛能，自能達到藍圖所描繪的生涯願景實現。

2. 積極思考，自我肯定，向專家請教。採積極思考解決問題，敢做事敢擔當，心境平和不必憂慮。自我肯定變得更好，憧憬前途光明。克服通往成功的障礙：焦慮、寂寞、緊張、悲傷、自卑、恐懼等。讀者可以採取輕鬆的心情，面對任何橫逆困厄，利用積極思考產生無比力量，並學到獲得成功的秘笈，至終抵達成功之境。

3. 求職成功的訣竅，在履歷表上增加一欄發揮創意，能為貴公司節省開銷帶來利益，直接向有決定權的人求職。面試前查明真相，視面試有如第一天上班。確認有信心被雇主青睞，若獲錄用，先觀察體認公司營運，了解狀況（修自 2000/9 讀者文摘）。

（三）善於逆境治理

1. 逆境治理，轉逆為順

　　克服逆境，從容面對人生起伏波折。列舉松下幸之助，已過一百年成功的企業家為例，當有人問及其成功之道，他的答案竟是自己的體弱多病。外部環境時好時壞，如何在艱難期帶領企業突圍和發展，考驗領導者的管理能力。可見逆境治理的重要性。一般員工有三種類型，包括放棄者、半途而廢者、攀登者。攀登者具備的特質：認為每個人頭頂一片天，不會沈溺於借助外力；也不會過度自責；亦不會因挫折而影響其他層面；看開不看破。如果能擁有這些特質，並善加運用，則可順利攀登成功的顛峰。

2. 認識治理商數

　　史托茲(Paul G. Stoltz)博士提倡逆境商數(Adversity Quotient)，依其二十多年的研究和十幾年的應用，使我們了解工作生涯和個人生活兩方面的成功，大部分取決於 AQ，也就是逆境商數（莊安祺譯，1997）。AQ 可視為預測成功的世界性指標，如圖 10-1 所示：

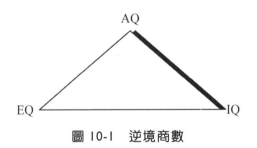

圖 10-1　逆境商數

　　逆境商數(AQ)和智力商數(IQ)及情緒商數(EQ)成鼎足而三，要達到成功，須有適當的情緒治理，智慧表現，以及能絕處逢生，逢凶化吉，起死回生等。透過 AQ 測試，測試結果分數愈高，承受重大挫折努力向上的力量愈大。AQ 愈高，愈能以彈性面對逆境，積極樂觀，接受困難的挑戰，發揮創意找出解決方案，能不屈不撓，愈挫愈勇，終究表現卓越。AQ 低的人，會感到沮喪、迷失，處處

抱怨、逃避挑戰、缺乏創意，半途而廢、終至自暴自棄一事無成。IQ 與 EQ 泰半是天生，AQ 卻能經由後天的鍛鍊來強化。史托茲歸納出一套訓練方法：LEAD。L(Listen)，傾聽自己內心聲音，訓練自我的反應能力。E(Establish)，探索逆境發生原因，並承擔責任，探詢解決和修正辦法。A(Analyze)，分析眼前的困境，發現負面情緒之反應，掃除行動障礙。D(Do)，付諸行動轉逆為順。不以成敗定義一生，要選擇如何品嚐生命中的酸甜苦辣。要面對挑戰、回應困難，就得勇於主導情緒的節奏，接受改變是人生中的必然，（修自 https://www.cup.com.hk；https://ct.org.tw/）。用行動維持良好生活的質量，挑戰逆境，使自己變得更堅強。若是再加上開放商數(Open-hearted Quotient)、以及獨特商數(Unique Quoient)兩項，則含英文五個母音子母循序的治理商數。先 AQ 要面對逆境，接受各樣環境挑戰，然後 EQ 作好情緒治理，IQ 發揮個人智力，解決生活難題，接著 OQ 以開放、坦誠的心胸行事為人，並 UQ 活出個人獨特品味，能絕處逢生、逢凶化吉、以增進個人成長，成為生涯的贏家。由此構成圖 10-2 之 5Q （五福臨門）治理商數，為治理逆轉順鋪路。

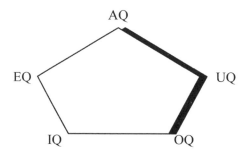

圖 10-2　5Q (五福臨門) 治理商數

三、人和脈通

（一）人脈資源

上述「人生企劃書」創造成功生涯的公式中有「基礎資源」，包括人脈資源（人際關係）、資產資源（財力）、知識資源（智識技術）。知識創造財富，財富蘊育知識；財富吸引人脈，人脈帶來財富；知識增進人脈，人脈廣結善緣。人派、財富、知識有如三足鼎立缺一不可。

（二）發展人脈關係，提升有效溝通

1. 「一滴蜂蜜要比一加侖的膽汁招引更多的蜜蜂。」蘇格拉底、老子以柔克剛。多讓別人說話。「如果你想要製造敵人，那就凡事超越他們；但假如你要的是朋友，則要讓他們超過你！」巧妙說明你的想法。別人能，你也能，虛懷若谷，贏得合作；發展人脈關係，接受橫逆挑戰能屹立不搖。

2. 提升有效溝通能力：讓人了解、接受，進而彼此了解、接受。由同情至同理，由推己及人至設身處地溝通。轉被動為主動，換曖昧為互補。溝通出於雙方的意願，不須勉強或操之過急。可同理的了解，但非同意；可接納對方的意見，但並非完全接受。雙方意見可不同，彼此要尊重；不滿意但可接受。正面表達意見，不需要拐彎抹角，而減少扭曲、偽裝、防衛心理。

3. 做個雙向傳播的聆聽者，設身處地溝通。溝通的原則：自己充分表達意思、對方容易了解真義。聽人說話很簡單，正反面積極傾聽卻非易事，聆聽、回饋與表達因而同等重要。用眼觀察用心體會，才能成為溝通高手。

（三）有生涯貴人相助

貴人可視為導師、引導者、良師益友(mentor)，能賞識並引薦自己的人。爰舉數例供參考。職場上人人都希望自己有貴人相助、展開職涯新氣象，然而貴人似乎可遇不可求，原來貴人出不出現，關鍵在自身。

1. 以創作「心事啥人知」而致富成名的蔡振南。正當他身陷幽黯的谷底時，他的貴人出現了。導演吳念真、侯孝賢鼓勵他戒毒，為他編劇拍片，而成為電影「多桑」的男主角，並提名 31 屆金馬獎，獲最佳電影歌曲獎。令人激賞的是，他勇於面對自己的錯誤，迎向更積極的人生。貴人有時以狠角色出現，逼你在一日之間成長茁壯。

2. 張藝謀發掘鞏俐潛在的表演天分，不斷地引導、鍛鍊她，並給予演出擔任女主角的機會。鞏俐在個人條件，力求上進與時運機會配合下，屢次在大陸、坎城、柏林、威尼斯等影展獲獎。張藝謀與鞏俐在事業和感情上都曾是親密無間的伴侶，彼此搭配幫襯，成為紅遍半邊天的名導演與名演員，羨煞多少人。張藝謀確是鞏俐生涯中的貴人。

   電影《十月圍城》導演陳德森在台灣出版新書《把悲傷留給電影》，記錄他成長、電影工作台前幕後的頑皮經歷，劉德華是他導演生涯中一位貴人。陳德森當時拍《童夢奇緣》也受到劉德華很大的幫助、拍爆破戲時出意外，幾度與死神擦肩而過，也曾罹患嚴重憂鬱症，慈善讓他走出陰霾（修自https://tw.news.yahoo.com/2023/11），開始改變電影拍攝風格，並致力於公益。他說前半人生如戲，後半生戲如人生。

3. 陳亞蘭（歌仔戲團當家小生）的生涯貴人是楊麗花。她說「過去演野台戲的我純粹靠耳濡目染，對演出毫無自信，直到遇到亦師亦貴人的楊麗花，才把我的潛力逼出來！」之後加入了楊麗花的電視歌仔戲班。在 2019 年 11 月陳亞蘭為台視楊麗花歌仔戲「忠孝節義」宣傳，腳步不停歇。而楊麗花和陳亞蘭兩位臺灣電視歌仔戲天后再次攜手復出，在戲曲中得以反串小生的傳統裡，歌仔戲其實是催生女性展現多元面貌和天后的場域。

   韓愈說：世有伯樂，然後有千里馬。伯樂，指春秋時代的孫陽，擅長相馬，後喻為能發現人才的人；千里馬，指能日行千里的駿馬，後喻為有才華之士。先有伯樂，才能有千里馬。歷史上漢朝有韓信被蕭何提攜；三國時期，諸葛亮被劉備三顧茅廬，出山相助，都是千里馬遇上伯樂的例子。上例楊麗花像伯樂，陳亞蘭像千里馬。

4. 林懷民的生涯貴人是俞大綱。他說「創立雲門之前，學現代舞的我對平劇一竅不通，是俞大綱老師叫我窺其堂奧，並不斷提振我創作與生活的士氣。」若沒有俞老師的誘導、啟發、呵護，雲門不會誕生，不會找到方向建立風格。不會在山窮水盡之際，仍然可以重讀老師的文字，找到重新再起的力量。林懷民坐鎮雲門舞集 46 年，從拓荒者到種樹人，雲門從鐵皮屋到水泥蓋的美麗劇場，歷經多次的「破」與「重來」，往復更迭磨練。林懷民 2019 年底退休，九位資深舞者也離去。2020 年交棒給鄭宗龍，對交棒的決定，他只有想念，沒有留戀。未來就是學著放下，學著過平常的日子。

5. 吳榮賜（國寶級木雕神刀）的生涯貴人是漢寶德教授。他說「決心從雕刻匠走向創作路線後，我幾乎每個星期天都到漢寶德先生家，聽他講解藝術理念，他說是叫我做藝術家的關鍵事物。」吳榮賜說，「年輕時從沒想過踏進藝術界，甚至根本不懂何為藝術，直到遇見漢寶德先生，他對我的鼓勵改變了我的一生。若沒有豐厚的人文涵養，即使擁有高超的創作技術，也無法造就令人感動的作品；那終究只會是個『匠』，而難以成『家』。」漢寶德說，「藝術是沒有邊際的，吳榮賜的天地仍廣闊。他曾從事人物造像的創作，也頗能掌握人物內在精神，是雕塑藝術極高深之處，值得繼續投注心力。」

　　除了電影藝術舞蹈雕刻外，另各行各業都可找到生涯貴人的實例，在人生旅途的轉捩點，有否生涯貴人挺力相助？若否，就要毛遂自薦，或設法讓自己變成識千里馬的伯樂。也可讓自己成為千里馬。

（四）利人利己

　　利人利己的人際觀，一般人看事情多持二分法：非強即弱，非勝即敗。其實世界之大，人人都有足夠的立足空間，他人之得不必視為自己之失。通常人際關係有六種樣貌：利人利己、損人利己、損己利人、兩敗俱傷、獨善其身、好聚好散。其中當然以利人利己為首要。以腦力激盪而言，獨思妥協意味一加一只等於二，集思廣益則使一加一等於八、

十六，甚至一千六。人類的潛能因而激發，即使面對再大的挑戰，也不畏懼。敞開胸懷，博採眾議，發揮腦力激盪的合作精神，利人也利己。

四、治理情緒

（一）承擔責任，辦事不拖，突破困境

1. 承擔全部責任，為自己的人生負責。你不要因為人家說你怎樣就以為自己怎樣，做人的本分在控制自己的思想行動。同時辦事決不拖延誤人，事情似尚未完成的劇本總要設法完成之（Michael Jeffreys, 讀者文摘, 1999.10）。

2. 成功的祕密在於縱使是最小的事情，也要投入你的心意、智慧和精神。成功的公式難尋，但失敗的法則易現，譬如推卸責任，拖延誤事，盡量討好任何人。

3. 成功其實是簡而易明的 A(ability)、B(breakthrough)、C(courage)，意即能力、突破與勇氣三者所構成。成功在於有勇氣能力肯幹，突破任何困境，發揮各自潛在能力。

（二）願付出代價，事奉行到底，展決心毅力

1. 成功需要有人願意付上代價，請求別人給予機會。布朗(Les Brown)是位激勵人的黑人演講家。他沒有過人的智慧和名望，卻願付上任何代價，一天到晚打電話請求別人給他機會演講。不斷自我鞭策，百尺竿頭更進一步，終於揚眉吐氣，成為勵志演說家。

2. 決不半途而廢。心靈雞湯(chicken soap for the soul)作者找過一百家出版商，最後才定案（Michael Jeffreys, 讀者文摘, 1999.10）。剛開始事與願違時，以平常心來面對；只要堅持目標，不半途而廢，結果必然能達成所願。

3. 我們留意一些名言，永遠要記得，成功的決心遠勝於任何東西。假以時日不斷嘗試，有恆忍耐性，總會嘗到美好果實。常提拿破崙的

字典裡沒有「失敗」、「困難」的字眼，只要再接再厲，困難的事變得容易，離成功也不遠了。

4. 有恆心和毅力。義大利文藝復興時代的傑出畫家，他們所流傳下來的令人傳頌千古的名畫、雕塑，哪一項不是通過恆心和毅力考驗出來的結晶。如達文西「最後的晚餐」花了一年多時間才完成。「蒙娜麗莎的微笑」更是花了整整四年的時間，甚至在畫還沒完成時，模特兒周康特夫人就逝世了。可見畫家作畫時的嚴謹、耐心了。米開朗基羅的「大衛像」雕塑、「創世紀」 鉅作，以及「最後的審判」壁畫，更是嘔心瀝血，耗費七年時間才完成的傑作。正如愛迪生所說：「一分的天才，也要加上九十九分的努力」，成功無捷徑，成功不是偶然的。在職場上要培養堅定的毅力，有百折不回，義無反顧的做事魄力，如此方能事業有成。

（三）建立自信心和信仰

1. 選擇你所能接受的限制，接受你不能改變的事。把重心放在發揮長處上，以提高自信心。為人處事做好心理準備，有備無患，從錯誤或失敗中記取教訓，並與你所信任的人培養深度的友誼，學習接受別人建設性的批評。

2. 相信謀事在人，成事在天。擁有純正的信仰，認識並體驗神聖的信仰理念，由信仰產生力量，讓自己人生滿有意義、有活力。培養職業神聖信念，有信心面對艱苦，能做出超過本身能力所能做到的任何事，在信的人沒有難成的事。

（四）培養 EQ（情緒治理）

依據哈佛大學心理學教授高曼(Daniel Goleman)的詮釋 Emotional Intelligence 為表現在五個面向的能力：認識自我的情緒、治理自我的情緒、自我激勵、認知理解他人情緒及人際互動。論及 IQ 攸關與生具來的天賦能力，EQ 卻可以經由後天的努力與學習得來。其步驟乃為隨時

隨地體察自身的情緒，了解自己真實的感受。妥善治理情緒，以適當的方式恰如其分地對待適當的對象。自我激勵、保持高度熱忱。培養同理心，認知他人的情緒。人際關係的治理，包括人緣、領導能力、人際和諧等。生活的環境愈複雜，愈需要靈活的反應能力。EQ 並非如坊間所言那樣神祕或萬能，其實我們多少了解情緒治理對事業成功的重要性，因此只要善待你的情緒，做好人際和諧，也可以成為高 EQ 的人。勞動部勞動力發展署 2017 年針對臺灣企業進行的職場新鮮人競爭力調查，指出待改進之情緒項目為抗壓性低、挫折忍受度差。另外《Cheers》(https://kys.wda.gov.tw/)針對兩千大企業人資深主管進行的 2022 年「企業最愛大學生調查」，發現企業最愛新鮮人的特質：抗壓性與穩定度、同理心和換位思考溝通力、問題解決獨立思考的成長思維。人力銀行(https://www.gvm.com.tw/)，104 人力銀行蒐集近千份企業數據，用十大指標評比國內 120 所大學的品牌力，藉由具體指標引領大學新鮮人選校或選系。包括知名度、職務能力、未來能力、產學力、學群力、性格優勢、校友薪資、國際力、研發力、論文發表力等。軟實力是驅動硬實力的基礎，調查看到企業多用職務能力、未來能力、性格優勢的軟實力評價大學品牌力。從(https://www.businessweekly.com.tw/)企業看新鮮人軟實力，首重溝通表達，其次：抗壓性、主動積極有活力、問題解決、團隊合作等。軟實力涉及 EQ 治理。

　　關於 EQ 的測試，坊間、網路有相當多的測驗不妨一試。《EQ 測驗書》(Cooper & Sawaf, 1997, Executive EQ，張美慧譯)曾提 EQ 測試的項目可分五部分：1.情緒生活環境，生活經驗、工作壓力、個人壓力；2.情緒鑑識，情緒自覺、情緒的表達、對他人的情緒覺察；3.情緒能力，意圖、創造力、韌性、人際關係、建設性；4.情緒價值觀信念，同情、人生觀、直覺、信任半徑、個人的力量、誠信；5.情緒內隱，健康總檢、生活品質、人際情緒、內在表現。EQ 高者通常面對生活工作壓力因應紓解妥貼，恰如其分表達情緒，有韌性創意表現情緒能力，同情俯就、誠以待人、同理信任，沉穩內斂，冷靜熱情。

（五） 養成良好習慣，擴展習慣領域(Habitual Domains)

1. 成功並無捷徑，而平常養成良好的習慣，則離成功不遠。每天早睡早起勤奮工作，休閒運動養精蓄銳，腳踏實地走路健身。天天如此身體力行，擁有良好的習慣勇往直前，全力以赴，實現夢想。

2. 沒有好的習慣，事業很難成功；沒有壞的習慣，事業很難失敗。人類的行為通性是同類互相比較，印象概推，投射效應，近而親，相似相親，相互回報，替罪羊行為等。善用這些行為，培養優良的習慣，擴展並超越一般人的習慣領域。行為受習慣的影響很大，習慣塑成性格後，會左右個人命運（游伯龍，1998）。養成良好習慣，自然擴展習慣領域，展現為人喜悅的優質人性美德。

（六） 掌握成功約定，發揮自我效能

　　成功學大師柯維(Stephen R. Covey)在與成功有約—高效能人士的七個習慣特質（顧淑馨譯，1989 初版，2020 新修版）強調須掌握自我意識、想像力、良知、獨立意志，操之在我的力量。在網路時代，疏離的人際關係為人詬病，但柯維呼籲，從我們的觀念出發，養成七個習慣，將有助於與人相處共事，甚至成為出色的領袖。面對社群時代，只有深諳「眾人」藝術的人，才能獲得最大的機會與無限的成就。掌握未來競爭的優勢。置身共享經濟環境中，讓資源重新分配再利用。讓有需要的人可以花便宜的代價享用資源：1.主動積極，擴大影響力；2.以終為始，釐清人生定位；3.要事第一，找到目標與方法；4.雙贏思維，創造最大價值；5.知彼解己，維繫人際和諧；6.統合綜效，化解衝突找到出路；7.不斷更新，改變自己與他人的人生。再轉進第 8 個習慣，從成功到卓越（The 8th Habit: From Effectiveness to Greatness, Covey, 2005；殷文譯，2018）發現內在的聲音。在全新的資訊時代裡，七個習慣讓人具備高效能，迎接各種挑戰，而第八個習慣則能引發個人深層動機，超越效能並實現願景。領導必須要認識人性，他人了解與欣賞人性最深層的渴望，無論是那一個領域的領導人，都需要學會傾聽自己和他人的內在

聲音。了解人性的根本需求，對所處的環境、企業或政府，發揮最大的影響力及創造正面的價值。為眾人服務是領導人的主要目的，員工若感受到你為他們著想的真誠，不但會服從你，更會竭盡心力和你追求共同的目標。掌握與成功有約，發揮自我效能成全他人。

五、圓融處事

（一）掌握資訊，汲取新知

1. 接受處理儲存傳送的能力。使資訊豐富而有意義。不斷汲取新知活用資訊。資訊化社會將資訊變成有用的知識，同時運用在生活中。

2. 當前資訊物流速度加倍成長。根據摩爾定律(Moore's Law)，積體電路上可容納的電晶體數目，電腦微處理器每隔一年半至兩年速度加一倍。清華大學前瞻量子科技研究中心褚志崧教授領導的研究團隊宣布，成功研發出全世界最小的量子電腦，僅用一顆光子，這也是臺灣研發出的第一套光學量子電腦（2024.10.16 清大秘書處）。量子電腦在處理質因數分解、大數據搜尋等複雜運算時，速度可比傳統電腦快數億倍。所以可要時時掌握新的科技資訊，留意周圍的事物，學習新知，不斷精益求精，方不為時代所淘汰。

（二）紓解壓力，重新定位

1. 職業倦怠為個人執行工作任務時，過度自我要求企圖達成強迫性或不切實際的目標，而造成生理及心智耗竭現象。當個人處於職業倦怠時，常伴隨憂鬱、疲勞、易怒、生理、行為等症候。調適倦怠可藉助鬆弛訓練、休閒活動、社會支持、運動、價值澄清、情緒表達及改變生活習慣等方式。冷靜思索養精蓄銳，恢復興致活力。

2. 如果感覺精疲力盡，應重新定方向、找尋生命的新義。常對自己說：今天開始一個新的人生，我會堅持到成功為止，我是天生贏家。我會立刻行動，不會拖延。我會祈禱，為了讓事情更順心。

3. 因應壓力方面，要學會適應改變、困難、衝突；克服擔心，學習放鬆；培養幽默感；認清有壓力才有成長；培養主動性，積極化壓力為人生發展生命成長之動力。

六、確定目標

（一）多元生活目標，健康生涯規劃

1. 設定生活多元目標。事業的目標在提供金錢的報償，滿足生理需要及使人生有意義。家庭目標在達到家庭成員融洽的相處，使生活有愛，家和萬事興。而社區和宗教的目標在提升精神生活和滿足利他的需要。文化和娛樂的目標在豐富日常生活，增進生活情趣。設定生活中的多面目標，能應付多元社會之各方需要。

2. 生活有目標，成為一個有作為的人。戴爾(Wayne Dyer)博士是自我啟發領域的作家與演說家，享譽國際，被稱為「激勵之父」，是世界級心理學大師。他認為生活沒有目標的人往往得過且過，生活有目標，常留意做好自己的工作，對工作熱愛。制定行動計畫，譬如裝潢房子要有設計圖。崔西(Brian Tracy)是知名演說家、暢銷作家、管理學教練、潛能開發大師，他認為目標要在紙上作業，沒有用白紙寫下來的目標根本不是目標，而只是空想。先相信自己會成功，讓相信變為成功的動力（汪春沂，2019），才會成功。

3. 成功非一蹴可幾，須有多元健康的生涯規劃。健康多元的生涯通常由六個層面所構成：生理、心靈、感情、社交、智性、及職業等。要達到健康的人生，個人必須參與每個層面，積極做決策以改善自己的生活。無論是食衣住行育樂生活生計各方面的問題，個人都必須做選擇下決策，以解決問題，促使個人成長進步。史密斯(Larry Smith)是加拿大知名的經濟學教授、生涯顧問、說書人和提攜青年領導人，他定義「成功的事業」必備元素：讓人滿意的工作、對世界產生影響力、擁有可靠的收入，以及個人自由。在《我的人生就

是我的事業》（徐娟譯，2020）一書，先做好準備，確定目標。目標確定後，分出輕重緩急，找出具體障礙，實現目標。探索障礙，必要時修正目標，發揮優勢，執行與修改。最後達成目標。日本人生的王道，經營之聖（稻勝和夫，2024）提到商場經驗、畢生累積的智慧、先人留下的遺訓，精煉正確生活的共通哲學，可謂確定目標達到成功的哲學。

（二）運用適宜的策略

在「人生企劃書」所提創造成功生涯的公式含「策略的運用」，係對於整個生涯發展計畫，具有「牽一髮以動全局」的決定性影響力。在資訊科技時代，科技來自人性，資訊始自應用，資訊運用策略得宜係企業發展的關鍵。

（三）鎖定生活的座標

確定目標，全力以赴。許多人埋頭苦幹，卻不知所為何來，到頭來發現追求成功的階梯搭錯了邊，卻為時已晚。因此我們務必掌握真正的目標，藉達成目標的過程，澄明思慮，凝聚向前的力量。檢視生活以何者為中心？配偶、家庭、工作、名利、朋友、升遷、宗教等。然後鎖定生活的座標，勇往直前。

七、身體力行

（一）行動

「人生企劃書」提及創造成功生涯的公式含有實際的行動、假想模擬的行動。由於「坐而言不如起而行」，要成功就得先跨出行動的一步。在現實生活中有些事情想做卻做不來，就得藉假想或模擬的環境，亦即在腦海中反覆描述一個情境，想像要如何應對，儲備應變力。力行以身作則，行動比說教更鏗鏘有力。

（二） 工作新動力

1. 職場新鮮人通常會遭遇的危機，可能是不清礎自己所扮演的角色，或對工作缺乏認同感。對事業剛起步的青年，宜先有計畫、和諧、行銷、進取、創造等態度，這些心態使個人工作邁向成功之途。

2. 在工作的新觀念方面：未來的工作型態大致有全職工作者、兼職工作者、自由工作者。工作時數會減少，宜採新觀念面對工作時間限制，可採彈性工時，只要選定一週工作幾小時，即能自由調配運用時間。而對工作的新要求是有歸屬感和自我發揮，富有創意性及自主性，同時要求更多的福利等。

（三） 工作休閒相輔雙成

1. 時間是不能再生的資源，不論工作或休閒，唯有事先規劃，才不致因沒目標而浪費時間。浪費時間的人經常後悔一事無成，善用時間的人目標確定，不茫然忙碌，不空跑徒勞。

2. 在安排休閒活動方面，先訂立目標，增強動機善用資源，可妥善佈置情境，適時給予自己愛的鼓勵，然後要檢討修正目標。

3. 假若工作份量過度，要如何適應？先給自己緩衝休閒的機會，休息是為走更遠的路。度假前在答錄機裡留下你想要說的話，但人們還是期望你能夠丟下防曬油給他們回電（摘自 2000.3 空中英語教室）。此說明休閒是為工作備戰，工作休閒互補。

4. 培養工作適應能力，樂於挑戰成長。了解自己的需要，尊重他人的權力、體會他人的感受，保持適當的彈性等為健康的適應方法。適應新工作環境的要訣是建立良好的人際關係，全了解工作流程及內容，能吃苦，不要鋒芒過露，而多問解惑可使工作更能適應。同時不斷迎接挑戰，要做到精益求精、全力以赴。堅守原則、保持個人特有本色。同時推陳出新、了解全局。說做就做、樂在其中。把握機會、心態平衡。調適於工作，滋潤於休閒。

第二節　洞見生涯能力的內涵

　　生涯能力要有內涵，有實力，可從厚實普通知能、精練專業知能、善掌謀職技巧等方面加以說明。

一、厚實普通知能

（一）具備基本知識和能力

1. 語文知識能力

　　平常我們講的國語或普通話，是國民都要會講的共通語言，不僅能講，而且要能講得頭頭是道、善於溝通處理。同時要熟練母語如閩南語、客語、原住民語等，也能具備外語如日語、英語等，此為普通語言能力所須具備者。對於政治、經濟、教育、法律、心理、文史、藝術、體育、地理等資訊，都宜有涉獵。當然若是能上知天文，下知地理，中知人事，則必能處處受歡迎，運籌帷幄與時俱進。一般知識的獲得，要處處留心皆學問，從網路資訊書報、報章雜誌、自行研讀、向人請教、聽演講、參與座談等儲備知識。

2. 內控積極的能力

　　一般能力的培養，需要做一個「內控」者，培養積極的態度，掌握客觀的環境。我們擁有選擇的自由，可以對現實環境加以積極的回應，為自己創造有利的環境，為個人生命負責。不做一個聽天由命，身不由己，受制於人的「外控」者。要做一個「操之在我」不受環境支配，而能左右環境的「內控」者。能發揮個人想像力，能明辨是非善惡，且有獨立意志。培養積極的態度，經常綻放笑容，使內心感到舒坦，精神抖擻。說話時聲音力求響亮清晰，並永遠蘊含微笑。不忘初心做任何事，感到新鮮有趣，即使單調乏味的工作都顯得生意盎然。常給自己打氣，使自己心智永遠敏銳、年輕。內心經常保持「熱忱」的信念，在行動上表現主動、積極。

3. 開發創意的能力

　　創意乃是對目前的任務提出新奇有用、正確和有價值的建議。採用啟發創新的方式，而不按部就班照舊有的方法來解決問題。創意可以是把兩個不相干的事物組合在一起，並找出其間「相關性」。男女交往「邂逅」，「謝後」甜美的回憶。有時創意只用不同眼光來看一個舊東西，因眼光是新的，舊東西也就變成新的了。同時要開發個人創意，保持個人獨有的風格。事事留心、尋求創意，如此創意才能源源不斷湧現。認真觀察週遭環境變化，體認有關的現象。負起責任、遇事不推諉，並深入了解一切。創新個人思考方式，並持之以恆，立志創新過一生。培養實力對人對己開懷大度。不忘保持輕鬆愉快和好奇心情，時常維持心中的祥和；即使事情再忙，也要偷閒保持片刻寧靜。時常檢視生活中有無抹殺了創意？

　　創意與生涯息息相關。譬如創新的生涯目標：參考相關資料，列出一張「資產負債表」，能力、人脈、財力、價值觀等，資產、負債分別列舉。資產如存款、房子、車子等，負債如房貸、卡費、學雜費等，在一年之內要求自己資產增值的三項行動計畫。五年內個人的財務累積預估表（修自陳龍安，1993）。如此可發揮個人創意思考，增加資產減少負債。

（二）磨練溝通能力

1. 培養社交能力溝通技巧

　　積極溝通是在不侵犯他人情況下，勇於維護自己的權益，並以直接誠摯合宜的方式表達自己的願望需求和感受。表達自我、了解別人乃是在人際善意的溝通中不可或缺之因素。要了解別人就需要設身處地傾聽。人際溝通透過語言來進行，而非語言的聲音和語調、肢體，如手勢、心態、表情、眼神等更為重要。了解別人易犯的毛病是對別人意見常作價值判斷；喜歡追根究底，依自己價值觀探查別人隱私；或好為人師，依個人經驗提出忠告卻惹人反感；或

以小人之心度君子之腹。以上會導致不良的人際溝通應儘量避免。至於要如何與人打交道？可先排除溝通的心理障礙（敵對性）；培養寬宏大量的「容忍性」。一般「敵對性」高者敵對態度往往直接表現於外，常顯憤怒和吹毛求疵，與人有較多的爭端和衝突。敵對性中等者通常會掩飾自己的敵意，不太常跟人爭吵或被人激怒，就算有人冒犯也常保持冷靜；在多數情況下，會顧慮別人的感受，不會故意與人為難。敵對性低者代表性情較寬厚、有耐心、能體諒別人，常壓抑不滿或怒氣，使之不形於色。「容忍性」高者對於爭端問題抱持一種開明的態度，很隨和、見識廣、能接納別人，別人有意見，願意與之相談。容忍性中等者較缺乏彈性，較主觀，對於過去的看法、經驗，習慣不太容易改變，溝通比較困難。容忍性低者相當固執，堅守原有觀念和既得利益，排斥外來的經驗，很難接受別人不同觀點和意見，與人溝通有障礙，需要搭座心橋，交心溝通。

那如何提升社交能力？多採「互補式」溝通，少用「交錯式」或「曖昧式」溝通。容忍別人不同觀點或意見，以避免爭端。語意要明確，表達要清晰盡意。給予適切反應，多聽聽對方聲音。若有爭議，就事論事而不作人身攻擊。忠告勸勉要誠懇，改變人之前要先改變個人態度。廣結善緣，與人為善、助人為樂。

溝通是人與人之間意見的傳達方法，思想聯繫的過程。溝通所具的理論基礎在民主參與決策制定、人格尊重等。溝通的特性在互動性、媒介性、期待性、目的性，希望他人接受自己的觀點或願望等。在轉型、競爭、多元社會處處需要人際溝通，很多夫婦離婚是由於溝通不良或缺少溝通所導致。溝通的障礙，往往出現在不知溝通的重要，自視高傲的態度，專斷獨行的思想，接受者的自卑心理，謠言耳語的流傳，語言文字的晦澀難懂而造成。因此溝通宜有準則，掌握文字語言若合符節，溝通內容遣詞用字要有彈性。成功的溝通要傾聽他人意見，適當的回饋，注意現在，著眼未來。溝通也要運用同理心、真誠、諮詢、引導、解釋等技巧。

2. 有效的溝通原則

　　學習或事業生涯的成功有賴雙方面的溝通，而溝通的緊要性乃眾所周知。心理學家福洛姆(Eeick Fromm)曾說：「我們每一個人都有與他人溝通的需要。人們可以利用溝通克服孤單隔離之痛苦，我們有與他人分享思想與感情之需要；我們需要被了解，亦需要了解別人。」可見溝通的需要性，要有效的傳達訊息給對方，不拘是口語或非口語的訊息，雙方意思的傳達或接收，都要讓對方明白你的意思如何？讓彼此能了解、分享喜樂或痛苦的感受。與喜樂的人同樂，和哀哭的人同哭，設身處地分享喜怒哀樂。

　　在基本的溝通技巧上，有同理心(empathy)，能偵察和確認他人的當下情感狀態，用適當的態度反應出來。簡述語意(paraphrase)，將你對他人意思的了解用自己的話表達出來（曾端真譯，1996）。溝通是要多聽對方的話，積極的傾聽，確實能聽懂對方所說的明顯或內隱的話，而用自己的意思表達出來，印證對方的話是否正確。

　　底下列舉一些有效溝通的原則作為參考。

(1) 了解自己的感受，先學習如何和自己對話；再來體會別人的感受，注意訊息的互動與回饋。

(2) 溝通出於雙方的意願，不須勉強或操之過急；可同理的了解，但非同意；可接納對方的意見，但並非完全接受。

(3) 雙方意見不同時，彼此要尊重；尊重對方認為對的作法。盡量正面表達意見，不要拐彎抹角，減少扭曲、偽裝、防衛心理。不宜採閉關自守心態，宜留機會給對方，得饒人處且饒人。

(4) 不失為性情中人。有感情卻不失理性，彼此能體會對方感受，不至於感情用事。謔而不虐，似乎有抱怨不平之氣，切不至針鋒相對，而能理情兼顧。

(5) 確實聽懂對方的話才回話，澄清自己所聽到了解的話和對方所表達的意思有否偏差？

(6) 具備有效的溝通技巧，如圖 10-3 所示。

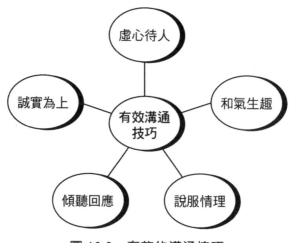

圖 10-3　有效的溝通技巧

① 誠實為上：溝通以誠實為上策，對人不虛情假意，待人以誠，真誠流露，讓對方為之動容，如此真誠溝通，必能獲得真實的友誼。

② 虛心待人：待人虛心，去除傲慢自以為是，以謙虛服侍人的心情，不是高高在上受人服侍，而能以低姿態對人有恩，不求回報。因此能得人心，溝通順暢。

③ 傾聽回應：鼓勵對方表達完整意思、注意關鍵字作適當回應。以探詢方式獲得對方更多的訊息資料。告訴對方你在聽，確定完全了解對方的意思。以自己的話複述對方要點，將溝通過程條列式說明。

④ 和氣生趣：雙方基於共同的興趣、價值、目標製造和諧氣氛。以真誠、開放態度創造有利溝通氣氛。接納對方感受，表達了解關愛。

⑤ 說服情理：讓對方了解你對其行為的感受。具體描述個人所見所聞。動之以情、說之以理。在事業生涯上須有心悅誠服力，才能擁有成功的溝通和業務的發展。

3. 善用非語文技巧

　　人際關係的進展須靠溝通，而溝通除須語言作為媒介，如雙方暢所欲言、話很投機無所不談，可以增進彼此情誼外，另有非語文溝通也很重要。一般談及非語文溝通可區分為面部表情、眼光接觸、身體姿勢活動、另類語(paralanguage)、身體距離。

　　人們面部的表情雖然隨著不同種族文化背景而有差異，但基本上快樂、悲傷、憤怒、驚訝、厭惡、恐懼等情緒大家表現的樣子差不多。不過特殊文化背景還是會影響面部的表情，如日本人在知道有人觀察的情況下要比美國人會控制其面部表情，如笑得較少。國人常被認為「莫測高深」，因為喜怒不形於色，城府相當深，不易溝通。至於受過高等教育者所表現的喜怒情緒與小學程度者不同。或許懂得心理學的人較能察顏觀色，但並非絕對的。兩人溝通時眼對眼接觸給人一種誠實自信的感覺，若是不敢正視對方或常轉移視線，會使對方覺得尷尬，不重視對方的存在。因此雙方眼光接觸，尤其目不轉睛不斜視，是一種重要的溝通技巧，表示你重視對方，視對方為知己。當然同性和異性之間眼光接觸情況不同，同性眼對眼溝通很正常，但異性則涉及眉目傳情，要謹慎為之。

　　身體活動和姿勢也是重要的非語言訊息。「身體語言」說出一投手一舉止都有暗示的意義。別人來請教你，你手插腰或埋頭苦幹，你的舉動說出對人的不屑或不理人。異性交往常有一些小動作或聲音，為吸引異性注意。男女互相喜歡時，身體姿勢會互相傾向對方，擺出不讓他人攪擾的樣子。

　　另類語是指語言中非語言的部分，如音速疾徐快慢、音調抑揚頓挫等。同樣一句話「你真是豈有此理」平和說出來與拉高嗓門說出，給人不一樣的感受。在演講的場合名嘴語中帶有情感，往往表情豐富、聲音柔和低沉又轉高亢激昂，帶有磁性節奏感，餘音繞樑令人回味。身體接觸有個人空間，你與親密朋友保持的距離是 0~1.5 公尺；個人距離是談話距離，通常在 1.5~4 公尺；社會距離 4~12 公

尺，是公事交往的距離；至於公眾距離則在 12 公尺以上，一般演講表演節目在此距離。身體距離遠近確實會影響溝通的品質，親密的交談和疏遠的聊天效果有天壤之別。在後新冠疫情期間，仍要保持社交距離 1.5 公尺以上，保持距離以策安全。

4. 適當地表情達意

在溝通上，情緒表達穩當或不當，喜怒形之於色或不形於色，熱情豪爽或冷峻尖酸可左右人際關係之好壞。傳統社會不太鼓勵我們表達感受，如「不要生氣」、「不要煩惱」、「沒什麼好難過的」、「要控制自己情緒，別太興奮了」、「男兒有淚不輕彈」等。年歲愈長，對朋友的感情表達愈少。社會角色如業務代表要面帶微笑，教師要有理性循循善誘，學生要守規矩。性別的刻板印象也由不得自己表達情緒，如男人不能哭，要理智強壯，女人要柔順，感性愛哭等。壓抑怒氣多年的人，不太了解生氣是怎麼一回事。一個不信任別人的人很難說「我很孤單」、「我需要你的支持」。一個充滿自信的人很怕說「我錯了」、「對不起」、「請多包含」。

通常表達情緒可改善彼此的關係，雙方也可深獲其益處，譬如你可以更了解別人，分享情緒的同時，別人也分享他的感受，先表達自己的感受是認識別人的先決條件。再來別人可以更了解你，表露自己的感受，才能讓別人有機會更了解你。要讓別人更了解你，先敞開表明己意。分享真誠的感受可以使彼此的距離更縮短，彼此的聯結更緊密。只敘述事實，沒有人情味，當彼此分享感受時，關係進展了一步。同時對我們身體健康也有利，把情緒分享給人是健康的，把情緒壓抑下來，可能會引起心身疾病。壓抑情緒會引發心理緊張，損害消化、呼吸、循環系統，甚至關節及減低身體對疾病抵抗力。表達情緒可以讓你開放，且變得更真誠，不論你的情緒是高興、傷心或恐懼，當有機會說出來，你一定會有開懷的感覺，比較能以真誠待人。你要人家怎樣待你，你先要怎樣待人家。

5.　話要說到心窩裡

(1) 壞話要緩說

　　　　底下從劉墉《把話說到心窩裡》(2000)一書列舉數例分析。

　　　　今天考數學，考了六十分，你回家要怎麼說？如果你開門見山：「爸爸！我數學考六十分。」搞不好，啪的一聲，一記耳光過來。但假使你拐個彎說：「今天數學考試好難喔！多半的人都不及格，連向來第一名的王大毛都只考了六十五分。」你老爸問：「那你考幾分？」「剛好及格，六十分。」相信那一巴掌絕不會過來。老爸當天如果情緒好，還能讚美你兩句呢！

(2) 輕話不可重說

　　　　有個老先生突然失眠，渾身乏力，對什麼事都提不起勁，連大門都不願跨出半步，而且莫名其妙想哭。老先生去看醫生，醫生檢查之後說：「你是腦子出了問題。」老先生臉色立刻變了。醫生又說：「是腦裡的傳導物質出了問題。」「什麼傳導問題？」老先生緊張地追問。「這是一種老年憂鬱症，老人家常有的問題。」醫生又說：「小毛病！我給你開藥，很快就會好的。」老先生一下子鬆弛了，差點滑下椅子。如果那位醫生反過來說：「小毛病，吃藥就會好的。這是一種老人常有的憂鬱症，是腦裡一種傳導物質出了問題…」老先生會那麼緊張嗎？

(3) 左右逢源的說法

　　　　「我家對面新開的公園裡，就要蓋圖書館了。」老太太逢人就說：「多棒啊！你們要常來，一起去看書。」隔一陣，政府改變計畫，不蓋圖書館了。「我家對面新開的公園裡，現在不蓋圖書館了。」老太太還是逢人就說：「多棒啊！全是綠地，你們要常來，一起去散步。」

(4) 多替別人設想

　　　　孩子爬得很高，媽媽很可能罵：「你要死啊？你給我下來！」她為什麼不改成：「孩子！那樣危險，你不怕，媽媽會

怕！」在車裡，有朋友要吸菸。「你把菸熄掉好不好？我受不了。」某人喊。他何不改成：「少吸一根菸吧！尤其在公共場所禁止吸菸，你吸，對你身體和我都不好！」

最能把話說到心窩裡的，總是最能替別人設想，也總能退一步思考的人。同時一句話說得合宜，就如金蘋果在銀網子裡。

(5) 說別人想聽的話，而不是我想說的話

不是去逢迎、諂媚、巴結、討好對方。乃是肯定、欣賞、接納與尊重對方，從而以他的觀點來展開話題。

(6) 把話說到對方的心坎裡去，而不是把對方心坎話（祕密）給挖出來

只要我們夠細心、夠貼心，要把話說到對方的心坎裡去並不難，同樣是抓到對方的心意，話說進對方心坎完全不會引起反彈，而把對方心坎話挖出則會引起對方反擊與否認。

(7) 話沒有攻擊性、卻有影響力、說服力

要說能帶出願景的話，要說能造就人的話，至少絕不能尖酸刻薄、語帶諷刺、甚至是牽涉到人身攻擊。最理想的表達（說話）就是，能發人深省、卻又幽默風趣（沒有批判性）。要避免老生常談，了無新意；更要避免像老太婆的裹腳布又臭又長。否則久而久之，人家都不喜歡和你說話了。即使有新意，如果你每次話匣子一打開，非得兩三個鐘頭是結束不了的，那也會把所有的人都嚇跑了。

(8) 說話速度慢點，涵意深點。見解精典，旁徵要博。說理透徹，視野胸襟擴大。待人彬彬有禮、風度翩翩，而氣勢柔和，溫文儒雅，更有同理心能體恤人。如此話說進人心窩，確實要多練習。

（三）增進溝通談判能力

1. 化暴戾為祥和

人際衝突須靠談判來解決，談判要靠溝通說服，藉溝通建立共同興趣，並減低雙方的歧異，使雙方都能達到滿意的協議或解決彼

此衝突的地步。談判可說是人們為滿足各自需求所採取的溝通途徑，是施與受兼而有之的一種互動過程，有合作與衝突兩種成分。是互惠的，卻是不平等的。雙方對於結果具有否決權，結果或有不平等，而談判過程仍是平等的。如勞資雙方的談判有衝突，也有合作，在平等立場上溝通，避免極端或出現僵局，相互禮讓才能有圓滿結果。如兩位國會議員為議題針鋒相對，女議員對男議員說：「若你是我先生，我一定在你杯子裡放下毒藥。」男議員說：「若我是妳先生，我一定一飲而盡。」暴戾之氣瞬間化為祥和氛圍。

2. 有原則和立場

在溝通談判前需要的準備工作是確立目標，就是確定必須達成的、立意達成的、樂於達成的目標是啥？蒐集相關資料，充分了解自己的立場和有利的籌碼，評估實力，並設法了解談判對手的底細。在策略的詳細規劃上，掌握適當的時機、應用的方法和範圍。實際進行談判，先假想演練。

3. 溝通談判問答策略

關於溝通談判的基本策略是要善於發問，譬如「對於那個建議，你的反應如何？」以引起他人注意。「你認為在什麼情況下，我們必要承擔這件事？」以取得自己所不知道的消息。「如果你真的去做，可以應付得來嗎？」來傳達自己及對方不知的訊息。「你把這件事提出來，你的同事們會有何行動？」以引起對方思緒活動作為討論終結。「我們決定這樣，是否開始行動？」來認清對方何時採取行動。善用「時間」的策略，耐心、出奇制勝。必要時轉移陣地，找出變通點，藉著幽默的傳達，雙方衝突可獲化解，如海涅是猶裔德國大詩人，在一次晚會上，有個旅行家暗諷他說：「我發現有一個人間仙境的小島，這個島上沒有半個猶太人和驢子。」海涅不動聲色說：「看來只有你和我在那個島上，才能彌補那個缺陷！」的確，幽默是世界共通的化解諷刺之優美情緒。

4. 善用抉擇理論改善關係

葛拉瑟(William Glasser)倡導現實或實際治療(reality therapy)，開拓美國精神醫學及心理治療的新領域。他認為每個人的行為都是自己的選擇，均應對自己的行為負責，而諮商員主要任務在於幫助當事人選擇有效與負責的行為方式。其抉擇理論(choice theory)強調我們能控制自己的行為，我們的行為受到生存、愛和依附、自由、權力、樂趣所驅動。此理論用來解決人際衝突，如解決夫妻婚姻衝突，幫助他們做較好的選擇。當個人希望婚姻關係如己所願時，最好的選擇是控制自己，而不是控制配偶。認為較好的選擇是做一些有助改善婚姻關係的事，例如與配偶促膝談心。其他有關師生、親子、勞資衝突也可藉此改善。談判過程可以引用贏得對方信任與尊重的「評價者」(Rater)五步驟。

a. 信賴度(Reliability)，要成為可信賴的人。你不輕易承諾或讓步，但只要你承諾了，你都能信守承諾到底。

b. 專業度(Assurance)，雖然你們的立場是對立的，但你在談判過程中，卻還會盡可能想到，尊重對方的專業（權益）。

c. 有感度(Tangibles)，體會對方的感官知覺（感受他的心跳）。

d. 同理度(Empathy)，理解對方的患得患失（體會他的憂慮）。

e. 反應度(Responsiveness)，你要能敏銳察覺一些細節，藉此顯出你負責任的態度（即使他談判輸了，對你的貼心沒話說）。

二、精練專業知能

（一）專業知識的培養

專業知識有核心專業、專業相關、基礎及一般知識等。培養專業知識可從底下幾方面著手。

1. 多觀察多體驗，眼到、口到、心到、手到是基本的學習態度，能腳踏實地做好觀察體驗以增進專業知識。

2. 對專業書刊須多花費時間研讀思索，可採用 SQ3R 的原則，先瀏覽(survey)全書，略略讀過。再提問(question)，有疑問隨時請教師長。再正式閱讀(read)，好好讀過一遍，能精讀更好。再要復習(recite)，溫故知新，不斷反芻消化。最後回憶(review)，準備接受考驗。如此必能在專業知識上大有斬獲。也可採用 PQRST 增強記憶的原則，預習(preview)，發問(question)，閱讀(read)，複述(self-recitation)，考驗(test)。按部就班循序漸進以獲取專業知識。

3. 除了閱讀教師所指定的書刊外，能多參考相關書刊，可作一比較分析歸納組織，進而獲得更專業的知識。

4. 專業書刊若來自國外，能直接閱讀原文書更好，藉此磨練外語能力，在聽說讀寫各方面多予重視，則有機會可出國深造。一般社交知識、相關專業知識、核心專業知識彼此間之關係如圖 10-4。

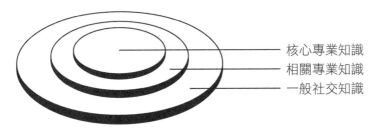

核心專業知識
相關專業知識
一般社交知識

圖 10-4　一般知識、相關知識、專業知識之關係

（二）專業技能的培養

在所讀科系接受專業訓練，養成專業技能。依「專科學校法」、「技術及職業教育法」之有關規定，專科學校技職教育目標在教授應用科學與技術；養成實用專業人才；培養職業道德與專業精神；涵泳健全品德與情操；建立服務社會與人群的信念。為達此目標，須施教者與受教者能密切配合，合作無間。就以學醫護保健、工程管理為例，主修醫護保健、工程管理專業知識，輔修相關基礎學問，由精而博，然後接受技術訓練，直到技能熟練為止。如胡適所謂：「為學要如金字塔，要能博大（一般知能），要能深（專業知能）。」

專業技能方面，作到以下幾個原則，才能一技在身，走遍天下。

1. 虛心學習，不恥下問，精誠實練，持之以恆，能育成所需的技巧。

2. 有關技術職能，都要親手操作習練，直到無誤精確為止。要戒慎恐懼，不輕率馬虎，否則可能前功棄重頭來。但不氣餒，再習練，直到純熟專精。

3. 每一種技術都得時常演練，採用精熟學習法，技巧不斷演練，熟能生巧，直至精熟為止。切勿投機取巧淺試即止，宜照步驟演練，練得一手好技術。

4. 技術無國界，有機會到國外進修，切磋琢磨，虛心問學，多學習人家優點，截人之長補己之短，技術不斷進步，精益求精。做到學精技專，用於志業。

三、善掌謀職技巧

善掌謀職要領可包含撰寫履歷表、精寫求職信、磨練面談技巧等。

（一）撰寫履歷表

1. 履歷表的意涵

履歷表在不同場合使用 resume，或 CV (Curriculum Vitae)。一份履歷表就是一個行銷工具。它協助你將你的技能和經驗推銷給可能的雇主。履歷表讓雇主來預估你如何能在他們的公司貢獻一己之力。一份成功的履歷表告訴雇主你能夠勝任其職。在他和你碰面之前，履歷表替你爭取到面談的機會。因此一份履歷表必須清楚簡潔，並且要能抓住人的注意力，在不到三十秒鐘內達到效果（酌參 2001.9 Advanced 彭蒙慧英語）。可見履歷表是一份溝通當事人願景和可能的雇主間錄用訊息的橋樑。Resume 之於求職就像購買手機的一張宣傳單，一份 A4 簡歷說清你最想讓雇主注意的地方，不用寫太多細節資訊，只要提供「為什麼你最適任這份職務」的明確理由

即可（參網 https://www.cakeresume.com/）。CV 則在求職過程中就像手機的詳細規格書，吸引雇主更進一步了解你較詳實資料。

履歷表(resume)是在申請求職時最常使用的文件，簡要列出教育程度、工作經歷、工作技能，職位需求，求職目標。而在 CV 中，較詳細列出個人的經驗與相關技能，若要應徵教育單位，則個人的學術背景，如教學經驗、研究成果、獲獎紀錄、相關出版物等細節要列出，因此 CV 的篇幅會較長。

參考 104 人力銀行(https://blog.104.com.tw/)2025 新鮮人履歷技巧公開，先釐清求職目標，再研究職務需求門檻，找到履歷關鍵字眼。可上網找相關資料作為編寫履歷參考。底下說明履歷表的型式。履歷表分為一般型及簡易型，依公司需求不同，要求的格式也不同。應徵較初階的職務，企業通常要求你繳交簡易型履歷表，求職者只需按公司提供的格式填寫；較強調專業領域的職務，則會要求應徵者繳交資料較詳細的一般型履歷表，能蒐集更多線索看出求職者的優勢與強項(https://www.cheers.com.tw/)，找到符合需求者。

2. **履歷表型式**(formats)

履歷表的範本常用且被接受的方式，有編年式和功用式及編年功用混合式的履歷表。還有詳式和簡式履歷表。

(1) 編年式(chronological)：這是最常用的履歷表格式。在這種以時間先後順序排列的格式中，你的工作經驗成為著墨的重點。你最近的工作被列在條列項目的最上頭。編年式履歷表，是讓可能的雇主可以很輕易地注意到你最近的工作經驗，並且發現這些經驗如何符合他們需要的一種簡單又有效的方式。這類型的履歷表也有它的缺點。如果你已經有很長的一段時間處於失業狀態，這種履歷表會突顯你這段空白。一個充滿短期工作經驗的工作歷史，或許會讓可能雇主懷疑你專心投入一份職位的能力。它可能會引起雇主對你工作經驗的關切。

(2) 功用式(functional)：功用式的履歷表，是在你的履歷表開頭強調你的工作經歷、技能和教育經歷。著重你的技能，而非列出你的工作經歷。

(3) 許多人偏好編年式和功用式的混合履歷表，將他們的技能和成就先列出來，再列工作經驗。

　　寫好一份履歷表是求職的首要工作，履歷表有簡式和詳式，

(1) 簡式的履歷表，主要用於廣泛寄達自己所想進的各相關機構。

(2) 詳式的履歷表，須詳實填寫資料，親自遞交自己所要應徵的工作單位，期一舉應徵即受聘用。

　　履歷表該用簡式或詳式，有時要視情況而定。為表達慎重志在必得之決意，履歷表可親自打字印出。一般履歷表的內涵主要的有個人基本資料、學歷、工作經驗、自我描述等。要注意內容不亢不卑，求其中肯實在，不過分高抬自己，也不過於謙虛承讓。按個人專長、才學，有什麼就說什麼，無須隱藏或保留一手。換言之，能說得恰到好處，適度推銷自己，不僅學經歷好，而且文筆流暢，內容充實。雖未曾謀面，對方已頗有好感，屆時你必能脫穎而出。

3. **撰寫履歷表要領**

(1) 親自繕寫或電腦打字：所有資料最好親自繕寫或電腦打字文書處理；若運用影印本，較不正式，給人失禮、不尊重的負面印象。親自繕寫時，字跡力求工整清晰。手寫較具親和力，人事主管也可能會透過字跡對求職者態度、寫作能力及個性做初步評估。親自繕寫也要避免塗改，下筆前最好先打草稿，免得錯字或塗改太多，給人粗心或程度不佳的印象。

(2) 資料盡量完整：履歷表上所有項目均須填入資料，越詳細越好。貼下正式而有魅力的近照；填寫學經歷時，應由時間近者往遠者依序列出。強調自己的專長及經驗。填待遇欄前，多請教他人或蒐集相關情報，適當寫出自己的理想待遇，清楚註明應徵項目。寄出履歷表之前要詳細檢查各個項目，能留給人良好而深刻的印象。寄出前影印存檔一份備用。

(3) 據實以告，適可而止：不要企圖塑造不符合你的假像，不宜在你的教育或工作經歷上作假。然而，即使誠實不偽，也無須把你工作經歷的大小細節全列出來。因可能會使雇主失去耐性，使你失去面談的機會。

(4) 因工作性質而制宜：別將一份履歷表用在每份可能的工作機會上，因應你想要應徵的各樣工作性質不同，而寫出相異的內容。

(5) 大綱長度適宜：以大綱的方式列出所有的內容，可讓雇主能夠簡單又迅速地讀完你的履歷表。履歷表的長度不應該超過兩頁，如果你的專業經驗不到十年，那麼履歷表只要一頁即可。

4. 履歷表需備項目

如何撰寫一份出色的履歷傳記？一份合格的履歷表應完整、簡潔有條理，才能讓雇主在最短時間內對求職者獲得初步的認識與評估。但簡單不等於草率，求職者選用履歷自傳資料表時，宜避免使用過於簡略的格式，或者利用電腦自行設計符合應徵需要的格式。而是應該視應徵的工作性質或特性，在履歷表中加以強調或凸顯自己的專長與能力，才能在眾多求職者中脫穎而出。以下是履歷表需具備的項目，可作為求職者選用或設計履歷表時的參考。

(1) 基本資料：是個人的表徵，沒有這些資料，即使擁有優異的條件與豐富的經歷，就像一個面貌模糊的人讓人無法辨識。基本資料包括姓名、年齡、性別、籍貫、通訊地址及聯絡電話，男性須註明兵役狀況等。其中聯絡電話千萬不可忽略，務必填寫以利對方聯繫，以免喪失良機。

(2) 教育程度：本項內容主要是讓企業瞭解個人所學背景，以判斷與應徵工作的關聯性。填寫時應從最高學歷開始依序填寫，註明學校名稱、科系、學習年限等。

(3) 工作（社團）經驗：如果您是社會新鮮人初次求職，沒有正式的工作經驗，但可提供在學的打工經驗、社團經歷等，作為企業雇主參考指標。最好說明與應徵工作相關的工讀經驗，或曾參與的

社團、擔任幹部及舉辦活動等經驗。這些經歷多少可以凸顯個人的一些特質，如志趣、合群性、領導能力、成熟度等，而新鮮人在校的社團經驗備受企業主重視。

(4) 語文能力：在國際化的趨勢下，外語能力已成為一項必要的工作條件，尤其有意投入國際化或大規模的公司，具備良好的外語能力更是不可或缺的。因此能說英、日、德、法語等外語能力佳者相當吃香，可掌握較多的勝算籌碼。此外，如果能通曉台語或客語也可列入此欄做參考，國內本土企業非常重視此兩項方言。

(5) 專業訓練與專長：資訊社會進步快速，學校所學已不足應付工作所需，如果曾參加校外的訓練課程，特別是與應徵工作相關者，應加以紀錄。主要讓企業了解個人具備相關工作能力，也給人上進的好印象。不論是與所學相關或個人興趣所發展出來的專長，只要與工作相關的才藝都應在履歷表上列出，有助企業評估應徵者專長與應徵工作的要求是否相符，或個人專長是否有助於工作的推動。例如兩位同樣應徵助理工作的人，其中會操作電腦程式者就比另一位不諳電腦程式者占優勢。因此對於個人專長不要吝於填寫或不好意思說明，而切忌誇大事實，以致誤導主試者。

(6) 家庭狀況：填寫家庭狀況欄可供企業瞭解你的家庭組織成員，只需寫出父母、夫妻、兄弟、子女即可，一般不需填寫到祖父母輩，除非因健保的關係，祖父母輩係被保險人，才需列記。

(7) 應徵項目包括部門及職稱：在履歷表上註明應徵工作項目，一方面便於企業甄選作業，另方面也是對自己志向的肯定。因此在履歷表內應註明清楚，如果應徵超過兩項，也應依序註明清楚。

(8) 希望待遇：依公司規定或企業與個人可接受程度的彈性額度，如三萬到三萬五千元。

(9) 希望工作地點：很多企業的公司與工廠分布各處，應視個人意願依序填寫想赴任的工作地點。

　　此外，若要附上自傳(autobiography)，中英文自傳可準備好。包括家庭狀況、求學經過、專長及對未來的期盼。切忌冗長，字跡要端正，不誇大內容，資料要完整，視企業需求準備多份履歷自傳。

5. **英文履歷表(Curriculum vitae , CV)格式**

　　簡述所搜尋相關網站，如 104、1111 人力銀行所列英文履歷格式。

(1) OBJECTIVE（目標）

　　先瞭解目前想應徵的職務種類、工作內容，並具體寫出這份工作吸引自己之處，切忌漫無目標，答案越具體，越有奪標的可能！

(2) PROFESSIONAL QUALITIES（專業技能）

　　針對想應徵的職務種類，明確列出自己擁有哪些專業技能，無論是技術、知識或管理方面的能力均可。

(3) PERSONAL（個人資料）

　　　只要寫出生年月日即可，不用特別強調性別或配偶狀況等。

(4) INTERESTS（興趣或嗜好）

　　不只寫出平常的興趣，最好還能寫出自己平常較注意的一些事物，字數不宜太多，一、二行即可。

(5) LANGUAGES & SKILLS（語文及技能）

　　列出自己擁有的資格考試執照資料，包括英考，如托福、多益、雅思分數等，而有關電腦技能須填明機型、會用的電腦軟體等。

(6) EDUCATION（教育程度）

　　通常只要填寫最高學歷與次高學歷即可。

(7) EXPERIENCES（工作經驗）

　　從第一份工作開始，具體介紹曾擔任過的職務，如能附上優良的工作成績紀錄或說明更好。

有關英文履歷表範型，可參考網站或相關書刊所提供資料做參考依循。

【附錄1】求職小故事

一個剛從大學英文系畢業的社會新鮮人，自認英文造詣甚佳，於是他寄了許多履歷表到一些貿易公司。然而他所接到的答覆都是不需要這方面的人才。其中有一間公司還寫了一封信給他：「我們公司並不需要新進人員，若是我們有需要，也不會僱用你。雖然你懂得英語，但是從你的自傳中，我發現你的文章寫得很差，而且充滿了錯誤。」這人收信後，非常生氣，打算回寫一封足以氣死對方的信。爾後，他認真地想一想：「對方可能說得對，或許自己在文法及用詞上犯了錯，而竟然不知道。」於是他寫了一張謝卡給這個公司：「謝謝你們糾正我的錯誤，我會再加倍努力的。」過幾天後，他再次收到這公司的信函，通知他可以上班了。「敗壞之先，人心驕傲；尊榮以前，必有謙卑。」（箴言）

【附錄2】臨場考驗

有一個人到一家大公司應徵公關經理，公司錄取的名額只有一個，想不到報名者竟然出乎意料外的多，經過激烈的層層考試與關卡的篩選。最後，他終於接到面試通知單。想不到，輪到他進入董事長室時，他竟然在董事長的面前摔了一跤，並把手中的資料撒得滿地。但見他從容不迫地，一一撿起來，並微笑地走到面試官的前面坐下。果然不錯，董事長劈頭第一個問題就問他，你覺得這樣的事情會影響你的面試成績嗎？只見這個人微笑著回答：在人生的旅程中，時常會有意想不到的事情衝擊著我們，而這些打擊會產生什麼樣的結果，端看我們是以何種態度去面對，因為不同的態度，就會產生不同的結果。通常我都會以從容、積極、正向的態度去面對，只要盡了力，我就不太在乎結果是怎麼樣。如果太患得患失，反而無法將真正的實力展現出來。更何況有很多事情的結果，並無法操之在我。就像今天這件事發生後的成績是操之在董事長的手中，所以會不會影響我面試的成績，應該是要問您，其實這也是我想問的一個問題！不久後，他接到了錄取通知單，董事長的評語如下：你是一跤摔進本公司。意思是說，因為你摔了一跤後應付得當，

才被錄取。所以如果沒有摔那一跤，說不定還無法展現出你的危機處理能力，而讓董事長欣賞。

在人生的旅程中，當不如意之事或突發事來臨時，千萬別喪志或輕言放棄，因為機會時常偽裝成不幸，來試探我們，端看我們如何加以應對，能處變不驚或臨場不亂，則會受到青睞。

【附錄3】英文自傳範例

PERSONAL DATA

My name is Gary Chen, born in Chia-yi County, Taiwan,1971. During my childhood, my family moved often to Tainan, Kaohsiung, Taichung, and many other places because of my father's Job. Fortunately, we lived for ten years in Kaohsiung City, so that I could finish my high school education there without interruption.

After I graduated from senior high school, my father bought an apartment in Taichung. We finally settled down.

COLLEGE TIME

I entered Tamkang University, Department of Traffic and Transportation Management, after one year in grammar school. Though I failed to go to my favorite departments, I still had a good time in Tamkang.

Its liberal atmosphere and good education in computer science helped me a great deal. I participated in several students' clubs and devoted myself to computer learning during the four years. I was so confident in computer operation that I decided to choose computer science as my future career.

GRADUATE SCHOOL TIME

In the last year of my college life, I spent much time preparing for the graduate school entrance exam. At the same time, I also studied further about MIS and computer network. Then I entered National Cheng-Kung

University, Graduate Institute of Transportation and Communication Management Science. In the first year l was very much interested in BBS and internet, Hence, I had many opportunities to learn the management of workstation, and designed homepage for my department and for myself. I also taught other students to design homepage.

FUTURE CAREER

I am devoted to what I am interested in, especially to mass information, technology, etc. I can also get into the groove easily to new technique and software. Therefore, I would like to find a job related to what I learned at school. In the future, I hope to contribute my studies to the society.

（二）精撰求職信函

1. 精寫求職信的原則

(1) 話語簡明扼要，將自己最具說服力的一面，清晰地呈現給對方。

(2) 談及你的經驗，最好說到你較具體、特殊的一些成就。

(3) 中肯平實表達個人的長處，不亢不卑；無須過分推銷自己或自吹自擂誤導別人。

(4) 利用電腦打字，用美觀的字體印出應徵函，中英文各準備一份。

2. 精練求職信範例

○○院長鈞鑒：（應徵醫院工作）

您好！多年來我一直對貴院成長所經過之艱辛歷程至感敬佩，貴院能擠身今日教學醫院領域，乃是因著您領導有方以及全體員工一致努力打拼出來之成就，令我非常羨慕。企望有天也能親聆教益，接受您睿智領導，並與 貴院一起成長。過去幾年我曾經在一家醫院擔任醫護工作，與同事之間和睦協力，業績扶搖直上，也曾獲得上級頒獎表揚，全體同仁與有榮焉。但好景不常，世事難料，加上經濟不景氣，同業之爭白熱化，同事之間離心離德，紛紛鋌而走險。我似乎預料到在此難以久留，因此到處找尋求職管道，幸好耳聞 貴院業務蒸蒸日上，榮景一片

看好，不受任何競爭景氣之影響，能屹立不搖，於是萌生寫此信函之念頭。懇請給予磨練機會，諒必竭盡心力，以報成全後學之恩！

敬　　頌

鴻圖大展　萬事如意　　　　　　　　　　　　後學○○○敬上

2025 年○月○日

　　若應徵其他行業工作也可比照辦理，或可搜閱相關資訊或網站。

（三）準備面談

　　面試的原則是讓勞資雙方彼此認識，看是否能合作。在面試時切忌自欺欺人，最好以真實一面顯示予人，避免矯揉造作。回答問題有精神自信，有個人特色。回答問題後，也要問問題，顯示你的積極意願。

1. 面談之前準備功夫

(1) 有正確的心態和觀念：面談之前先要有正確的心態和觀念，只要有面談就有機會。如未錄取並不代表自己很差勁。此地不留人，自有留人處，再試試別的地方。

(2) 面談的技巧是可多方學習，觀摩、請教別人或閱讀相關書報等。

(3) 面談前要整飭儀容、蒐集公司的資訊、預習問題的回答方式。

2. 面談之時

(1) 預習演練可能被問及者：當你的求職信獲得回音時，亦即你有受錄用的機會之前，先要經過面談的階段。通常面談時常被問及的事，譬如，你足能勝任這項工作嗎？你願意接下這項工作或接受挑戰嗎？你個性適合這項工作或這家公司嗎？你對此項工作有何期望或如何抒展你的長才？五年後你希望成為一個什麼樣的人？

(2) 用語積極、具體，內容簡要：在面談時，你多講正面積極的事，用具體的例證或成就來支持你的論點。內容力求簡明清晰，回答問題乾淨利落，不拖泥帶水。

(3) 知彼深入，成竹在胸：如果你希望面談一舉成功，那就先要有充分準備、成竹在胸，包含對自我條件的再評估、對公司的深入瞭解、準備相關資料等，積極進取面對晤談。

(4) 儀態雍容華貴，應對拿捏有度：注意服飾穿著和禮貌，並準時到達，事先準備好你想強調的事，在面談時發揮出來。說話態度從容、不疾不徐；別羞於請求給予一個表現的機會、表達你要承擔的工作負荷意願，以打動對方。少說自負的話，自信而不自滿。

(5) 隻身接受挑戰，表現能屈能伸：不帶他人去面談，隻身有備前往應戰，表現不亢不卑、能屈能伸。自然沉著、等候時機、當機從容行事，不必強求，別逼對方立刻做決定。如何走出自己的路？晤談時能表現個人的特色，贏在起跑線上，穩紮穩打，並能堅持到底，獲得最後勝利。

3. 面談之後

當然你若覺得這家公司有制度、有保障、離家也不遠，通勤方便，待遇也合理、也可發揮所長。經過面談之後，雙方有了默契，就不妨接下工作。你可靜待好消息了！若晤談拙於表現，或限於名額、專長不符、經歷欠缺，有遺珠之憾，則不屈不撓，再接再厲，試圖東山再起。

(1) 知己知彼百戰不殆，了解理想和現實的差距：個人一輩子的生涯發展，其實就是理想與現實的結合歷程。重理想者眼高手低，挫折不斷，只知道我要的是啥？卻不知我究竟有多少能耐？因此要認清自己，勇於面對挫折失敗，調整眼手之距離，才會出現轉機。人生有順逆轉折生機，對自己負責，面對橫逆挫折，敢冒險犯難，危機成為轉機。建立正確的價值觀及領略生命的意義，有理想和現實折衷考量。若面談失利，退而了解自己的弱點，截長補短，有機會捲土重來。

(2) 正確掌握切身訊息：社會新鮮人何去何從？找工作的心理準備，先了解社會新鮮人所關心的事：待遇和福利是否優厚？技術與經

驗的學習和結合；工作的發展性和成就感；有無在職進修的機
會？工作是否適合自己的興趣？能否發揮所長學以致用？工作能
否一直往上爬？在乎同事和諧相處，適應容易，工作愉快；在意
工作上是否能達到老闆的期望？面談之後，接獲好消息，當然義
不容辭，愉快走馬上任。若功虧一簣，無須垂頭喪氣，而再接再
厲重整旗鼓，正確掌握訊息，定可扳回一城。

第三節　伸縮生涯能力的發展

　　攸關生涯能力的發展，可從以上所述，在各方面磨練，能有全方位
生涯能力的發展。在大專階段就要具備將來在職場上所需之能力。

1. 人際關係及社交技巧習練。一般初出茅廬的年輕小夥子常滿腔熱
   血，卻不懂如何與老闆同事相處，熱誠有餘，見識不足。須能抱著
   謙虛態度學習，登高必自卑，從改善人際關係做起，增進與同事、
   上司之互動關係。在公司邊做邊學下，多用頭腦思考如何運作。多
   磨練社交技巧，在工作態度及職業道德上多琢磨學習。確知事業的
   成功取決於敬業樂群，圓熟的社交。

2. 挫折容忍力的提升。報章雜誌的問卷調查，常發現社會新鮮人遇到
   工作上的挫折，容易打退堂鼓，缺乏挑戰高難度的工作，因此急需
   培養挫折容忍性，能坦然面對工作的不順，環境的艱難，愈挫愈
   奮，百折不回。最近受疫情拖累，經濟不振，失業率增，間接影響
   到學生的學習情緒。學生面臨挫折常不知所措，抗壓力不足，特別
   遇到感情困擾或家長反對，常會走向極端。須以平常心面對挫折悲
   痛失望，生活不如意事十常八九，從失望、困境及創傷中復原，
   發展明確且切合實際的行動，以解決問題。逆來順受，從逆境
   中學習成長，為職場工作遇到困難逆轉勝做好準備功夫。

3. 在工作上不斷學習，技術精熟。除具備專業知能、普通知能外，在職場還要不斷習練，懂得如何面對不同的服務對象、不同的環境，採取適當的對策，不拘泥於固有的方式，能創新突破，精研技術。

4. 培養團隊的精神，群策群力。任何工作都不是靠個人的單打獨鬥，標榜英雄主義所能成事。在多元化社會，需要有團隊意識，集思廣益，大家一起分憂解勞分擔成敗。

5. 有工作有休閒，提升休閒活動的品質。利用假日從事一些有益身心的休閒活動，如釣魚、爬山、游泳之類的，提升休閒品質，對工作的養精蓄銳也有助益。

6. 工作有願景(vision)，有奮鬥的目標。引用哥林多前書九章 26-27 節「我奔跑不像無定向的，我鬥拳不像打空氣的，我是攻克己身，叫身服我，恐怕我傳福音給別人，自己反被棄絕了。」意思就是說，保羅是個有願景的使徒，遵照神旨傳福音，有奮鬥的目標，奔跑有方向，鬥拳有對象，因此能實現願景，達到目標。我們在知能齊備之後，須有奮鬥的目標，個人內心很清楚該作何事，眼目定準在某事情，能全神貫注全力以赴，達成所願。

　　設想你萬事具備，到目前為止已做好一切的準備工作，現在你的內心焦點篤定置於醫護人員上，你的願景就是有一天會成為一位受人尊崇的醫護天使。然後能全力以赴實現這個願景，不會心懷二意或見異思遷，至終有志者事竟成。因此你心裡要渴慕成為教師、護理師、物理治療師、環工技師、醫事技師、工程師、會計師等，才會主動積極行動，發展生涯能力。同時勤奮苦讀，在專業知識技能上鑽研磨練。好事多磨練，排除萬難，結果願景圓滿實現。生涯能力的發展事關個人意志堅決信念篤定，增強生涯能力，術德兼備，向著渴望職涯志業既定目標勇往邁進，終必能實現願景，心想事成美夢成真。

第四節　正視生涯邁向成功之路

　　大專校院就讀的青年往下紮根，向上發展，術德兼修學以致用，謀職求得好職志，並開闢一條適合自己走的路。難忘前在成功嶺受大專集訓，醒目壁書「從成功嶺走向成功之路」。在大專校院就讀，發揮潛能實力，裝備學問專業技能，找到自己的晉升之路，也可邁向成功之境。

一、大專學生進升之路

（一）大學生的生涯進路

　　大學生畢業後步入社會，感受社會景況與過去不同，現在面對的是與全球年輕人的競爭，該以全校各學系的生涯進路圖，搭配學程規劃引領學生至更寬廣的領域修習學識，以因應學生的志趣及未來產業的興衰變化。有關大學生升學就業適合走的路徑，畫出進路圖 10-5 所示。

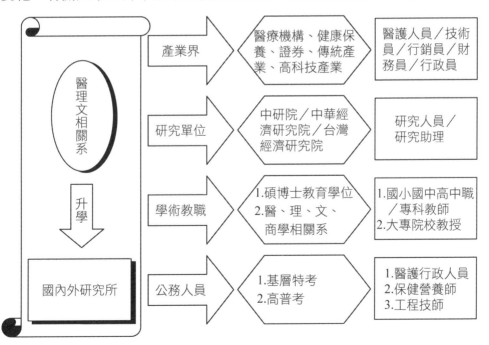

圖 10-5　大學校院學生的生涯進路圖

（二）五專生的生涯進路

　　五專為我國培育中級技術人力的重要管道，具多元的選擇與適性發展的類科，包含工業、商業、藝術、設計、語文、醫技、護理、家政、服裝、餐飲、農業、海事等類，讓學生學習專業技能。五年一貫課程整合設計並與二技接軌，理論與實務並重，除一般理論課程，著重實習、實驗及實作演練，重視專題製作，並鼓勵考取證照。課程設計以學習者為本位，兼顧生涯發展知能、專業精練及彈性自主。修滿應修學分，畢業授予副學士學位。畢業後可就業或升二技或插大，就業滿三年可報考碩士班。如圖 10-6 所示。

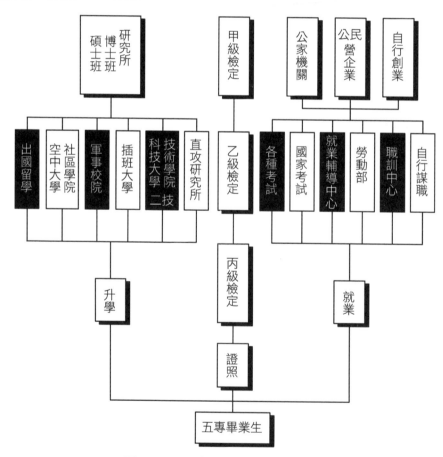

圖 10-6　五專學生的生涯進路圖

二、掌握考試訊息，做好時間運籌

環視科技資訊發展一日千里，無論是學生或上班族，皆有必要學習資訊，運用完整有效的時間運籌方法，並確實身體力行之。善用分秒時光，有效率配置時間，通往成功關口。有效擬定讀書或工作計畫，扭轉時間收穫成果，進而做時間的富翁、生命的主人，以最少力氣獲得最大成果（修自呂宗昕，2005）。盼能成為時間運籌高手，把工作按照重要和緊急兩個不同的程度進行劃分，可以分為四個象限，對重要和緊急的事情當然是立即就做，而對不重要不緊急的事情不做，平時多做重要但不緊急的事情，對緊急但不重要的事情選擇來做。考慮到不確定性不忙碌時，一般必然要做的工作儘快解決。

隨著研究所、國考甄試、考試的日期逼近，你是否感到焦躁不安，無法集中注意力，作夢都和考試脫不了關係。焦慮並非全然是負面的，適當的焦慮，其實可讓人發揮潛能。但過度焦慮，臨床可能出現的身心徵兆，則會讓所有準備功虧一簣。千萬別自亂陣腳，性格不過於追求完美、對考試得失順其自然、適切情緒調適、伸縮焦慮煩躁心情。提升學習效能，規劃適合作息的讀書進度表，別人念什麼無須盲目跟隨，準備充裕應付裕如。對症下藥，運籌時間，從容應試。確知大專生涯進升之路後，能掌握各項考試進修訊息，以及求職管道，做好時間運籌、分秒必爭，在通往成功之路上穩紮穩打，必能立於不敗之地，成功在望。時間運籌在自己規劃範圍內，把時間做最好運用，有智慧的心數算年日，每天都有收穫心得，累積處事為人能量，將所學專業貢獻社會家園。

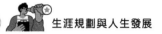

 課後問題探討

1. 分解生涯成功的要素有哪些？

2. 生涯能力的內涵為何？普通專業知能如何預備好？

3. 闡述種啥得啥結生涯美果。

4. 生涯能力要如何培養？

5. 如何撰寫履歷表、自傳？

6. 如何在面談上穩操勝算？

7. 大專畢業生如何走向成功之路？

生涯活動 ❶　生涯有夢，美夢成真

活動目標：

一、理解生涯有夢築夢踏實的道理，為自己未來生涯畫一美夢的藍圖。

二、從實際訪談各行各業知名人物或自己認識的成功人物，獲得成功之
　　條件，以為個人實現美夢規劃未來之參考。

活動方式：

步驟 1：採取分組討論方式，每組 6~8 人，各述新近作夢的事實，或假
　　　　設夢境在教室，想一個美夢可以成真的，並與師長同學分享。

步驟 2：實際拜訪一位生涯有成人物，並作記錄，將特殊、有趣的部分
　　　　與同學分享。

生涯活動 ❷ 時間運籌－專注力練習

保持注意力可說是時間運籌的基礎之一，Forest：保持專注，用心生活(https://chromewebstore.google.com/)。這款保持注意力的時間運籌套件由團隊開發利用有趣的森林養育，象徵專注力的茁壯。只要你能克制打開手機和電腦隨便滑、亂逛的懷習慣，就能從分散的注意力拉回專注力，有了專注力，就能保護空白時間做有效運用。

請試著下載相關網站 APP，每當你希望有一段專心工作的時間，可以在 Forest 就種下一顆種籽。在接下來的時間內，這顆種籽將會慢慢成長為一棵大樹。若是你禁不起誘惑，在這段時間內瀏覽了你黑名單內列出的網站，你充滿生機，而可愛的小樹將會枯萎而死。利用這樣遊戲化的方式，幫助你遠離網路成癮的干擾，可以更專注於生活與工作。每天都有你的專心森林，記錄你的專心時光。

生涯活動 ❸　EQ 自我測試

　　參考 EQ 測驗書，了解個人情緒表達，對他人情緒的自覺。EQ 沒有絕對好壞或對錯，可按自己情況回答是否，並與大家分享情緒感受。

一、「自我表達的情緒」測試。

　　1. 自己表現不俗時，我會讓別人知道。

　　2. 即使是負面的情緒，我也會表達出來。

　　3. 相處時，我會讓別人知道我的基本需求。

　　4. 我會讓親友知道我對他們的欣賞或感謝之意。

　　5. 我不善於表達自己的感覺。

　　6. 不快的感受影響到工作時，我會讓別人知道。

　　7. 我需要幫助時，不會向別人發出求助信號。

　　8. 與人互助合作時，我能掌握個人的感受。

二、「對他人情緒的自覺」測驗。

　　1. 我可以從別人的眼神察知他的感受。

　　2. 我難與觀點和我相異的人交談。

　　3. 我會注意到別人可取的優點。

　　4. 我很少要求或責備別人。

　　5. 我在提出個人意見之前會想到別人的感受。

　　6. 不管對象是誰，我通常是耐心的傾聽者。

　　7. 我走進很多人的房間時，會很快感受到裡面的氛圍。

　　8. 我能夠讓新認識的人暢談他自己。

　　9. 我能聽出別人的弦外之音。

　　10. 我通常能掌握別人對我的觀感。

　　11. 我能揣摩別人未說出來的感受。

　　12. 我會依據不同對象而改變情緒表達的方式。

生涯活動 ❹　面談沙盤演練影片賞析

　　面談是求職者正面接觸僱用者爭取勝利的關鍵時刻，若能好好預備掌握此機會，則往往能取得優勢。我們要在面試中勝出，準備方向的重點是一定要知己知彼，了解自身適任原因，展現讓對方印象深刻的吸引力；換位思考，從對方角度思考問題背後他們所要了解的資訊，以證明自己有實力成為適合人選。

　　試想，某天有一個主管前來面試，你要準備甚麼、如何表現？建議可以找一位長輩來扮演面試主管，親身沙盤推演所有面試的問答與互動細節，相信下次遇到真的面試情況，會更加有心理準備、也肯定會有更突出的表現。可觀賞《當幸福來敲門》。在電影中，威爾史密斯飾演一位高中學歷的業務員克里斯，孜孜矻矻努力工作，希望為家人帶來幸福而將所有積蓄投資於一項醫療儀器－「骨質密度掃描儀」，原本以為能成功銷售，從此順利致富，卻未料到產品竟然滯銷。克里斯心事重重走在舊金山大街上，看見人來人往的男女臉上洋溢著幸福成功的笑容，在大樓前看見一位開著名車，臉上充滿自信笑容的男士。與男士寒暄，知道他的職業是股票經紀人。克里斯問男士：「得上大學才能做股票經紀人吧？」滿臉自信的男士回說：「不用，你只要精通數字，擅長與人相處溝通就這麼簡單」。影片最精彩的一幕，是他刻意與人資主管共乘計程車，在車上他敘述自身優點希望博取青睞，看見一心二用的人資主管在把玩魔術方塊，克里斯在短暫的共乘時間，將魔術方塊拼解回復，完成幾乎是不可能的任務，讓主管對他完成任務的決心產生深刻印象。經過了重重的努力犧牲，克里斯終於得到證券公司實習人員面談的機會，克里斯在影片中求職「獲得面談機會參與面談」的考驗過程，是這部影片中他邁入成功前的重要轉折。克里斯所遭遇的求職挑戰橫逆，雖然過程困難重重，面對懷疑與嘲諷，但他仍堅持相信，自己一定會成功。

　　觀賞求職面談影片《當幸福來敲門》可分享你的感受，或分組討論彼此交換意見，獲得共識後，各組提出綜和創意想法。

Chapter **11**

收斂抉擇於
生命轉折

本章學習目標

1. 認識收斂抉擇於生命轉折，生涯抉擇的意涵，在人生轉折關口作適切決定。

2. 了解生涯抉擇的要素，識別抉擇的個性類型特徵。

3. 知曉生涯抉擇規劃的影響因素，能從上天自然、人際助人、物質環境、自我等因素分析。

4. 熟悉生涯抉擇的步驟，並能循序漸進抉擇。

5. 明辨大專生涯規劃之要領，參考實例規劃個人未來生涯。

【引言與摘要】

　　本章收斂抉擇於生命轉折，在生命轉折關口作出生涯抉擇。每個人一生的過程必然會經歷許多的轉折關口，無論升學、結婚、立業等，須當機立斷作正確決定。很多時候，我們會感到徬徨困惑，不知道自己要往什麼方向去，不要著急，每階段做調整、校準，探尋自己喜歡又適合的路向。透過不斷的嘗試、反思、檢討，就可以採取收斂思維，利用已有的知識和經驗，把眾多的信息和解題的可能性逐步引導到條理化自己對什麼有生涯熱情。雖然最後做決定的還是自己，但在聊天思維的過程中，可以接收到人客觀的觀點和建議，調整好自己的心態和步調。這無須相關背景和經驗，只要滿帶熱情，再努力追尋，還是可以在生涯領域發光發熱。可以勇敢地踏出去、嘗試更多建設性作法，或許更能找到自己真正喜歡、嚮往的生涯方向。

　　同時用心去感受觀察，會發現讓自己怦然心動的生涯抉擇。先探究生涯抉擇的意義、生涯抉擇的要素、生涯抉擇規劃的影響因素、生涯抉擇的步驟等。處在後新冠疫情時期，會面臨抉擇問題，全方位抉擇對決策保持適當彈性，瞻前顧後，再多方運用腦力體力、理性兼感性、手腦並用，在緊要時刻作關鍵性決定。另從生涯決策平衡單客觀分析各個選項的利弊得失，擇一而行。在面臨生命轉折關口處做明智抉擇，能臨事不亂，從容不迫，歷練決策而成長。

第一節　解析生涯抉擇的意義

一、生涯抉擇(career choice)的意涵

（一）在人生重要關口的嚴謹選擇

　　生涯抉擇或選擇，係在生涯每個階段的轉折關口，個人憑著理性思考或感性處理各項事務所作的嚴謹選擇歷程。

　　年輕人面對人生的重要關口，譬如在大專多元入學方案實施之後，究竟要參加推薦甄選，或憑在校成績申請入學，或參加聯合指考，總要

作一抉擇。有時抉擇明快，當機立斷；有時抉擇思緒煩擾，猶疑不定，但總得下決定。在人生的重要關口作了抉擇的過程，然後下了決定，會影響一生的生涯發展。從對人生信仰的抉擇而論，筆者在大一入學後不久，被一些熱衷信仰的同學邀請參加臺北的福音大會。經過慎思明辨，心靈交流的過程，明快決志成為一位信徒。因事先未告知父母，事後父母不諒解，於是在信仰認知上起衝突。隨著時日推移，父母漸能諒解和肯定因信仰秉持救人助人的行為，而在人生觀和人格氣質上有了轉變。深信有朝一日雙親也能接受福音。從當時決定不走傳統世襲的信仰老路，而下決定走自己因信得救的路，一直到現在已經過了半世紀。可謂一路走來，始終如一。這樣的信仰對日後行事為人影響甚大，始終離不開教會的活動，每週有固定的時間聚會，自己甘心樂意奉獻時間財物。同時下一代兒女也深受筆者和內人影響，全家一同走這條生命之路。當初的決定，實在影響日後的生涯發展。在人生重要關口所作的嚴謹抉擇，主客觀親身體驗的經歷，對一生的做人態度與行事風格有深長的左右力量，不是局外人或旁觀者所能體會。若以同理心感同身受，領悟生涯抉擇的時刻對人一生的影響深遠，則能慎思抉擇生涯的歷程。

（二）衡量政經情勢在職場上縝密精選

生涯抉擇乃個人面對各行各業，衡量自我的專長、性向、能力、個性、興趣，所作的精細選擇。要想成為職場「新贏家」，就須面對職涯新抉擇。當前面對全球化、本土化或在地化思考如何兼顧，解決網路化科技新貴與傳統企業再生的問題。近年來技職院校進行策略聯盟，公立大學強化整合，而個人讀書就業的規劃，有限資源的享用須付諸實施。再者，現今人工智慧、大數據在知識經濟、網路、手機運用普及各行業的時代，如何開創知識，發展科技資訊學用，早做規劃贏得先機，列為職場生涯重點工作。面對未來的趨勢發展，國際情勢詭譎多變，當認識時務。政治方面，選舉政黨競爭對抗衝突有增無已。經濟方面，兩岸對立緊張態勢難共存發展，經濟不景氣導致失業率更高。文化方面，多元文化、全球化、本土化同時兼顧。面對多元化社會，要在各行百業有立足之地，須累積足夠的競爭力，注意時代的趨勢，研讀專業書刊，謀職

相關知能，加強人脈關係。針對以上政經情勢背景的描述，生涯抉擇乃是個人衡量內外情勢，在緊要關頭作一縝密思辨，嚴謹選擇的過程。

二、生涯抉擇作決定的信念

（一）作決定的時機

生涯不合理信念：遲遲無法作決定是懦弱、不成熟的表現。別人都知道自己要做什麼，只有我太差，因此我要即刻作出決策。

事實：不立刻作決定是一種謹慎不盲動的表現，或許也是明智的決定。難道作決定去某公司上班的人就不會後悔嗎？或一定比不作決定聰明嗎？「欲速則不達」是有道理的，有人曾拍了非常有紀念價值的相片，如鐵樹開花，鳥兒接吻，魚兒排隊覓食等，為何能拍得如此珍貴鏡頭？乃是有耐心等樹開花，慢工出細活，等到底就浮現，言之成理。

生涯合理信念：不立刻作決定並非不作決定，與個人是否懦弱無關。我多了解自己，充實能力，機會來到，就會作出最好的選擇。只要能善用時間，把握機會，一定能作出最好的決定，而不會覺得後悔。

（二）自負選定之後果

生涯不合理信念：既然選擇了一個科系或職業就不能改變，否則一定會被人瞧不起，因為那是我當初自己堅持的決定。

事實：有些科系的學生就讀目前的科系並非自己的興趣，而打算以其他的方式發展自己有興趣的科系，如旁聽、修輔系、雙學位等。在美國有研究顯示，大一學生有三至五成打算變更主修學科。做為上班族，一生轉業六、七次是常有的事。因此與其埋怨某一科系或職業，鬱鬱寡歡，不如放眼未來，東山再起，另起爐灶。

生涯合理信念：作決定多少總是冒風險的，任何投資都不能保證一定賺錢。認真蒐集資料、了解自己的興趣、性向和能力，那是我對自己負責。誰能替我負責？誰能保證一定成功呢？

（三） 花時間工作得賞識

生涯不合理信念：工作時間愈長的人，愈能得到老闆的讚賞。

事實：老闆或上司欣賞在最短時間或適當期限內，完成重要工作者，亦即能找到工作重點以有效方法辦事者，是比較受青睞。如此受老闆讚賞，不是工作時間長的問題。

生涯合理信念：時間的長短與老闆的讚賞不是成正比的發展，老闆欣賞的是能運用創新觀念，節省時間成本，卻獲良好績效的員工。因此苦幹實幹固然可貴，而有方法懂竅門的幹活，更能激起老闆的賞識。

（四） 選擇工作環境促進生涯成長

生涯不合理信念：生涯之路是否走得順暢，端視我對老闆或工作環境的選擇而定。

事實：把自己生涯的成長順遂建立在選擇一個怎樣的老闆身上，就會養成依賴心態，忽略個人努力價值。現今不景氣的行業競爭，可不是你選擇怎樣的老闆，而是老闆選擇怎樣的員工，主動權有時不在你身上，而是在老闆身上。

生涯合理信念：生涯之路會有成長，源於個人採取主動，作生涯主人，選擇操之在我，只要環境許可，可以選擇怎樣的老闆或工作性質。

（五） 改正弱點發揮長處

生涯不合理信念：假如真想要有所成就，一定要馬上找出弱點並決定努力改正，因為現在想到就即刻辦到，才不會悔不當初。

事實：應該盡量找出自己長處、優點去發揮，可學習別人優點來彌補自己的缺點。同時要改正自己的缺點，不是一下子說改就改，必須假以時日，逐漸更正之。

生涯合理信念：若真要有成就，會發現自己的強項並盡力發揮，但也有弱點，目前還改正不了。相信在適當時機，只要有心願改必能改。

（六）完美傾向適可而止

生涯不合理信念：我有完美主義的傾向，無論做甚麼事，一定要做到最好，否則心裏就不安，過不了關。

事實：天底下無所謂完美的人，不可能做到絕對完美的境界。事情有輕重緩急，量力而為，盡力而為就是了，如此就能心安理得。

生涯合理信念：我做任何事只要盡力而為，每次都有進展，可能還無法做到最好，但堅定持續做下去，總會達到更好的成就。

（七）家庭與工作兼顧發展

生涯不合理信念：我把家庭生活與工作分開，才會有好的發展。

事實：有時為生活而工作，有時為工作而生活，生活和工作是有分野，但二者無法截然劃分。要家庭生活美滿，須有好的工作做後盾；工作績效卓越，背後有和諧的家庭生活，二者相輔相成。

生涯合理信念：我無法將家庭生活和工作截然分開，我的工作績效良好，因無後顧之憂，家庭生活美滿所致。

（八）多做事促進生涯發展

生涯不合理信念：我在生涯發展上，總覺得多做一定比少做好，做總比不做好多了。

事實：以往「多作多錯，少作少錯」的觀念先要修正，多作不怕有錯，但作多了，難免有錯，言多必有失。可以在身心狀況最好的時段拿來工作，雖然時間短，但效率高，效果自然好。

生涯合理信念：我的生涯發展講究工作效率，在身心狀況不錯時可多做一點，否則寧可少做，自然有好效果。

（九）事業生涯的如願升遷

生涯不合理信念：我在事業生涯上的成功，獲得主管提升我的工作職位，唯有升遷是老闆對我努力的肯定。

事實：個人生涯上的成就，是多面的，應以能力的增長，學習的增多，人緣的廣結為指標，不當以升遷做為唯一標的。

生涯合理信念：我會努力學習，拓展人脈關係，增長我的工作能力，不以事業生涯升遷做為唯一出路。

（十） 職業性別刻板印象

生涯不合理信念：男人做男人的事，女人做女人的事，男人做女人的事一定做不像，女人做男人的事一定做不好。

事實：在多元化社會，無所謂職業性別刻板印象，有些男性做了非傳統男性做的美容、服飾、模特兒，卻表現出色。女性也有從事非傳統女性做的飛行員、機械師、建築師等工作，也表現相當傑出。因此應按能力、興趣考量男女性該做的事，不必拘泥傳統男女職業的刻板印象。

生涯合理信念：我不堅持某些職業非要男人或女人去做不可，時代不同了，社會多元化了，多種選擇，只要能力可勝任，不拘男或女，均可嘗試適性的工作而樂活。

三、生涯抉擇與決定

生涯的抉擇(choice)非一時之舉，乃要經過相當時間的醞釀準備功夫，之後才能決定下來(reach a decision)。因此抉擇是經常性的，而下決定所作決策卻常在一時之間。查閱勞動部、人力銀行相關網站，如臺灣就業通上網找工作，幫助社會新鮮人認識職涯規劃、產業趨勢、求職攻略、職場達人小撇步等。104 求職秘笈，讓社會新鮮人了解職場趨勢、求職方向、履歷面試、工作態度。完成就業前該有的準備，具備心理調適，充實該有的知能，接受耐力的考驗。認識就業市場，選定就業目標，充實就業條件，而在關鍵時刻做出抉擇。

認識生涯抉擇決定，謀職就業前該有的準備工作之後，就做出了正確的生涯決定。決定(decide)，字根 cide，意為 slay，如 suicide，可見抉擇之難，有所決定，必然有所捨棄犧牲。譬如電影「蘇菲的抉擇」蘇

菲和孩子們身陷集中營，一名納粹軍官看上了頗有幾分姿色的蘇菲，便提出讓蘇菲陪他過夜，則可以保她性命，還能保全一個孩子。最終蘇菲選擇了讓孩子活下來，而蘇菲的內心飽受折磨(https://kknews.cc)。假若社會新鮮人已從學校畢業，學了一技之長，也許是電工製圖、程式設計、醫事護理、環保衛生、養殖幼保、餐飲服務等其中一種專長。已接受了生涯教育，也完成了職前準備工作，認識了就業市場，並參與就業徵才，從幾家相關行業，也許經過困難取捨的過程，最後選擇符合自己專長志趣的工作。就在緊要關頭下了決定，選定某項工作，也可能捨棄另項工作。「魚與熊掌不可兼得」，面對兩難的抉擇，應該從自己的價值觀、人生觀的方向去引導，想過怎樣的人生取決於自己。若尋找什麼卻得不到滿足，可能正站在一個神聖引導的十字路口面臨抉擇。神經學家認為當第一次思考一個決定時，大腦會開始權衡各種選擇，逐一刪去可能性，直到確定一個當下認為是最佳的選擇(https://cdn-news.org/)。生涯或許由一連串抉擇取捨所構成，這次決定多少影響下次決定。

 **第二節　探索生涯抉擇的要素**

分析生涯抉擇考慮的因素，生涯決策者個性特徵，生涯決策平衡單之運用，以及生涯決策範例。

一、生涯抉擇考慮的因素

作生涯決定時，通常在抉擇的過程要考慮幾方面的問題：

1. 我可以做什麼(What I might do)？把握環境有利因素，抓住機會，接受挑戰，如此掌握自己可以做的，作適當的決定，確認要做的事。

2. 我能夠做什麼(What I can do)？涉及能力因素，我的資源為何？按個人能夠做的事，依個人專長決定盡力而為。

3. 我想要做什麼(What I want to do)？牽涉價值因素，澄清價值觀，想做的事，別人看起來有無價值，值得做嗎？想妥當再決定做什麼。

4. 我應該做什麼(What I should do)？涉及倫常因素，職業道德等。認為應該做的事一馬當先做，勇往直前，義無反顧，理當會有美好的成效。該做的事沒做，不該做的事做了，職業道德就受到了挑戰。

二、生涯決策者個性因素

　　生涯具有獨特性、差異性，每個人由於個性特質不同，在面臨需要解決問題之生涯情境，也會有不同的因應風格。以下列舉幾種決策者類型，可了解影響其生涯抉擇之個性風格或行為特徵。

（一）生涯決策者個性特徵

　　生涯決策者的個性特徵有延宕、計畫等不同的類型。每種類型有不同的個性風格或行為特徵，如表 11-1 所示。

表 11-1　生涯決策者個性特徵

決定類型	個性風格或行為特徵
延宕型 (delaying)	性格不穩，慢條斯理，拖泥帶水，平常不願花時間抉擇，因此遲遲難作決定，或者拖到最後一刻才做決定。
宿命型 (fatalistic)	聽天由命，自己不願做決定，把做決定的權力交給命運或別人。認為船到橋頭自然直，東西掉下來自然會有人接著。
順從型 (compliant)	想做決定，但無法堅持己見，會屈從於父母或師長等權威的決定，照章行事，與人無爭，下決策常受他人或環境之影響。
有礙型 (paralytic)	害怕看到做決定的結果，不願為決策負責。選擇麻痺自己來逃避做決定。類似不用心思(no thought)，沒頭沒腦、人云亦云，隨風飄飛，無法做客觀的判斷。
直覺型 (intuitive)	根據感覺，個人對事情正確性或必然性之直接感受下決定，而非依思維來做決定。大多數的情況下只考慮自己想要的，而不在乎外在的因素，不考慮外在環境如何。

表 11-1　生涯決策者個性特徵（續）

決定類型	個性風格或行為特徵
衝動型 (impulsive)	經常只在有與無或兩極端做選擇，不太考慮中間的其他可能。如果在菜單上挑菜，只挑第一眼看到的菜，行事為人常憑直接的感受，似乎沒有轉圜的餘地，常惹來麻煩。類似情緒型忽冷忽熱，刻變時翻，憑個人主觀之偏見或喜好下決定。
猶豫型 (agonizing)	沒有情緒衝動，又缺乏理性抉擇功夫，總是猶疑躊躇，無法從諸多選擇的項目中擇一而行。經常處於掙扎的狀態，幾番思考仍逡巡猶疑，往往在最後關頭仍茫然下不了決定。
計畫型 (planning)	傾聽自己內在的聲音，也考慮外在環境的要求，按部就班，完成生涯決定。相當於邏輯型(logical)，對於各項工作考慮冷靜而客觀，最後的決斷基於最有利的考慮。

　　生涯決定之良窳往往繫於當事人抉擇過程之個性因素。一個好的生涯決策過程涉及理性思考架構，以及生涯資料的提供是否完整和正確。生涯資料包括個人資料和職業世界的訊息，其功能在於增進個人對自己和情境之了解。不過一般人對自己或職業世界知之未深或一知半解。

（二）決策風格類型

　　決策風格在處理日常事務，執行生涯決定的態度習慣及行為方式。其類型有：

1. 衝動直覺型，如上衝動型和直覺型。常匆促做草率的判斷，常憑一時衝動行事，經常改變所作的決定，作決定之前從未做任何準備及分析可能的結果，常不經慎重思考就作決定，喜歡憑直覺做事。

2. 依賴型，如上順從型、宿命型。做事時不喜歡自己出主意，喜歡有人在旁邊隨時可商量，發現別人的看法與自己不同時便不知該怎麼辦，很容易受別人意見的影響。不打算作任何決定，除非有父母師長親友的催促，常依賴父母師長親友來為自己作決定。

3. 逃避猶豫型，如上猶豫型、延宕型、有礙型。碰到難作決定的事情就擺在一邊，遇到需要作決定時就緊張不安，做事總是東想西想下不了決心，覺得作決定是一件痛苦的事。為了避免作決定的痛苦，現在並不想作決定，處理事情經常會猶豫不決。

4. 理性型，如上計畫型。會多方蒐集作決定所需要的一些個人及環境資料，會將蒐集到的資料加以比較分析，列出選擇的方案，會權衡各項可選擇方案的利弊得失，判斷出此時此地最好的選擇。會參考他人意見再斟酌自己的情況，來作出最適合自己的決定，經過深思熟慮之後會明確決定一項最佳的方案。當已經決定了所選擇的方案會展開必要的準備行動，並全力以赴做好。各類型決策風格與上述生涯決策者個性特徵作了對照。

三、生涯決策平衡單

平衡單(balance sheet)設計是用來協助當事人面臨重大決定時，能慎思明辨，具體分析每個可能的選擇方案，研判各個方案實施後的利弊得失，算出具體的數據，排定分數高低順序，選擇最高一項作生涯決定。

（一） 平衡單主要面向

通常做生涯決策時，若採用平衡單，發現須留意底下四個面向。

1. 自我物質得失(utilitarian gains or losses for self)。

2. 重要他人物質得失(utilitarian gains or losses for significant others)。

3. 自我讚許與否（精神得失）(self-approval or disapproval)。

4. 社會讚許與否（精神得失）(social approval or disapproval)。

就思考的方向可擺在自我–他人、物質–精神所構成的四個範圍內。亦即自我物質得失、親友物質得失、自我精神得失、親友精神得失。

（二） 生涯決策平衡單實例

生涯面臨兩難取捨或抉擇困境的事件時，列舉表 11-2 實例說明。

表 11-2　生涯決策平衡單實例

考慮因素（加權分數）	選擇一 出國遊學或留學 +	選擇一 −	選擇二 考研究所進修 +	選擇二 −	選擇三 就業或職前訓練 +	選擇三 −
個人物質的得失						
1.待遇收入(×3)		−5(−15)		−3(−9)	4(12)	
2.工作的難度(×1)	3(3)		1(1)		1(1)	
3.升遷的機會(×2)	5(10)		3(6)		2(4)	
4.工作環境的安全(×1)	4(4)		3(3)		2(2)	
5.休閒時間(×2)	2(4)		1(2)		1(2)	
6.生活變化(×2)	4(8)		4(8)		3(6)	
7.對健康的影響(×2)	0(0)			−1(−2)	1(2)	
8.就業機會(×2)	3(6)		1(2)		2(4)	
親友物質的得失						
1.家庭經濟(×3)		−4(−12)		−2(−6)	2(6)	
2.家庭地位(×2)	5(10)		3(6)			
3.與家人相處時間(×1)		−5(−5)		−3(−3)	2(2)	−2(−4)
4.與朋友相聚次數(×1)		−3(−3)		−2(−2)		−1(−2)
個人精神的得失						
1.生活方式的改變(×2)	3(6)		1(2)		2(4)	
2.成就感(×3)	5(15)		3(9)		2(6)	
3.自我實現的程度(×3)	4(12)		2(6)		3(9)	
4.興趣的滿足(×2)	2(4)		1(2)		2(4)	
5.挑戰性(×3)	3(9)		3(9)		5(15)	
6.社會聲望的提高(×2)	5(10)		3(6)		2(4)	

表 11-2　生涯決策平衡單實例（續）

選擇項目 考慮因素　加權分數		選擇一 出國遊學或留學		選擇二 考研究所進修		選擇三 就業或職前訓練	
		＋	－	＋	－	＋	－
親友精神的得失							
1.父母(×2)		3(6)		1(2)		2(4)	
2.師長(×2)		4(8)		3(6)		0(0)	
3.配偶(×3)			−2(−6)		−1(−3)	3(9)	
4.朋友(×1)			−1(−1)		−2(−2)	2(2)	
5.其他							
合　　　計		57(115)	−20(−42)	33(66)	−14(−27)	45(96)	−3(−6)
總　　　分		39(73)		19(39)		42(90)	

　　表 11-2 經過加權計分之後，從三個選項中，分數最高的是就業訓練 42(90)這一項，因此決定選擇就業或參加職前訓練。要將平衡單做得好，須對自己有充分的了解，以及對教育環境、就業資訊能確實掌握。而蒐集資料的能力會影響平衡單執行之結果，因此宜加以留意。

（三）平衡單輔助工具

　　填寫平衡單時，為使當事人能將所有可能的抉擇想法都具體呈現出來，可以先行填寫「平衡方格單」作為輔助工具。每一個選擇（留學、研究所進修、就業）用一張平衡方格單，如表 11-3 所示。

表 11-3　平衡方格單

預期價值 心物得失	正　面　的　預　期	負　面　的　價　值
1.自我物質得失		
2.親友物質得失		
3.自我精神得失		
4.親友精神得失		

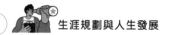

四、生涯抉擇範例

（一）徐志摩和張忠謀的抉擇

　　公視曾播出文學劇場《人間四月天》，深受好評。藝文界、大眾，甚至網友，掀起了一股徐志摩熱。台積電創辦人張忠謀也看《人間四月天》，看完興起，還翻出他六十多年前讀過的徐志摩詩集。根據劇情，徐志摩從英倫返國之後，他的父親曾問他今後有何打算，徐志摩說想當個詩人。他的父親很不以為然，說寫詩算不得什麼職業，只能怡情悅性而已。然徐志摩卻一本初衷，絲毫無改其志。無獨有偶，根據張忠謀自傳裡的敘述，他年輕時愛好文學，曾經夢想成為一個作家。但他跟徐志摩不一樣的是，他聽了父親「你當作家，可能會餓肚子」一番話之後，就放棄了這個念頭，改學理工去了。徐志摩的抉擇是對的。在後人心目中，他就是個大詩人。他的名詩「偶然」和「海韻」等，至今還是為人所傳頌。他那篇充滿詩意的「我所知道的康橋」，中學生耳熟能詳。

　　至於張忠謀的抉擇，也是對的。他努力鑽研積體電路，不但創造了財富，自己也功成名就，成了臺灣「半導體教父」。年輕時對人生目標作抉擇，不管是自願的，或父母親指點的，都不是頂重要的。因為人在年輕時，對社會的需求就認識得比較少，可塑性卻很高。一旦目標確定之後，是否全力以赴，那才是重要的，也是日後成敗的關鍵。著名的大趨勢預測專家約翰奈思比(John Naisbitt)曾來臺演講說到，「每間教室裝一臺電腦，不如每間教室放一個詩人」。這只是他對教育界重科技輕人文的一種提醒、一種警示。他真正想要說的顯然是「在未來的世界裡，詩人也好，科學家也好，在他認為是同樣需要，也同樣重要。」由此可見徐志摩的抉擇作為一名詩人有他的執著和堅持；而張忠謀抉擇作一名科學家，亦有其堅持，雖受乃父影響，而至終還是自己去實現願望。

（二）伊格博士的抉擇(The choice)：放下，擁抱，原諒

　　在國際上備受敬重的心理學家伊格博士，也是世上少數僅存的猶太大屠殺倖存者。她 16 歲時，全家人就被送往惡名昭彰的奧許維茲集中

營。就在她父母慘遭殺害後才幾個小時，有死亡天使之稱的納粹軍官醫師強迫伊格跳舞取悅於他，她也因此逃過一死。1945 年盟軍解放了集中營，當一名美國大兵從屍堆中救出她來時，她身軀只剩下 32 公斤。後輾轉來到美國展開新生，她建立了自己的家庭，並潛心攻讀心理學，成為一位成功的心理治療師。然而，如同夢魘般的過往和倖存者的罪惡感卻始終縈繞不去，於是她將自己的心封閉起來，絕口不提往事，以逃避代替一切。直到二次大戰結束 35 年後，重返集中營，重新省視那段被剝奪的人生，她才赫然領悟，真正的自由只有放下之後才能獲得，她也終於原諒那個多年來唯一無法原諒的她自己（梁若瑜譯，2018）。伊格博士抉擇放下心靈捆鎖、擁抱生命獲得真正自由，原諒殺害者屠夫，那是在戰時無法無天的非為。而撥亂轉正回歸正常生活該有正常抉擇。

（三）史懷哲的抉擇

1953 年獲得諾貝爾和平獎，集德國音樂家、哲學家、神學家及醫師於一身的史懷哲(Albert Schweitzer, 1875-1965)博士，得獎時已 78 高齡。他之所以成為一代聖哲偉人及人道主義的實踐者，與年輕時生涯抉擇有極密切的關係。史懷哲父親為牧師，母親之父也是牧師，他於 24 歲擔任牧師。在教會的薰陶下從小就有強烈的道德意識，對於自己比同伴享受更多物質生活感到不安；加上擁有慈愛的雙親、融洽的家庭，令他慶幸卻又感到「窒息」，因他懷疑自己是否有權享受這種幸福。經過深思，終於理解到：「我們不應該只為了自己而保存生命。」他也體會到：「在人生中獲得許多美好事物的人更應該貢獻；擺脫了自身煩惱的人也有責任減輕他人的苦惱。大家應該一起來承擔存於世界極為不幸之重荷。」（修自余阿勳譯史懷哲「我的生平」）

史懷哲決定將他的體悟落實於人生中，他能堅持回應神的召喚，勇敢地說：『主啊！我要跟隨您』就是教會所需要的（傳道）人。」他明確知道該獻身何處，他決定去非洲，不是去傳教，而是行醫。他內心堅定要為孤苦可憐人貢獻一己之力，從此在蠻荒叢林中行醫達五十餘年，直到 1965 年他逝世在非洲。其中除了幾年因世界大戰，他被視為德俘

而囚禁法國一年，以及為籌建醫院而返國，歐洲募款的幾年外，他大半生都給了非洲黑人，因此被稱為「非洲之父」。史懷哲的一生抉擇有其獨特發展之處，他發揮得天厚待之潛能，樹立神醫哲樂集大成之典範，或可為吾人生涯抉擇之楷模。他鼓勵年輕人胸懷理想、立定志向，深信堅持理想，現實奪取不了它。效法史懷哲秉持自己所學的專業、理想人生抉擇、信仰的堅持、使命感，而擇善固執，實現理想。

除了上述幾位典範人物的抉擇外，還有在各行業中不知有多少求職者或在職者面臨生涯抉擇關口要做決定，無法一一細說。人生可謂不斷抉擇的過程，不同的抉擇產生不同的命運，而影響做抉擇的可謂人之信念與信仰。信念會昇華為牢固的信仰，往往會產生極大力量支配一生。

第三節　影響生涯抉擇規劃的因素

生涯抉擇在何時進行，抉擇的過程如何？事先須有規劃，有哪些因素會影響規劃的品質呢？生涯決策規劃的影響因素，如圖 11-1 所示。

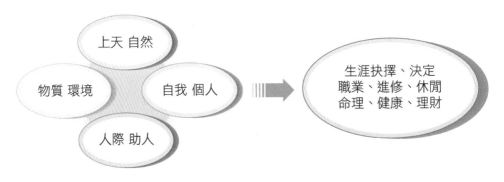

圖 11-1　生涯抉擇規劃的影響因素

一、上天自然因素

依教育部國語字典，「天」可指日月星辰所羅列的天空，如坐井觀天、頂天立地、天崩地裂。也可指自然，如天籟之音、天造地設，樂天知命、人定勝天。或謂氣候季節，如天氣、四月天、梅雨季。或指宇宙萬物的主宰，如怨天尤人、富貴在天、成事在天。或謂重要不可或缺的事物，如民以食為天。本文解說「天」主要含自然、上主或造物主等意。人類製造垃圾汙染、濫墾濫建，破壞環保，造成生態浩劫，全球暖化、氣候異常，引起大自然反撲，風災水患、火災、地震、海嘯，天災接連頻繁。當前疫災嚴峻趨緩，2025 年新冠肺炎病毒餘波盪漾，防疫儘管做到「百密」，但可能還有「一疏」人難察覺，讓病毒趁虛而入。超自然力量不可小覷。「天有不測風雲」，人不管如何盡心規劃，但不能無視天意。否則規劃再完美，而天不從人願，人算不如天算，如規劃要旅遊歐美日，可惜「天公不作美」，疫情天災，旅遊禁令打亂了規劃，規劃不敵變化，徒呼奈何？因此總得抱持敬畏心態，敬天愛人，天助自助者，美事天成。天無絕人之路，須自力更生，好自為之，勿心存僥倖無視疫情或做傷天害理之事。天降雨，人耕種；人規劃，天成全。足證上天對生涯規劃抉擇有舉止輕重之地位。

二、人際助人因素

（一）人際關係影響抉擇規劃

「讀書好不如做事好，做事好不如做人好。」卡內基工業大學曾對一萬個案進行分析，結果發現事業成功，智慧、專門技術、經驗只占15%，而 85%決定於良好的人際關係。國內研究發現 80%在工作上失敗的原因是無法和人好好相處。國外哈佛大學就業指導小組調查顯示數千名被解雇的男女中，人際關係不好的比不稱職的高出兩倍。在每年調動工作的人員中因人際關係不好，而無法施展其所長者占 90%以上。可見人際關係影響生涯事業。人際關係依所扮演的角色而有主雇、同事、師

生、醫病、兩性關係等。依關係發展的階段可分接觸、涉入、親密、惡化、解體等五步曲。關於學業、事業、健康等的規劃，若能在抉擇的過程慎思明辨，下定決心要做好應盡的學生、雇員、病患等角色，則在人際的進展，由接觸、涉入而親密，人際關係處理得好，各面的圓融不在話下。否則未扮演好角色，彼此的關係逐漸惡化，以致解體，而遭致失敗。在抉擇規劃時，做好溝通分析，多採取互補式，交流順暢，盡量避免沒有交集的各說各話。少用曖昧式，表面上說的是一件事，骨子裏隱含另一件事的溝通。在人際互動上，抉擇規劃事先掌握利己利人的原則，締造雙贏的局面；不做損人利己，兩敗俱傷之事。利己利人，能獨善其身，再來關愛別人，雙方好聚好交情。

（二）個性類型影響抉擇規劃

　　當面對生涯規劃抉擇時，如屬邏輯型、理智型的人，當然沒有問題可以按部就班實現願景。如屬猶豫型、衝動型、宿命型、有礙型等遲遲無法做決定或無能力作正確決定時，就需要生涯抉擇諮商。引導當事人表達行為，反應情感、思考、態度，並協助當事人發展生涯意願和表現適切行為；熟悉抉擇過程和應用資訊及技能需求，以做有效的決策和執行日後生涯的計畫。透過諮商協助，預測每個生涯選擇方案執行的結果，以及結果出現的概率；然後選擇一個投資後，能獲得最大利潤及最小損失率的方案。因此需要多方抉擇的過程，培養與增進職業發展決策歷程，以及解決職業生涯問題之能力。

　　協助猶豫型、衝動型、宿命型、有礙型的人抉擇規劃時，透過生涯諮商改變當事人的型態，如猶豫型者成為自我掌控型，視個人生涯發展為一連串的抉擇和適應歷程，除注重適應和決策能力的培養外，同時增進對自我的認識與掌握，考慮各項可能的選擇機會和處理方式，以充分配合個人發展所需。衝動型可成為創意決策型，運用個人所具有的優良特質，達成自我導向學習的目標，並創造未來更多可能的發展。當事人不僅消極的適應環境，且能主動負責開創自我的前途。增進生涯調適及決策能力，以及管理自己生涯的技術，例如自我評估，機會評估、生涯

選擇及長短期的生涯規劃等。宿命型可成為問題導向型，提供資料，澄清問題，以協助當事人處理特定的事宜或決定，立即處理從中學得自行處理或作決策的方法。有礙型則可成為培植決斷型，協助當事人解決問題的過程，特別注意培養其決策能力或其他適應能力，以快刀斬亂麻方式當機立斷，作適當的決定。假如沒有透過以上生涯抉擇諮商改變類型的過程，則個人受限於原本類型而影響其生涯決策品質是自然的事。

（三） 助人諮商協力生涯抉擇規劃

　　當事人面臨生涯抉擇時刻，生涯諮商員運用各種方法，如積極傾聽 (active listening)，不僅豎起耳朵聽，更用心去感受。同理心(empathy)，設身處地，站在對方立場著想，共鳴性了解。採具體化(concreteness)，明確、透徹的敘述方式，協助當事人探討其所表達的經驗、行為與感覺。引導(leading)，激發當事人做深入具體的自我評估，鼓勵從各個角度探索自己的感覺、思想和行為。一面幫他整理、澄清與問題相關的資料，另一面可促其擴大對問題的認識層面，增進問題解決之契機。

　　有心助人是快樂的事，樂於助人技巧簡明，接觸觀察、探索辨明、採取同理行動。助人的生涯諮商決策技術可協助當事人自我了解，並依適宜的決策模式採取適當的行動。職業生涯的發展是個人在職業生涯的選擇和決定的一連串循環之過程。由於科技社會的進步神速，未來每個人將面臨更多的選擇，也有更多的機會為自己作決定。而任何一個選擇效果絕不是單獨的，它不僅影響未來可能的決定，也受以前決定的影響。先前的決定影響層面甚廣，正如發展的原則，早期的發展影響晚期的發展。作決策隨時進行，但職業的選擇及生涯決策顯然比一般日常生活中的決策難，所以須先知道自己正處於面臨決策的情境和需要協助之處。當個人覺得現在的處境與自己希望的處境之間有落差時，就需有作決策之諮商，須謹慎思考選擇並詢問他人的意見。

　　人生面臨重大的選擇問題時，如選擇何種行業？選擇一種行業中的那一種工作？選擇獲得某一特定工作所使用的策略，從數個工作機會中

擇一。選擇工作的地點、取向，工作風格、生涯目標或系列的升遷目標。大多數人在做以上抉擇時，能自助，問題可迎刃而解。例如選擇非傳統職業女性的調適方式：掌握自我能控制的部分，其自我調適觀是不與社會主流抗衡。而使用方法：順應習性盡其在我，全力以赴的精神，重視時間管理，找人手幫忙，利用團隊合作（修自許鶯珠，2001）。若還有困難，要尋求專業的協助。例如：生涯不確定程度高者，生涯輔導需求亦高，亦即生涯愈不確定者，其生涯輔導需求愈高。客觀了解生涯抉擇面臨困境，利用生涯抉擇諮商，協助當事人處理抉擇規劃問題，使處於生涯未定或不確定者得以調整心態，坦然面對職業選擇問題。而採用生活興趣探索卡，有助於提升當事人的生涯調適力（林上能，2024）。生涯抉擇諮商即在協助個人面臨抉擇時蒐集資料，做整體分析。諮商過程主要強調雙方共同參與，發展親睦關係(rapport)，考慮當事人的期望與生涯目標，提升生涯調適力，自我了解行動計畫，朝向目標邁進。

三、物質環境因素

（一）學校環境影響學生的生涯抉擇

　　論及物質環境因素，如學校、家庭、社會、地理等左右生涯抉擇。朱可(Zunker,1998, 2002, 2006, 2015)提及學校環境影響學生常改變其生涯計畫。高中和大學畢業生因生命廣度和環境不同，而對職業聲望認知有顯著差異。高學歷可能贏得較高的技術管理專業工作，生涯穩定性和成長。而成熟的生涯思考和計畫，透過多樣的生涯發展課程會更練達。大專生若個性成熟心理平衡，如智力、應變力、同理心、利他主義，統合不同觀點的能力，穩定和自主等，則可助職業生涯成功。學校環境良莠不齊影響學生抉擇規劃，若學校研究設備新穎，圖書資料供應充裕，研究風氣旺盛，而且考量自己可勝任研究的工作，很自然學生就願意作「研究型」的抉擇規劃。若學校建教合作、夥伴關係辦得好，獎助實作

勝於理論，有很多機會表現自己的手藝，腳踏實地操作儀器工具，則學生也樂於嘗試「實際型」的抉擇規劃。

（二） 生涯抉擇規劃的相關研究

　　生涯抉擇規劃受家庭、社會、學校、地理環境影響，列舉一些研究作品。研究醫師世家子女生涯抉擇歷程與代間傳遞，發現醫師世家子女之生涯抉擇受社會、時空影響。社會塑造醫師職業的卓越，家庭認同醫師社會菁英之後，塑造自律與注重學業成就的環境，限制子女生涯探索的範圍與時間，排除原先的興趣，逐漸符合社會主流價值觀，努力追求進入醫師生涯。另家庭環境影響音樂資優生的生涯抉擇，音樂資優生在生涯轉換的過程，而普遍具有良好的生涯適應力，能改變固有的認知，獲得職場價值得以自我實現。但在面臨生涯抉擇時似乎有所侷限（修自顏姿吟，2014；林慧琳，2015）。研究國外打工度假大都會選擇再度返回國外從事打工度假，選擇原先職業機率甚高（修自陳柏勳，2016）。顯然生涯抉擇受優美地理環境影響。就生涯探索抉擇，可拓展其視野。

　　研究家庭經驗影響女性教師之職涯決定，自我概念與母職特質影響其生涯投入和多重角色的平衡，生涯階段與生命發展重疊交融，在工作與家庭關係中淬練成長。生涯選擇之角色重心因階段有所不同，生命事件是生涯發展驅力也是轉化成長的契機。學習有助自我效能提升，經由探索，歷經抉擇與調適展開行動適應新生涯。而影響青年文學家生涯抉擇的重要他人，包含家庭重要成員，求學階段重要他人，角色楷模等面向。還有學校、工作環境影響生涯抉擇，研究發現畢業生選擇護理工作為未來職業生涯者，其生涯抉擇定向顯著高於在校生選擇護理工作者。另研究發現科大學生之自我效能、工作價值觀、未來進路生涯抉擇因學區學院、家庭社經地位等不同而有顯著差異。高成就未婚中年女性生涯轉換，從生涯開展故事瞭解其生涯轉換影響因素，家庭對生涯抉擇和轉換有影響、因應策略尋求諮商，自我探索，倚靠信仰及教友支持鼓勵、內省反思，建構活耀豐富踏實的人生（修自李依娟，2019；楊垂芳，

2013；林建志，1999；郭玟燉，2003；蕭韻文，2022）。在此生涯抉擇規劃受到學校家庭等環境之左右。而政經情勢、世局演變、失業率高等關係個人生涯抉擇。可準備公職考試或取得第二專長符應職場之需。

四、個人自身因素

　　個人面臨抉擇關鍵時刻，所謂魚與熊掌不能兼得，兩利相權取其重。在兩難之間、生死禍福間，如何作抉擇？引用摩西在申命記三十章 19 節對以色列人說到揀選(choose)或抉擇的事：「我今日呼天喚地向你作見證；我將生死禍福陳明在你面前，所以你要揀選生命，使你和你的後裔都得存活。」此處特別提到個人的抉擇攸關生死、福禍的事，非擇一而行不可。留得青山在，不怕沒柴燒，個人的生命健康最為重要。平常若不注意健康，蹧蹋身體，忽略身體的保養，等到失去健康，才曉得健康的可貴。甚至有的不愛惜自身，輕言自我了結，毀了自己，也傷了親友的心。因此揀選生命的道路，身體健康列為首要的抉擇規劃。

　　對自我能力、個性、興趣、價值觀的了解愈深刻，對抉擇規劃愈正確。對自己有自知之明，面臨抉擇關口，能當機立斷，沒有悔不當初之感覺。在抉擇規劃上能清楚認識自己的個性適合做什麼，要有怎樣的工作價值，則能適任勝任，學以致用，此生無虛度。認識自身優點，像自己決定好要做的事情，片刻不想停工，直至完成。有責任心，勇於自己承擔。喜歡與人交往，尊重別人。勤奮好學，條理清晰，踏實肯幹。為人正直，心地善良，樂於助人。良好溝通協調能力，適應力強反應快，積極靈活，認真細緻等。但也該認識自身缺點，如不愛運動，不主動鍛鍊身體，只和少數朋友一起打球，不喜結交新朋友。知識或專業都想學但不求甚解。辦事比較毛躁，準確度不夠。個性心浮氣躁，急於求成，平穩有餘，創新不足。有時給自己壓力夠大，使命欲達卻達不到。以上描述自身的優點，有利於生涯抉擇規劃。而描繪自身缺點，自己掌握改變契機，人無完善，只要有願改的心，缺點也可變為優點，對生涯抉擇規劃也有助力。若無從發揮自身優點，而缺點克制不了，到關鍵時候可

能難做抉擇。當前防疫措施做到滴水不漏，扭轉惡劣情勢。自身顧全發揮強項，反劣為優，自能在生涯抉擇規劃上游刃有餘。在面臨生涯抉擇關鍵時刻，由於個性堅強果斷、把握時機，做好規劃準備作業，價值觀正確，發揮自我效能，故能顯示正面影響作用。

第四節　執行生涯抉擇的步驟

一、系統理性抉擇步驟

以選擇科目、選擇職業來說，有系統的作決定步驟，可供你仔細思考決定選修科目、擇業的有效方法，幫助你作出理性明智的決定。可依據底下的提示，依序回答問題，並和朋友或同學分享和討論你的答案。

1. 考慮主題－思考什麼？要求作什麼決定？擁有哪些選擇？必修多少科目或從許多職業選擇有把握的？選修多少科目或選擇幾種職業？

2. 獲得資訊－什麼樣的資訊？在哪裡獲得？有提供選修科目指南或行職業指南嗎？從圖書館、上網可獲得哪些資訊？

3. 利用資訊－如何利用這些資訊？關於不同的科目或職業，你必須懂得哪些？有任何全新的課程、行職業嗎？你可以使用哪些讀書方法或求職技巧？你必須知道那些訊息，具備那些技巧？

4. 徵詢建議－誰可給予建議？與各科老師、導師、輔導老師、父母以及你感興趣的行業從業人員晤談。

5. 評估及決定－什麼將會影響你的決定？特定的選擇優缺點是什麼？某些科目或職業對以後的生涯選擇有關聯嗎？如果有，是哪些？

6. 討論結果－如何作出決定？根據學校的課表或行職業指南，你的選擇有可能實現嗎？你有給自己機會獲得高成績及均衡的課程嗎？你感到快樂或擔憂生涯？（修自吳芝儀，2000）循序進展抉擇有成。

二、生涯抉擇簡要步驟

先述科學(SCTENCE)簡要步驟，協助陷於逡巡猶疑者突破困境。

S. 找出特定問題(Specific the general problem)，國內進修或出國就學。

C. 蒐集資訊(Collect information)，如有關網路、教育部留學資訊。

I. 認定可行方案(Identity causes or pattern)，目前疫情趨緩先留在國內攻讀大專，有機會再赴國外深造。

E. 檢視不同觀點(Examine options)，參考父母、師長、學長不同的看法，作適當的抉擇。

N. 驗證觀點(Narrow options and experiment)，蒐集證據查驗抉擇觀點。

C. 比對資料(Compare data)，從比較不同資料找出最適合自己走的路。

E. 引申修正或取代(Extend, revise or replace)，嘗試走出自己的路，再修正參考路徑，有更適合的路可取而代之。

再述決定(DECIDES)模式：Krumboltz 等人(1982)提出的生涯抉擇七步驟決定(DECIDES)模式，依序分別說明之。

D. 界定問題(Defining the problem)，尋生涯關鍵問題，清楚界定問題。

E. 擬定行動計畫(Establishing an action plan) 針對問題特性擬定決策。

C. 澄清價值(Clarifying value)，價值澄清問題解決前因後果評估價值。

I. 找出可行方案(Identifying alternatives)，分析可行方案從中挑選之。

D. 發現可能結果(Discovering probable outcome)，分析問題索解後可能產生的結果之利弊得失，採取適宜對策。

E. 系統減除替代案(Eliminating alternatives systematically)，有系統減除不適宜之替代方案，能找出一個最適宜者。

S. 展開行動(Starting action)，行動方案確定後可採取生涯抉擇行動。

此外，應用 CASVE（循環）一種職業生涯規劃決策技術，有助於職業生涯選擇，過程分別為 C(communication)溝通，A(analysis)分析，

S(synthesis)綜合，V(valuing)評估，E(execution)執行等五個階段，提供你較為科學的決策步驟(https://kknews.cc/)。從溝通至執行簡明易循。

三、從決策諮商探討抉擇的步驟

按部就班決策，參考生涯諮商學者(Krumboltz & Sorenson, 1974; Mitchell & Krumboltz, 1996) 將作決策的步驟逐項說明如下。

1. 當事人陳述引發他尋求生涯諮商的理由或問題，盡可能明確敘述目標，以便更有效評估進步的情形。
2. 允諾達到目標所需的時間，諮商員和當事人協商能夠擺出的時間。
3. 付諸行動，需要完成個別的計畫，如興趣問卷，研究職業文學等。
4. 蒐集訊息，同儕的互動加強生涯的探索，諮商員針對每個人訊息的類別提供特殊的建議。
5. 分享訊息和預估結果，提供職涯預期資訊，預測決策成功的機率。
6. 透過團體討論完成再評估。
7. 嘗試下決定，激發當事人技能責任感，從可選擇的項目作出抉擇。
8. 再循環反覆使用以上各步驟，直至最好決策出現為止。

第五節　　實作全方位的生涯規劃

全方位規劃乃從廣義的生涯觀點著手，將生涯分成職業工作和非職業工作兩方面來踏實規劃（鄭金謀，2001）。簡述職業工作的規劃，亦可參考前所述。而非職業工作規劃主要的有升學深造、健康、人際、婚姻、家庭、理財、生命治理、休閒等項目，分項說明之。

一、全方位生涯規劃著眼點

（一）升學深造規劃

趁著年輕讀書的黃金歲月，多方充實自己，擴展自己的專業領域，求得真才實學；有出國留學機會切勿錯過，一來磨練語言和人際溝通，二來擴大視野度量和見聞學識，以備將來不時之需，學以致用。閱讀幫助個人擴大人生的選擇空間、充實自己的能力和判斷力。閱讀本身是愉悅的，讀書不管多少，有讀就有樂趣。雖然「開卷有益」，但時間精力有限，因此要慎選之。至於國內進修或出國留學，可參考過來人的經驗。要緊的是你的興趣在哪兒？你真的想再深造嗎？你的能力有多少？你在哪方面的能力是比別人更具事半功倍之效？你有多少的能耐決定自己畢業後的人生？你的專長領域在哪兒？可有第二專長？能否再創另一個專長？這些問題都要釐清，獲得妥善解決。即使你不準備升學，也要有目標、有紀律、有行動的終生學習規劃。

（二）健康身心規劃

健康不僅是身體沒有毛病，而且心靈處於極佳狀況。因此在規劃上，保養顧惜身體，飲食起居作息都有節度。注重身體的健康，有健康的心靈寓於健康的身體，而健康的心靈也會促使身體更健康，二者相輔相成。健康的心靈從平常的生活修為做起，培養良好的情緒生活，注重心靈的滋養，充實內在涵養。

健康規劃以全人為導向，從身心靈養生醫學觀（孫安迪，2001），強調新時代身心靈養生（免疫、能量、信息）和人體潛能開發，其關鍵在於暢通「經絡」。因此要鍛鍊、活化經絡，可藉運動、練功、食補、按摩、祈禱等方式，以增強身體免疫力，抗老防癌。

（三）人際規劃

您要人家怎樣待您，您先要怎樣待人家。彼此了解，由淺入深。進而關懷，關懷先從認知對方有好的溝通開始，進而理解對方的需求；人

際關係建築在雙方的溝通誠意上。不要常挑剔他人的缺點或介意他人的錯誤，才能予人安全感。我們常以為人際關係是一種技巧，只要讀了某些書，照著書中所言去做，理所當然的就會有很多朋友，人際關係就會很好，其實不然。人際關係不是光了解技巧就夠了，實際與人相處後才會發覺並不是那麼容易溝通。在學校實施人際規劃時，宜把握與同學相處的時間，擴展自己的生活圈子，盡量不局限在班上或同寢室為交往溝通的對象。勇敢伸出友誼雙手，擴大人際圈子，隨時可找同校別科系的同學作朋友，甚至找外校聯誼，增進彼此認識的機會，多結交益友。

「凡事豫則立，不豫則廢」。大學(university)非「由你玩四年」，也非「由你煩四年」，乃是「由你豫（規劃）四年」。第一年最好要認識所有班上的同學並有深交，第二年擴大到其他隔壁班的同學或鄰近科系的同學，建立人際溝通管道。到了大三，可以與外校有聯誼，或參加一些活動，增廣見聞，擴展人際領域，可能的話，每天接觸不同的人物，多有商談的機會。大四時，除了同性朋友外，把握機會多認識異性朋友，可以的話，有志同道合的對象深談，從一些異性朋友中找尋伴侶。如此循序漸進，人際規劃由淺入深，由小變大，人際圈子自在規劃掌握中。

（四） 婚姻規劃

建立正確的婚姻認知，美滿和諧的婚姻，是由彼此相愛，進而成熟地活在愛的成長裡。成熟的愛是彼此照顧，彼此尊敬，分享喜樂憂傷，帶著驚喜微笑。成功的婚姻並非以婚前深厚的感情為前提，成熟的個性才是重要因素。良好的婚姻要有和諧的溝通，長期的調適。婚姻是相互的成全，彼此提供愛的環境，是自我的延伸與開展。婚姻是一門學問，需要智慧與能力的投入（王桂花等，1989）。白頭偕老，永浴愛河是理想的婚姻生活目標。究竟該如何規劃抉擇，才能得到真正的幸福？人生充滿了大小的抉擇，愛情可有各式各樣的矛盾、兩難與困惑。在婚姻規劃上，先經過擇偶的過程，在同質性(compatibility)方面，雙方至少有幾方面類似的因素，如價值觀、人生努力目標、智慧與教育背景、溝通能力、生理吸引力、對婚姻與性的健全態度、對婚姻高度承諾與期許、養

育子女觀點類似、固定的收入、興趣愛好類似、年齡相近、人格特質類似、良好親子關係、願意接受婚前輔導等。

在感情的進展上，是否經歷同質性階段「我愛我所看到的」；和諧階段「我覺得我倆在一起很好」；承諾階段「我是你心中的第一人嗎？」；日漸密切階段「我們同在一起」（改自彭懷真，1996）。事先的認知，了解感情的進展是婚姻規劃的起步。循序漸進，從同質性、和諧、承諾以至日漸密切。

實施婚姻生涯規劃時，「婚姻人人都當尊重」，以尊重婚姻為神聖之心情，進行有計畫之生涯。夫妻彼此互敬互諒，嚴肅中帶輕鬆，輕鬆中不隨便。如此面對婚姻有成長的遠景，個性更圓熟。到了適婚年齡，化解單身壓力，培養自信心以成熟心態面對；藉機討論關心的課題，婚姻是否真能解決問題？只有結婚才能幸福快樂？化危機為轉機，拋出問題讓自己思索，如果自己都不欣賞，何能吸引別人？緣分是創造而非等待，走出封閉領域擴大生活圈，多參加社交社團活動，促進婚姻成長。

（五）家庭規劃

結婚之後即為成家，事先規劃夫妻都要有工作，即雙生涯家庭。實施家庭規劃，要有兩個孩子。經過三年之後有了孩子，再三年迎接另一孩子，或許妻子要暫時放下工作，專心相夫教子。接著論及親子溝通，貴在積極傾聽坦然敞開。雙親態度要一致，同心合意，教導孩子原則一致。對孩子有敏銳的感覺，讓孩子知道你愛他。選擇適當的話題溝通，父母須與兒女一起成長，溝通帶給孩子成就感，多給孩子鼓勵，正面支持很重要。父母以愛心維繫親子關係，主動和孩子溝通是出於關愛。開放心胸，若能經常溝通分享表情達意，則親子關係會很正常。清儒黃宗羲謂：「愛其子而不教，猶為不愛也；教而不以為善，猶為不教也。」要善教，就需要善於溝通。箴言云：「一個聰明的孩子使父親歡喜，一個粗野的孩子卻使母親含羞。」家庭不單是身體的住所，也是心靈的寄託處。這些是親子溝通時必須持守的金玉良言。

　　家庭規劃時，父母跟子女關係若能經常注意親密溝通之道，身體力行並以身作則，則子女也樂意和父母常有溝通，如此就無代溝存在了。坊間有很多培養兒童高 EQ 的書，不僅高 IQ 而已。父母關心孩子人際關係，先是父母也具有高的 EQ，有良好的情緒治理，自然受人歡迎。

（六） 理財規劃

　　人的生命不貴在家道豐富。如何理財？君子愛財取之有道，賺得之後，如何作有效投資，錢花在有價值的事務上。「人若賺得全世界，賠上了自己的生命，有什麼益處呢？人還能拿什麼來換生命？」因此，「不要積攢財寶在地上，因為地上有蟲子咬，有賊挖窟窿來偷，乃要積攢財寶在天上，天上沒有蟲子咬，也沒有賊挖窟窿來偷。」此乃警戒我們不要一味賺錢，而要知道投資在什麼地方最合適。與其留給子女萬貫的家財，不如教導子女養成正確的金錢價值觀及投資觀念，透過包括定存、股票、基金及樂捐等不同的投資組合，讓子女及早累積理財知識進行投資規劃。若善於規劃錢財，錢財自然也會找上你，讓你來賺取。

（七） 生命治理規劃

　　原則：「不要為生命憂慮喫什麼？喝什麼？也不要為身體憂慮穿什麼？生命不勝於食物麼？身體不勝於衣服麼？」如何活出豐盛的生命，生命的尊嚴，受人景仰？人雖無法增加自己生命的長度，卻可以擴增生命的寬度、深度，使生命更有價值。有限的肉體生命會過去，無限的生命可以追求得到。生命治理規劃是以生命的意義和價值為考量，著手生命各階段的規劃。自許做一個有用(Useful)的人。隨時掌握時代脈動(Update)，不斷進修不斷研發。從物質層面提升(Upgrade)到心靈層面，心靈豐盛，施比受更有福；學位文憑財富鑽石都是看得見短暫的；學問愛情心靈信仰是看不見永遠的。發展個人獨特性(Unique)，人有自由意志，選擇規劃自己未來，有否豐盛踏實的一生，答案在自己手中。發揮團隊精神(Unite)，彼此扶持團結互助。5U 可為生命治理規劃參考。

（八）　休閒規劃

　　休閒(leisure)是為工作養精蓄銳，工作之後，適度正當的休閒是非常必要的。休閒不管在國內或到國外旅遊，都須讓自己的工作壓力得以紓解，可以增廣見聞，得到休養生息身心舒適。「在生涯理念中，休閒被視為是生命中基本的要素，我們若時間充裕，則必須努力計畫休閒活動。生涯規劃須含休閒活動的規劃」(Zumker,1998, 2002, 2006, 2015)。休閒活動提供家庭與朋友間的娛樂。實際休閒規劃時，利用週休二日，來個家庭聚會，固定聚集交換廚房情報，討論各自婚姻親子問題，創意延伸，友誼互動。其實工作與休閒分不開，休閒是為了下一步的工作紓解壓力，是為了養精蓄銳，走更長的路。因此可鼓勵家長在家中推動正確休閒的概念，協助學校及青年人參與休閒活動，強調工作場所的休閒活動，鼓勵社區機構協助休閒的發展。所謂全方位消費，包含旅遊住宿、購物、參觀訪友等的觀念逐漸為大家所接受。國內外旅遊可進一步規劃，行萬里路目標在運籌中。

（九）　就業規劃

　　人生有涯，而職場學海無涯，從工作中學習很多為人處世的道理。作家劉墉認為，任何人即使是名校大學畢業的人，都應該因應社會的變化，不斷改變和學習。世界不斷在變，我們也要不斷改變，因應社會變化，任何人都要重新學習。培養多樣功夫，人生不是只有單行道，面對人生學習態度也要跟著改變。在職場有規則格式制度不變的一面，但面對天災氣候疫情，隨時要有應變的準備，以適變應萬變。

　　未來就業市場面臨競爭更激烈，願意多學習接受挑戰，勇於面對挫折考驗。掌握未來熱門行業，但別一窩蜂跟在人家後面。宜開創屬於自己的事業，發揮所長，竭盡所能，開展生涯另一個高峰。在求職前準備好資料，包括履歷表、自傳、應徵信函，具備謀職的面談技巧。實際規劃職業時，參考前述培養生涯發展能力，加上知己知彼，專業知識技能齊備，掌握考試應徵晤談機會，則無往不利。

二、生涯規劃有成參考實例

　　依上述原則，列舉一些在各行業生涯有成的人物，技職之光、繼承衣缽、創業投資之範例，以為同學們全方位規劃未來之參酌。

（一）技職之光範例

　　生涯規劃可從 108 年 12 月頒獎的第 15 屆技職之光獲得啟發。共頒發 38 件，包含競賽卓越獎 17 件，技職傑出獎 21 件，共 53 人獲獎（取自 https://me.moe.edu.tw/award/）。舉技職之光範例，可視為榜樣來學習模仿。教育具有傳承技術、創新科技與改變世界的力量，在 112 年 12 月第十九屆技職之光典禮中，創下了 31 件成就並發掘成功堅持下來的 48 位夢想家，其努力的背後不僅有著師長的肯定及家長的支持，他們的自信與榮耀將帶給更多選讀技職教育的學生們一個好的路標，開啟人生走出不平凡的道路，期許在未來技術與職業的創新領域上能夠不斷地發光發熱，讓自己也成為照亮別人的技職之光。技職教育從扎實的技術學習邁向多元發展的時代潮流，更重視學生終身學習的能力，培養專業技能，表現亮麗卓越。

（二）創業規劃成創投家

　　1999 年，簡志宇大一時，創立了無名小站。2005 年 11 月，使用者已達 180 萬人。無名小站的知名度，高得連選舉候選人，都要到無名註冊個人網頁來競選(http://media.career.com.tw/)。此為職業規劃起步。2019 年 6 月簡志宇接受矽谷一位女資深工程師訪問。無名小站併購之後，簡志宇就加入了雅虎公司工作，期間經常台美兩地來回。後來雅虎決定把各國的產品開發聚集到總部，就搬到了雅虎總部所在地—矽谷。簡志宇後來申請上了史丹佛 MBA 之後，聯繫了雅虎公司創辦人楊致遠，感謝他寫推薦信，聊到了職涯規劃。正好楊致遠要成立一家創投公司，他邀請簡志宇加入，簡志宇就這樣幸運的進入創投產業，至今已五年。投資的倉儲自動化機器人公司 Canvas Technology，也在 2019 年四月被亞馬遜收購。當創投之後的最大衝擊就是創業真的非常困難，當時

創業成功真的是非常幸運。當經驗越來越多，就可以分析規律，經驗分享給創業家（取材自 https://womany.net/），可以激勵他們。

上述創業成功案例可為典範。創業也能迅速讓一個人快速升格為老闆。但不是每個人都有創業的意願或條件，大多數工作者仍是組織中的個人。坐上大位的年限，過去較具規模與知名度的公司，協理以上的高階主管年紀多半落在 45 至 55 歲之間，上班族至少得花 20 年才成為當家老闆。但現在有愈來愈多組織內的工作者，經由各種努力，縮短坐上大位的年限。換句話說，23 至 25 歲踏出社會，在 35 歲，甚至 30 歲之前，就有機會躍身成為「總」字輩人物。

三、生涯規劃參考格式

（一）序寫式

1. 從個人興趣專長開始規劃，將重心放在健康和就業上

蒐集自己感興趣的工作資料，配合專長規劃。進而規劃身心健康、人際關係、婚姻、家庭、理財、休閒等活動。工作與健康雙管齊下，在四十歲之前，用健康換取金錢，等到四十歲之後，可能要以金錢來換取健康了。因此工作不忘保養身體的健康，有了健康的身體，其他規劃才有可能實現。

2. 從心靈震撼發軔，多元規劃未來生涯

國內外一連串發生震撼心靈的天災人禍疫情，覺得人生旅程就這麼短暫，何時會發生甚麼事難以預測。制敵機先，防範未然，未雨綢繆、未疫部署，坦然面對，做好生涯規劃，珍惜有限的一生，實現自己的願望。在職業生涯規劃上，以學護理而言，希望在畢業後一年內能考到護理師執照，必且擁有一份滿意的工作，與同事間相處融洽，學習如何做一位稱職的護理師，增進自己的專業知識與能力。在五年內，希望在事業上能有一番成就，職位能升到護理長，護理專業技術更趨成熟。盡可能在職進修，提升自己的專業領

域及學歷，並塑造護理的專業形象。十年後，正值事業高峰期，期望能做到督導的職位，帶領底下的護理師一起為護理盡心竭力，增進護理品質、專業能力。二十年後，希望職位升到主任，受人尊重、崇拜，將護理帶入更高峰，並有個人的獨特風格。

　　有了健康的身體，事業有成之後，進而考慮婚姻、家庭規劃。在感情上能與另一半開花結果，與自己所愛的人結婚、生活在一起，並孕育下一代。一同分享生活中的喜、怒、哀，樂。相愛容易相處難。畢竟夫妻天性有差距，在環境教育背景、人生價值觀各異其趣，如何將差距拉到最小，需要彼此常有溝通適應和改變。婚姻上夫妻彼此恩愛，維持婚姻的品質，相守到老，互相扶持，如此家庭美滿，以致能共創事業的高峰。小孩乖巧懂事，然後學業有成，能獨立受人尊重、謙讓宜人，人格成熟穩定，學以致用回饋社會。

　　在經濟理財規劃上，家計省吃儉用，希望在十年內購屋購車。正確的投資儲蓄，人才投資培育下一代。根據統計，每個家庭養一個小孩的基本支出，由幼稚園至大學畢業保守估計至少五百萬元，加上每年平均 5%的通貨膨脹率，平均每個月至少要存三萬元才能平衡，因此要及早未雨綢繆，進行理財規劃。若自小孩二歲起，每年定期定額投資二萬六千元的共同基金，再以平均年報酬 15%計算，至二十歲時，已經存下了二百萬元。也可利用贈與免稅額度，每位贈與人每年不論贈與給多少人，累計贈與金額合計不超過 244 萬元，即可免徵贈與稅，如此逐步將財產轉移給子女。日本個人理財盛行，15%國內儲蓄資金投入外資機構股票、債券、信託基金。在事業投資外，別忘了給自己休閒的時間，只要有放假一定要安排接近大自然的行程，放鬆心情。當前疫情趨緩好轉，若經濟狀況許可計畫全家一起出國旅遊。其他學理工、文法商、農醫、餐旅廚藝者可比照上述規劃，多元規劃個人生涯，期望有一天開花結果。

（二）列表式

1. 逐項規劃格式：如表 11-4 所示。按短中長期扼要規劃可行方案，逐步實踐。

表 11-4　逐項規劃格式

時期 生涯要項	一年短期	三年中期	五年中長期	七年後長期
升學進修				
身心健康				
人際關係				
婚姻				
家庭				
理財				
生命治理				
休閒旅遊				
就業				

2. 每隔十年的前程規劃：如表 11-5 所示。十年一規劃，孔子自述其一生，三十而立，四十而不惑，五十而知天命，六十而耳順，七十而從心所欲不逾矩。每隔十年以此自省前人如何達到人生目標，簡略策劃，再逐步實踐，隨時檢討修飾調整。

表 11-5　每隔十年的前程規劃

年齡 生涯項目	21-30 歲	31-40 歲	41-50 歲	51-60 歲
升學				
就業				
健康				
休閒活動				
人際關係				
理財				
婚姻				
家庭				

3. 新年規劃格式：如表 11-6 所示。從歲首到年終扼要規劃可行方案，逐步實踐，可即時檢討修改調整。

表 11-6　新年規劃格式

時期 生涯要項	一至三月	四至六月	七至九月	十至十二月
升學進修				
身心健康				
人際關係				
婚姻				
家庭				
理財				
生命治理				
休閒旅遊				
就業				

4. 未來幾年的人生規劃：如表 11-7 所示。八年內依格式簡要規劃待完成的角色任務和階段目標，而後循序漸進完成。

表 11-7　我未來幾年的人生規劃

時間 待完成 階段目標	公元 年齡 角色	2025	2026	2027	2028	2029	2030	2031	2032

（三）簡圖式

1. 應用職業生涯規劃概念圖示，逐項規劃，如圖 11-2 所示供參考。以生涯成功為目標，循生涯階梯邁進，規劃自己未來生涯可行方案，逐步實踐。

圖 11-2　生涯規劃概念圖式

2. 規劃步驟圖式，底下圖 11-3 顯示規劃個人生涯五步驟：從自我評估、探索生涯路徑、做決定、採取行動、管理個人生涯。觀看簡圖即易清楚生涯規劃逐步進行的走向。自我特質、興趣、價值觀的評估有好的開始，即成功了一半。另一半要探索生涯發展各種路徑，做成生涯決定，然後採取合宜行動，同時管理個人生涯全方策略。最後篤實踐履，邁向成功之境。

圖 11-3　生涯規劃步驟圖式

3. 達到成功職業生涯行動方案圖式。如圖 11-4 所示。

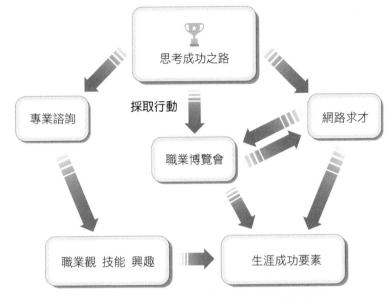

圖 11-4　達到成功職業生涯行動圖式

　　上圖顯示達到成功職業生涯的行動方案，先諮詢專家，再探索工作價值觀技能和興趣，工作喜好或抉擇，上網連結職業網站，後認清個人生涯理念，最後邁向目標，達到生涯成功。或可自行創意繪圖，顯示個人全方位生涯的開展。

　　上述簡圖式生涯規劃，著眼於圖畫功能簡潔明暢，引人入勝。可參酌以上圖示，或自行繪圖發揮創意製作個人生活多面生涯多元之特性。

課後問題探討

1. 面臨生涯抉擇時，須考慮哪些事項？

2. 生涯決策通常有哪些類型？

3. 如何使用生涯決策平衡單？

4. 試從廣義的生涯觀點規劃個人生涯。

5. 規劃全方位生涯，各項須注意哪些要點？

6. 以簡圖示意個人十年內生涯規劃內容。

生涯活動 ❶ 人生轉折點抉擇共享

　　利用小組討論，每組約 5~8 人。分組探討一路走來在人生遇見了甚麼樣的轉折點？作了什麼決定？這個決定導致了成功或失敗？說說個人感受。每組討論完後做成結論，各派一代表與大家分享。

討論要點：

1. 回首來時路，印象深刻的轉折點，如升學考後選校選系問題，因後新冠疫情時代還躊躇猶豫在出國遊學、國內旅遊之間。

2. 在轉折點或關鍵時刻做了什麼抉擇或決定。

3. 做抉擇在緊要關口而導致的結果，可能滿意或後悔、成功或失敗。

生涯活動 ❷　生涯抉擇實例研討

目標：以生涯抉擇實例作為做決策行動之楷模。

方式：分組研討，從上所列生涯抉擇實例如張忠謀、史懷哲等做參考，或自行搜尋有關生涯抉擇實例，從多元觀點探討，如何作最好規劃以達生涯有成的境界。蒐集齊全後，討論出結果，再作分組總結報告。

　　說明：每個抉擇，都像沒有盡頭的十字路口，我們深怕選錯了就得承受一輩子的懊悔，難以翻身。這些抉擇都非常關鍵，但從小到大，父母師長非常熱切地督促我們的課業，卻很少教導我們如何處理這樣的人生難題，或許因為他們自己也很疑惑。要當個獨立思考，理性決斷的「大人」，絕對要比通過考試更具挑戰，我們卻從沒學過這樣的知識！當我們一開始就把人生抉擇定義成 YES 或 NO 兩個選項時，極高的機率，我們的思緒會就此卡住，再也動彈不得！我們可從「重新定義問題」下手：除了是否繼續進修或就業，還有沒有其他的選項？

生涯活動 ❸　生涯決策分析活動

　　做生涯決策時往往受到各種因素影響，包括：個人因素、環境因素、助力和阻力因素，如表 11-8 所列。請在下表填入你的想法，做出生涯決策分析。

表 11-8　生涯決策分析

個人因素　環境因素	助力　預期成功之因素	阻力　克服阻力之作法
預期目標：		
達成目標之可行方案： 1. 2. 3.		
選定方案或腹案：		
採行之步驟： 步驟 1： 步驟 2： 步驟 3：		
評估　檢討		

生涯活動 ❹　生涯平衡單沙盤推演

　　假設你的人生目前正面臨三個選擇：1.考技師執照、2.研究所甄試、3.就業面試等，究竟該選擇哪一個呢？請依上述生涯平衡單的格式（表 11-2），畫表說明個人物質、精神的得失及親友物質、精神的得失，從四個面向評分結果，選擇最適合的項目。由此沙盤推演未來要面對的生涯抉擇及做出適當決定。

　　再者，可上網 https://goodgoodlife.cloud/好好命人生設計，你正在做重大的生涯決定嗎？決策平衡單包括四步驟：一填入考慮的選項；二填入評估選項的考慮因素；三評估考慮因素的重要性；四根據考慮因素對選項評分；五結果顯示。當作生涯抉擇做出適當決定的輔助資訊。

Chapter **12**

割捨存真成
識時俊傑

●●●▶

本章學習目標

1. 認識割捨存真成識時俊傑之意義。
2. 贏得一生提前部署規劃的歷程。
3. 分解聚焦生涯重點的精準規劃意涵。
4. 熟諳識時規劃，因時而制宜的作法。
5. 運籌帷幄，當下期間全方位規劃。
6. 繪圖解說未來生涯規劃。
7. 探索贏得一生割捨存真愛之意涵。

Life-Career Planning & Development

【引言與摘要】

　　經歷 2019 年中後新冠疫情動盪不安的紛擾繁亂，迄今 2025 年，雖疫情似乎已到了強弩之末，但仍然有發生感染或確診的潛在危機，還是有看不見的疫病陰影在。本章割捨存真成識時俊傑，割捨拿得起放得下，使人成長，令人活潑有創意活得真實。在後疫情時代，盡快恢復百業興旺，仍要提高警覺，有備無患，不再重蹈確診覆轍。疫病可能無法斷絕，而須調整心情隨時與疫病和平共存，做好預防勝於治療的工作。在前疫情肆虐時，打亂了觀光旅遊、人群關係、國際貿易、留學進修、生活作息。疫情黑暗終會過去，生涯曙光重現，重新面對人群。個人有了生涯營理，在關鍵時刻做出生涯抉擇及決定後，接著就要落實邁向成功生涯的識時規劃，堅定因時制宜信念，實現生涯願景。

　　本章解說割捨存真成識時俊傑，聚焦分析生涯規劃強調的重點精準規劃，重視廣義生涯、人生價值、一生規劃、識時規劃軟硬兼施。欲成為識時務的俊傑，規劃須有割捨有存真，有真善美的加持，也有信望愛的生活，發揮天生我材效能。人生堅持信仰信念，無論陰晴圓缺，在適當時候，做出明智規劃。

第一節　聚焦生涯重點精準規劃

一、生涯規劃聚焦分析

（一）強調廣義的生涯

　　生涯範疇的關注焦點不侷限於職業的選擇，也擴及人一生息息相關的投資理財、婚姻與家庭，退休規劃生活等（修自黃怡瑾，2008）。規劃涵蓋生命觀照、個人學習成長、人際關係經營、以及工作職場等層面（陳澤義，2022）。每一個人都必須讓生活的內容，彼此間做最有效的連結與整合（林仁和，2013）。生涯規劃狹義是指培養找得到工作的就業技能，廣義是使職業與人生相結合，兩者相輔相成而非面臨取捨情結（王淑俐。2020）。生涯可以是廣義的生活、生命，狹隘的職涯、志業

（田秀蘭，2015）。生涯涵蓋了從個人、家庭到社群，從理性、感性到靈性，從客觀、主觀到建構的概念心法與執行技法（金樹人，2023）。從廣義的定義來說，生涯規劃實在是一門包羅萬象的學科，生涯探索開創屬於自己的路（李鴻章，2012）。從宏觀視野闡釋生涯規劃教育，提供評估模式（李子建等，2019；Hicks, Seth, 2022）。

　　從以上各相關書刊和本書論及生涯意涵，多認為生涯不僅含狹義的工作生計，也涵蓋廣義宏觀的生活為人。多從認識自己及探索自己的價值觀出發，再不斷延伸至工作、人際關係與家庭領域。而主觀的生涯，十分具有獨特性，用以形容個人偏好的生活風格、重視的生命意義；客觀的生涯，則與個人生涯發展過程中的環境世界息息相關。在生涯發展路途中，要徹底的認識自己，針對自己的優勢缺點，做出適當職涯之抉擇，因應生涯規劃未來發展趨勢。

（二）重視一生的規劃

　　追求自我實現，達成了無遺憾的完美人生，作為生涯管理的最終目標（吳思達，2020）。幫助讀者有更好的人生規劃與發展（林仁和，2013）。探討美麗人生的生涯意義與目標，了解生涯管理與能力，最終找到適合自己的生涯抉擇（林綺雲等，2012）。著重生活彩虹—全人生涯開展，身心靈全人開展（林一真等，2007）。安身立命是華人獨有的生涯實存狀態，安身以和，立命以德。安身之道，中為體，和為用；立命之道，誠為體，德為用（金樹人，2023）。要教我們如何打造人生，更貼切的說法是「設計」人生。任何年齡、任何人生階段都適用（許恬寧譯，2016）。人生路上，善於經營自己的人才會獲得關愛和扶持，規劃人生的方向，全方位解析一個人成功必須具備的素質，後贏得成功的好時機（卓凡，2010）。從自我探索到時間管理、壓力調適、職場、終身學習等生活議題，涵蓋一生的規劃（藍茜茹，2024）。

　　以上各相關書刊和本書論及生涯意涵，大多重視人一生的規劃。職場退休後的生活，也應納入生涯規劃與管理之中，並從生涯與自我認識

開始，進而論及工作與職業的內涵與考量。生命設計模式用於個人的改變相當有效，可降低焦慮感及有關職涯、生命的錯誤迷思，能更有效地達到職業目標。認識自己、規劃方向、把握機遇、情緒智理、人脈關係等方面，生動描繪社會生活中直接便利有效的做事技巧，在短時間內掌握成功本領，而有意想不到的收穫，心想事成，一帆風順，一生精采。

（三）　著墨人生的價值

　　生命、學習、生活、工作等規劃的內涵，引導大學生在學術殿堂追求真理，服務人群，規劃大學生涯（陳澤義，2022）。不只是一本生涯規劃的書，更是一本自我成長的書，引領你深度省思自己的人生，開創你人生的各種面向（林育珊譯，2016）。鼓勵讀者在故事中看到生命的意義，產生動力規劃自我生涯，進而豐厚自我的人生故事（林淯雰等，2019）。完善的生涯規劃對人生的未來發展會有正向積極的影響，使人生過得更加充實（張添洲，2018）。只要鎖定目標、打開心胸、勇於追夢，你就能在世界任何一個角落，活出專屬於自己的精采人生（王怡棻等，2020）。闡述全方位生涯規劃與發展方法，活出有情有愛的幸福人生（朱湘吉，2019）。工作專心致志，提升心靈和想法的人生方程式，人過正確生活所需的共通哲學（稻盛和夫，2024），可謂人生的王道。

　　以上各相關書刊和本書論及生涯意涵，多著墨於人生價值的追尋。顧及生活學習、工作價值等一生各層面發展以贏定一生幸福。可透過生涯漫步的畫龍點睛短句、問得好的議題導向、啟思的典範學習，以及課程學習單的設計，探索你潛藏的特質與能力，讓你真正成為一個人生的創作者。對於需要規劃自己生涯與職志的新鮮人，可為人生的一個指南針，指引人生發展之方向。能正確認識生涯規劃理念，將有助於個人對生涯發展的規劃與實行，以積極進取的態度，堅定人生的美善價值。

（四）　識時規劃軟硬兼施

　　大學學習是一種軟實力(soft power)，解決問題能力可為大學生學習所需具備「學力」的內涵（陳澤義，2022）。職場表現除了依靠「硬實

力」即專業知能外，還需要「軟實力」，如情緒智理與抗壓、溝通與協商、領導與激勵、時間管理等（王淑俐，2020）。大學該修習基本素養軟實力，如哲學的思辨能力，表達能力和人際相處等（修自天下雜誌681 期，2019/9/9），大學生必須精進軟實力，實踐社會責任，才能擁有更精彩的人生。從轉變角色、開啟職涯規劃，深入剖析自我、提升個人稟賦能力、做出職業決策等（彭彥華、彭海濱，2024），可視為軟實力提升，與硬實力相輔而行(Cronin, Efren, 2023)。企業看新鮮人軟實力，著重溝通表達，抗壓力性、主動積極有活力、問題解決、團隊合作等。軟實力涉及 EQ 情緒智理，知能齊備術德兼修，規劃軟硬兼施。

　　以上相關書刊和本書論及生涯意涵，培養專門知識技能，擁有一技之長、第二專長的硬實力，以及識時規劃在人際關係、情緒智理、時間運籌、學習敬業樂群等軟實力的修練可謂異曲同工、兼容並蓄。同時在疫情及疫後期間能做出精準規劃，未雨綢繆、提前部署。

二、及時規劃，掌理生涯

（一）愛惜光陰，因時制宜

　　歷代學者名言詩詞名句，警惕喚醒世人要及早規劃未來生涯，免得悲傷嘆息無望。當人生走過青春年少，回首前塵，卻發現一事無成，不由悲從心起，思患預防勿重蹈覆轍。時光荏苒會帶給我們歡樂，亦會帶給我們失望。警覺事與願違，人生發展不如掌理生涯做好事前籌謀。底下列舉耳熟能詳的詩句名言，說明規劃要及時，因時而制宜。

　　陶淵明雜詩：「人生無根蒂，飄如陌上塵。分散逐風轉，此已非常身。落地為兄弟，何必骨肉親！得歡當作樂，斗酒聚比鄰。盛年不重來，一日難再晨。及時當勉勵，歲月不待人。」末兩句語意明示，要愛惜光陰，及時行善。歌德：「只要我們能善用時間，就永遠不愁時間不夠用」。珍惜時間就是珍惜生命。荒廢時間等於荒廢生命。

漢樂府長歌行：「青青園中葵，朝露待日晞。陽春佈德澤，萬物生光輝。常恐秋節至，焜黃華葉衰。百川東到海，何時復西歸？少壯不努力，老大徒傷悲。」從正面看待，少壯殷勤撒種，老大歡樂收成。善於利用時間，必得充裕時間。培根謂「合理安排時間就等於節約時間。」

以上名言詩句，與規劃一生息息相關。每天坦然面對時間流逝，不虛度光陰，實現個人的願望與理想，為自己的人生劃下完美的句點。人生多少四季輪轉，周而復始，但生命不重來。有了春種一粒粟的努力，才有秋收萬顆子的喜悅。莎士比亞說：「拋棄時間的人，時間也拋棄他。」人生如舟，時光如水，耽於一時的玩樂導致舟破船毀。而人生無常，宜珍惜當下。莊子「人生天地之間，若白駒過隙，忽然而已。」曾國藩「日月既往，不可復追。」馬克吐溫「黃金時代在我們面前，而不在我們背後。」看準前面黃金時代，歲月不待人，當自勉愛惜光陰。

（二）壯志運籌，生涯有成

「莫等閒，白了少年頭，空悲切」此詞句出自岳飛《滿江紅》，其積極進取的精神，表現英勇悲壯，深為人們所景仰。其與「少壯不努力，老大徒傷悲」的意思相同。岳飛胸懷壯烈，急切期望早日為國家收復山河，不能等待了！等到少年頭發白了，獨自悲傷都來不及了。雖壯志未酬，但其運籌帷幄壯懷胸襟為國保民，留下高山仰止典範，足供後世景行行止，雖不能至，然心嚮往之。人生匆匆，生命無常，宜把握當下，千萬別等。很多事情不能等，如身心健康、孝順撫養、進修深造、洞房花燭、投資理財、防疫避災、規劃未來等。若重視生涯規劃為迫在眉睫之事，不等閒視之，則壯志運籌，謀定規劃，生涯有成。

三、掌理一生規劃圖示

掌理一生規劃雖然要訴諸文字躍然紙上作業，但有時利用圖表可以一目了然。一幅完整圖畫有時勝過千言萬語。圖 12-1 結合發展階段、生涯角色和影響因素而成圖，更能理解個人經營一生的歷程。

發展階段：成長期 → 探索期 → 建立期 → 維持期 → 辭退期

● 著重一生發展：0至14歲 → 15至24歲 → 25至44歲 → 45至64歲 → 65歲以上
● 生涯三層面：時間(time)、範圍(breadth or scope)、深度(depth)

生涯角色：幼兒、學生、經理、醫師、學人、信徒、軍人、董事

● 生涯各面：學習、家居、寫作、休閒旅遊、軍旅戎馬、音樂藝術、外交、探險
● 角色任務：健康成長，職業生涯探索，成家立業，事業穩定高峰、安身立命

成功因素：天時、地利、人和、理情、圓事、定標

● 成功生涯：生涯贏家，贏得一生真善美、信望愛
● 贏得一生標竿：各行業領頭羊，受人敬重接地氣者，有口碑按讚粉絲眾多者

圖 12-1　生涯規劃經營一生過程

　　掌理一生精準規劃，利用一張圖可以淺顯易懂，生涯規劃除了揀選工作外，要緊的是經營人生。每次規劃視為經營人生又邁前一步了。

　　另可參考心智圖法(mind mapping)繪製屬於自己的一生規劃圖，實現夢想。若心中有腹稿可形諸繪圖，或可參考繪圖軟體，籌謀規劃有創意圖示，能自行繪製更好。

　　底下圖 12-2 參用 SmartArt 繪圖，顯示全人全方位規劃之要項。生涯抉擇規劃受到上天、人際、物質、自己四項因素影響，簡明易記。或規劃時須考慮這四項因素所衍生的細項。另可自行繪圖，將自己的未來生涯構想理念形之於圖形，只要見識圖形，就能清楚掌握生涯走向。

圖 12-2　全人全方位生涯規劃簡圖

從上圖可知全人規劃著重身體、精神、心靈三部分的部署，可簡明易懂。不用訴諸文字鉅細靡遺，而自然心領神會。

底下圖 12-3 利用 SmartArt 繪圖，顯示生涯抉擇規劃之影響因素。

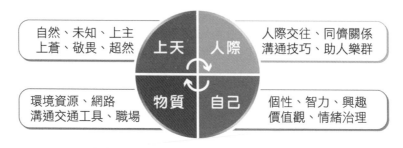

自然、未知、上主
上蒼、敬畏、超然　上天　人際　人際交往、同儕關係
溝通技巧、助人樂群

環境資源、網路
溝通交通工具、職場　物質　自己　個性、智力、興趣
價值觀、情緒治理

圖 12-3　生涯抉擇規劃影響因素簡圖

上列三圖顯示生涯規劃用詞簡約淺顯易明，無須多費功夫遣詞用字在內容上字斟句酌，卻能掌握規劃精隨了然於胸。有時需要斟酌，如斟酌一個規劃方法，仔細考慮，值得斟酌權衡生涯事，可用不可用，再定奪如何生活多采多姿活得精采絕倫，過真實有價值的生活。人生太短暫了，要節省時間才能做更多事；而人生最大的浪費，莫過於浪費時間。要不浪費時間，就要多從事有意義對社會自家均有幫助的職志事務。

第二節　認識時務的全人規劃

本書第三版著手進行修訂過程中，剛好碰到新型冠狀病毒肆虐全球之際，因此全人規劃特別要認識實務，所謂「識時務者為俊傑」，將識時務列為贏得人生幸福美滿之要項。要贏定一生，一生活得精采有意義，須顧及當前要務，與時俱進，著眼於防止疫情擴散，保養顧惜身體，戴口罩勤洗手，避免在大眾場合接觸人群。在後疫情時期，第四版修訂於 2025 年初後付梓問世，平常規劃生涯把拓展人際關係列為重點，而當下與疫情和平共存的期間，規劃還是要識時務，因時而制宜，防範於未然列為要項，保守身體強健，增強免疫力抵抗力，再擴及精神

抖擻活潑運籌帷幄，心靈憧憬豐實有神氣。身心靈全面顧惜，全人規劃之中自然贏得一生尊榮自在，識時規劃也持之以恆，為贏得一生幸福有尊嚴。忘記背後失敗懦弱，勇敢全力以赴義無反顧，向著自訂目標竭力邁進，人生基礎建設直到工程告一段落，生涯撒種收割。

一、因時地制宜，明確規劃

個人生涯過程有起有落，有慶幸有悲傷，有苦亦有樂。在承平清明之時，政府勵精圖治，人民安居樂業，規劃未來與疫情共存當下，全民防疫共體時艱已成為習慣。規劃疫情與疫後生涯雖時地不同，但原則無異，仍須防範於未然，規劃因時制宜也因地制宜。先了解當前各國疫情的趨勢，再看個人規劃要怎麼因應。

新冠併發重症(COVID-19)席捲全球，2020~2021 年確診數超過五千萬例，美國已逾千萬例，病死百萬例。現已停止網路播報確診數病死數字。所謂先進國家防疫策略不當，造成死傷慘重。回顧疫情，多國宣布進入緊急狀態，紛紛祭出鎖國封城令，阻止病毒擴散蔓延，並採取嚴格之邊境管制及檢疫措施。而人類畢竟要繼續生產生活，也要考慮疫情後經濟秩序如何安排(https://theinitium.com/)。疫情對全球經濟確實帶來衝擊，全球失業人數也遽升至上億，比十幾年前金融海嘯更嚴重。

憶新冠疫情似正在翻轉世界，中國大陸疫情已控制，開始構建疫後經濟發展與國際戰略大計，歐美國家卻在水深火熱中掙扎。新冠病毒製造了一個歷史性拐點，中國趁疫而起，歐美似走向衰頹。美歐各國深陷疫情肆虐之際，先進國家重新洗牌。大陸開始扮演新一代「救火隊長」角色；已向 89 國提供緊急救助行動（取自 2020/3/30 中時焦點）。為臺灣的長遠安全與生存發展籌謀，應有正面思考，改弦更張適應後疫情時代的國際社會結構。人道馳援獲得外媒稱許，贏得國際掌聲與信賴，值得我們學習，少點政治，多點人道防疫。新冠疫苗問世，疫情嚴峻後趨緩各國逐漸解封，恢復經濟活動。但疫情是否會捲土重來，或與人和平共存，考驗人心警覺性部署性。勿恃敵之不來，正恃吾有以待之。正視

當下臺灣還有新一波新冠本土疫情，疾管署(https://news.pts.org.tw/) 認定 2024 年七月中旬迎來高峰，單週確診超過 10 萬人次。疫情期間控制應變得宜，學生軍人染疫確診，訂有停課補課居家線上學習、遠距教學辦法。超前部署兵推封城演練，避免社區群聚感染。疫情蔓延帶給我們極大考驗，任何人都難置身局外苟全保身，須找對症策略規劃。

　　針對疫情危機發展，也是規劃轉機之時。個人在規劃未來生涯時，考慮疫情對休閒旅遊、遊學留學、工作經濟之衝擊，須尋找適當時機。當下疫情趨緩日漸明朗，旅遊景點適時解封開放。其實你我身上可能都潛藏著病毒，或腫瘤癌細胞，得隨時提高警覺，現在疫情可能轉變成另一型態，心理準備與疫病共存，或許在 2025 年後重新規劃讀萬卷書、行萬里路之旅。在規劃謀職升遷、投資理財、人際關係等原先未雨綢繆，現已有雨，疫情後仍要避雨避風險，在適當時期做出適切規劃。

二、識時運籌，靈犀規劃

　　當前新冠肺炎病毒趨緩或潛藏在身，無論職業、非職業的活動，都得想辦法規劃躍然紙上，或心有腹案就步履實踐，期望立竿見影，但也可心有靈犀籌謀，只須構思運籌，不必形諸文字，亦能預見生涯有成。

（一）職業規劃

　　航空船舶業、休閒旅遊業、餐旅飯店業、博弈賽馬業、大型講座補習業等，受疫情衝擊大。因此職業規劃除這些行業外，心中有腹案，配合個性、專長特質，參考行職業指南選擇適性工作。就工作性質類別，考慮短中長期目標，找穩定可靠不受疫情與否影響，立刻可走馬上任；有的須等待時機，有的須思患預防有備無患，量時以赴，量力而為。

（二）進修深造

　　若想出國進修，或已通過公費留學考，現疫情趨緩後疫時期，可依規劃心有腹案前往進修。確定自己目標需要留學或遊學，遊學將學習與

玩樂結合，以短期語言進修為主。留學為正式的進修規劃，門檻較高的專業課程，學位通常需要耗時一年以上，畢業後取得正式文憑或證照。當有應變措施，如果心中有進修夢，就勇敢走出舒適圈，走出疫情經濟不景氣，趁著進修深造，打開國際視野的大門，邁向生涯進階發展。

（三） 健康、人際、理財

輸了健康，輸了一切；贏得健康，就贏得一切。現在疫情後期間仍遵守防疫規定，配合政府超前防疫部署政策，全民作戰面對看不見的敵人病毒，做好自身防疫工作，增強抵抗力、免疫力。每天營養均衡，飲食適時適量，運動健身，防疫戴口罩、勤洗手，身體健康靠保養顧惜。再擴及精神保持愉快紓解壓力，和顏悅色，謙讓宜人，情緒治理得宜。心靈穩妥平靜，安舒豐實，身心靈康健全人發展成長。人際規劃注重開拓自我人緣，若仍害怕罹患疫病，為避免群聚感染，盡量少正面接觸群眾，可要改用線上交往。其實事在人為善與人處，有願做的心必蒙悅納，利用手機電話聯繫情誼，用 LINE 互通信息，或用視訊交流訊息，也可拓展人際關係。理財規劃投資，找對標的避開高風險，量入為出，儉以養廉，足衣足食再有儲蓄，也要顧及公益捐獻，將財寶積存在天。

（四） 婚姻、家庭、生命治理

婚姻規劃，尊重婚姻，經過交友、戀愛、擇婚過程，珍惜所選，選擇所愛，結為連理。要培養婚姻的合一，夫妻生活理念養兒育女同心合意。有真愛與禮貌，相敬如賓。建立明確的溝通管道，而帶來成功與幸福。婚姻連於家庭規劃，找好對象準備成家，有穩定工作收入，成家無經濟之憂，養家活口沒問題。生養孩子衡量經濟能力，實施家庭計畫，家和萬事興。以身作則教導兒女謙卑為善敬天愛人，一個能激勵並指引他們一生的目標，期待兒女繼承衣缽成中流砥柱者，帶給家庭活力。

自我的生命治理，端視自己如何奉獻己能，服務人群，將生命發揮得光彩亮麗。懂得治理生命的人，往往也知曉如何生活行事為人。生命治理首重生命意義、目標、價值之追尋，再來明哲保身推己及人，能自

愛愛人、自立立人、己達達人、利己利人。開展全人整體生涯，全方位
治理，身心靈全關心照護，無虞匱乏。

第三節　運籌時間贏得真善美愛一生

一、時間運籌

　　摩西在詩篇 90 篇 12 節說：「求主指教我們怎樣數算自己的日子，
好叫我們得著智慧的心。」我們所過的年日，如果按日曆來計算的話，
那麼一天就是一天，一年就是一年。可是有些日子流逝平白消失，蹉跎
歲月，浪費光陰，活著無意義、無目標。需有智慧來數算自己的日子，
讓每天生活充實飽滿而不虛度。很多日子流失，愛惜光陰或能贖回來，
有智慧數算餘生的日子。那麼就需要做好時間運籌善用。參考運籌時間
（王楚鳳譯，2011），從審視引起時間問題的原因，根據實際情況合理
安排時間，乃成功運籌時間必須善用的技巧。分清工作中的輕重緩急、
按優先程度安排自己的工作、正確處理與他人的工作關係。愈能掌握好
時間，運籌好時間，成功的勝算愈大。進行生涯規劃或可按短中長期目
標，目標改變或修正幅度大小，視時期短長而定。再按事情輕重緩急，
排定先後順序，做好時間運籌，讓每天都數算得宜，一生喜樂豐盈。

二、贏得真善美一生

（一）真善美對應科學倫理藝術

　　「真善美」(The Sound of Music)這部影片曾在 1966 年獲得五項奧
斯卡金像獎，堪稱史上最佳歌舞片。迄今已逾半世紀，大家看過之後一
定回味無窮，餘音繞樑。劇情畫面真善美名符其實。國內有真善美相關
機構，真善美傳播獎，鼓勵報導真善美新聞正向消息。而心靈追求真善
美，落實真善美的生活，可能要達到實際的真善美還有段距離，尚須多
費時規劃行事。其實歸根究底，科學在求真，倫理求善，藝術求美。

　　一生規劃所依據的生涯理論與實務做法，其實可應用科學方法研究出成果加以印證，也符合科學求真精神。倫理關係，父慈子孝、兄友弟恭、夫愛婦敬、長幼有序、朋友有信等在規劃生涯時，列為家庭、人際關係的要項。這些要項規劃良善，也做得好，合乎倫常，則在家盡享天倫之樂，人際關係也自然友善。至於藝術無疑的求其美，規劃可視為一種藝術，規劃得美，生花妙筆躍然紙上，繪圖示意規劃，畫龍點睛恰到美處，合乎藝術求美精神。

（二）　一生務實規劃，純真盡善盡美

　　一生規劃無論如何盡心竭力，不可能做到十全十美。而只要能務實規劃，識時務規劃，即能達到純真效果，不假柔造作，不虛飾矯情。規劃自己的生涯，作生涯的主人，當不至於虛應故事、偽裝假冒。而務實純真規劃可行方案，為自己所行所為負責，不假手他人，築夢踏實，美夢成真。既然規劃不可能完美無瑕，那只好求其盡善盡美。一生難得十拿九穩，也難達到贏者全拿境界。有割捨有存真，須量力而為，在全方位一生規劃，掌握廣義生涯、重視人生價值，以及人際、家庭、理財等軟實力，還有硬實力的專精工作事業，規劃求其盡善盡美。可能有美中不足，善中不實之處，但求無虧良心，盡心竭力，盡情發揮。能務實純真規劃生涯，符合科學倫理藝術精神，則達真善美境界指日可待。

三、贏得信望愛一生

（一）　信望愛之關聯性

　　信望愛是贏得一生豐盛生命基本的美德。當我們引用哥林多前書13 章 13 節「如今常存的有信，有望，有愛，這三樣，其中最大的是愛」時，必然會留意信望愛三樣之順序，先有信，再有望，後有愛；何以愛是其中最大？查閱前幾節就知道，「我若能說萬人的方言，並天使的話語，卻沒有愛，我就成了鳴的鑼、響的鈸一般。」「愛是恒久忍耐，又有恩慈；愛是不嫉妒，愛是不自誇，不張狂，不做害羞的事；不

求自己的益處，不輕易發怒；不喜歡不義，只喜歡真理。凡事包容，凡事相信，凡事盼望，凡事忍耐。愛是永不止息。」由此可見愛是包容一切，可涵蓋盼望、相信。有了最大的愛，其他一切都有了，沒有愛，一切都歸於無有。足以詮釋愛是最大、最高的美德。信可以是相信，相信已過發生的事實，也可以是信仰，仰慕信託所敬拜的信實者。盼望未發生之事終究會來臨，仰望所信靠的，實現預言，盼望成真。盼望聯於相信，有多大的信心，就有多大的盼望。而愛是聯絡全美德的，包含信和望。從時間的連結而言，愛著重現在對人對己皆有愛的生活，而信強調過去對所學知能有信心，至於望則看準將來成為生涯贏家而有盼望。

（二）割捨存真（善美）規劃有愛（信望）

規劃未來生涯，踏實築夢，美夢成真，須強而有力的信心作後盾，相信所規劃的必能成就，於是就帶來實際的盼望。現在要過一個有愛的生活，愛你所規劃的，選擇你所愛的，有一天自然實現你所盼望的生涯有成。假設現在你已照前述規劃格式，確實規劃好全方位生涯，於是心有定見，相信假以時日，謀職工作盼望有成。然後喜歡你所規劃選擇的事項，結果達成所願，正如當初所預期的。若你相信冥冥之中有神，心中有主宰，是一個信徒，就會相信你所規劃的生涯，相信明天（未來）會更好，於是抱著虔誠敬畏心態，把生涯規劃交託主，相信謀事在人，成事在天。可能三分天註定，七分靠打拼，天人合一，成就美事。此時你覺得將來生涯會有成就的盼望，於是現在選擇你所愛的，愛你所選擇的，終究你會贏得一生美滿幸福快樂健康，也自證美事預言實現。

本章總結割捨存真（善美）愛（信望），贏得一生幸福美滿健康長壽享福助人，在乎你能腳踏實地、識時規劃，未雨綢繆、未疫部署。割捨讓人成長，令人活潑奮力發揮創意，人當學會拿得起放得下。你的雙手若老握著賺得的東西，就無法放手去發揮潛能。割捨去除心中成見憎恨、煩惱壓力，學習與人分享喜好，有同理心為別人服務。除了贏得一生真善美、信望愛之外，像福祿壽、功德言，都是相當值得投入心力，規劃綢繆、運籌部署。所謂識時務者為俊傑，通權變者為英豪，假以時

日，善作規劃部署，懂得發展趨勢和靈活變通也能成為俊傑英豪，贏得一生享福、富貴、長壽，也能立功立德立言，追求不朽志業。達成本書立基人生發展，架構人生基礎建設，生涯撒種收割。同心協力以達標。

課後問題探討

1. 生涯規劃可歸納分析之重點為何？
2. 「流淚撒種，歡呼收割」，對生涯規劃有何意涵？
3. 如何在適切時期做出精準規劃？
4. 試繪一簡圖顯示個人生涯規劃內涵。
5. 欲贏得一生幸福美滿，當如何籌劃？
6. 少壯不努力，老大徒傷悲，在規劃生涯愛惜光陰上有何啟發？
7. 識時務者為俊傑，通權變者為英豪，割捨存真對生涯功成有何作用？

生涯活動 ❶　運籌時間勞動桌遊

　　上天分配給每個人的時間是一定的，有的可運籌時間善用光陰，有的卻蹉跎歲月虛擲光陰。利用勞動玩桌遊方式，認識生活與工作，有效運用時間以達成人生目標。

　　「WHY 工作 HOW 生活」勞動桌遊介紹：

　　由一位玩家扮演「資方」，其餘玩家扮演不同年齡、性別與能力的高齡就業者、懷孕女性、單親爸爸、社會新鮮人等各種「勞方」角色。每個玩家都須在「生活」與「工作」的情境機制下，於有限時間內，努力達成各自的人生目標。資方角色的玩家必須以「績效」、「利潤」為考量，在時間內為公司賺取最大利潤。扮演勞方角色的玩家們，則須完成公司交付的工作以賺取薪資收入；而在工作之外，每個人也各自有人生課題，須不斷在追求「薪資」、「績效」與「生活品質」、「幸福感」之間做選擇。例如臺北市政府勞動局與夏洛克桌遊店合作，於 2024 年中末舉辦勞動權益桌遊試玩會活動(https://focusnews.com.tw/)，民眾熱烈參與，宛如一場桌遊派對。在兩款遊戲中，玩家扮演總經理、高齡就業者、懷孕女性、社會新鮮人等不同角色，除了認真工作賺取金錢，不同角色須追逐各自的人生目標，以獲得幸福分數。遊戲過程可能出現一些勞動情境與議題，不僅可以從遊戲中認識勞動權益，桌遊的遊戲性也很強且融入感十足，非常有趣好玩！

　　自行上線勞動桌遊相關網站，如臺北市勞動局勞動教育校園扎根，勞動權益桌遊介紹（含桌遊教案），如欲體驗本局開發之桌遊，請填具勞動權益桌遊借用申請單(https://bola.gov.taipei/)即可體驗其樂趣。

生涯活動 **2** 防疫期間應採對策分享

　　當疫情後，疾病與人和平共存，平時要如何防疫作戰，如何採取自保保人之對策？請說出你對疫情前後的感受經驗分享。亦可分組討論，各組選一人分別做口頭報告，最後由老師講評。

　　舉例說明：可增加免疫力的居家運動，如室內健身、樓梯訓練、增進蛋白質合成、幫助肌肉及身體修復，進而強化免疫力。又如跑步機、室內單車，提升血液輸送至全身的效率，有效強化身體機能、強化代謝作用。還有參與戶外運動健身活動，如做體操按摩登山游泳等，都可增強身心保健防疫抗癌能力。可以將預防醫學理解為：「用各式預防方法來阻止疾病發生，幫助人們遠離罹患疾病時所需要承受的治療」。簡單來說，就是以「預防勝於治療」為最核心的概念，探討如何防範疾病發生。預防疾病、促進健康：是積極主動做出改變、有所作為，讓自己更健康，避免疾病發生。有病才治病，是平常沒作為，等到有症狀才就醫被診斷、吃藥控制症狀。同學可思索在後疫情時代人疫共處，須有備無患，制疫機先，防疫至上。有此信念，相互分享防疫經驗，討論出結論後提出報告。

生涯活動 ❸　割捨存真穩贏一生要如何規劃

　　每個人只有一生，青春易逝，若你已浪費夠多時間，如何讓餘生重新奮起，以贏得一生尊嚴。或另起爐灶，改變處事態度待人接物，開創贏的一生。或不堪回首前塵，割捨前事存心真愛，重新贏回一生輝煌。

　　請同學試著構思規劃未來穩贏一生的可行方案，如下所述。

五年後的自己：

十年後的自己：

二十年後的自己：

三十年後的自己：

四十年後的自己：

　　請針對「職業」、「健康」、「人際」、「婚姻」各面向，試想你要怎麼做？可向同學們分享過去錯過了甚麼人事物？未來的自己要怎麼規劃生涯來補救，才能達成穩贏並圓滿的一生？

參考書目

王淑俐(2020)。生涯發展與規劃,揚智;生涯規劃與職涯發展,三民書局。

王怡棻等(2020)。勇闖天涯翻轉人生。天下文化出版。

方慶豐(2024)。專班學生學習滿意度職涯發展。雲科大博士論文。

王震武等(2001)。心理學。學富文化事業。

王乾任(2019)。畢業不怕失業。凱信企管顧問公司。

王桂花等(1989)。婚姻面面觀。張老師月刊社。

田秀蘭(2015)。生涯諮商與輔導—理論與實務。學富文化。

伍忠賢(1997)。生涯發展與時間管理。業強出版社。

台北市基督教勵友中心生涯活動方案(1998)。

行政院青輔會(1993)。五年制專科學生生涯輔導方案之探討。

呂宗昕(2005)。時間管理高手。商周出版。

吳芝儀(2000)。生涯輔導與諮商。嘉義濤石文化事業。

吳芝儀 (2020)。建構理論觀點之生涯諮商。心理出版社。

吳就君(1999)。婚姻與家庭。華騰文化。

吳思達(2020)。生涯規劃與管理（4 版）。全華圖書出版。

吳蕙妤(2024)。疫情後工作價值觀對安靜離職影響。高師大碩士論文。

汪春沂譯(2019)。你相信,所以你成功。時報出版。

余鑑譯(1999)。終生的生涯輔導與諮商。國立編譯館。

李鴻章(2012)。生涯規劃（3 版）。華藤文化。

李子建等(2019)。21 世紀技能與生涯規劃教育。高等教育文化出版。

李依娟(2019)。女性教師生涯抉擇與轉化歷程之敘事。北市大教育博士論文。

李茂興、李素卿譯(1998)。生涯諮商,揚智文化;生涯規劃,五南圖書。

李淑嫻譯(1996)。生涯挑戰 101—做工作的主人。天下文化。

李迪琛等(2018)。緣的特性及其對生涯發展的影響。師大教育心理學報。

李晶、丁躍華譯，Bridge & Wright 原著(1995)。成功的職業生涯規劃。

李隆盛(1998)。科技與職業教育的前景。師大書苑。

李再長等(1997)。工商心理學。國立空中大學出版。

沈芳賢(2022)。生涯發展課程對國中學生生命意義感影響。高師大博士論文。

何英奇(2000)。大專學生之認證危機與生命意義追尋的研究。南宏圖書公司。

林仁和(2013)。生涯規劃與發展—掌握生活與就業優勢。心理出版社。

林玉珊譯(2016)。築人生的願景—成功的生涯規劃。深思文化。

林湢雾等(2019)。生涯規劃。新文京出版開發公司。

林綺雲等(2012)。生涯規劃（3 版）。華都文化。

林一真等(2007)。生活彩虹—全人生涯開展。心理出版社。

林幸台(1987, 2001)。生計輔導理論與實施，五南；生涯規劃，三民書局。

林幸台、田秀蘭、張小鳳、張德聰(2003)。生涯輔導。臺北：空中大學。

林上能(2024)。生活興趣探索卡發展及應用於短期生涯諮商。政大博士論文。

林清文(2000)。大學生生涯發展與規劃手冊。心理出版社。

林玉如(2004)。科大學生工作價值觀與職業選擇。台北科大技職所碩士論文。

林家瑜(2018)。職場工作價值觀社會支持與生涯調適力。師大心輔碩士論文。

林治平(2001)。全人理念與生命教育。中原大學宗教學術研討論文宇宙光。

林育珊譯(2008)。築人生的願景—成功的生涯規劃。寂天文化事業有限公司。

林少波(2019)。畢業 5 年，決定你的一生。凱信企管顧問公司。

林明德(2005)。人格特質、組織形象與職業特性認知。國防資管所碩士論文。

林建志(1999)。男護生在校及畢業之生涯抉擇與承諾。台大護理碩士論文。

林慧琳(2015)。音樂資優生之生涯抉擇與生涯適應。雲科大技職碩士論文。

金樹人(1989)。大專生計輔導問題分析與改進途徑。青輔會輔導研究報告。

金樹人(2011, 2023)。生涯諮商與輔導再修版（3 版）。東華書局。

岸見一郎(2022)。從絕望到希望的阿德勒幸福論。天下雜誌出版。

邱秀玲(2017)。高中教師職業價值觀生涯信念及教學創新。高師博士論文。

卓凡(2012)。贏得一生好時機。金城出版社。

周談輝(2003)。生涯規劃發展。臺北：全華圖書出版。

洪鳳儀(1999)。生涯規劃。揚智。

高橋獻行著，賴素娟譯(1996)。人生企劃書。遠流出版社。

徐娟譯、Larry Smith 著(2020)。我的人生就是我的事業。今周刊出版社。

徐曼瑩等(1997)。生涯規劃。華杏出版公司。

殷文譯(2018)。第八個習慣：從成功到卓越。天下文化出版。

教育部訓育委員會(1993)。五專生生涯輔導方案之探討。

許恬寧譯(2016)。做自己的生命設計師—史丹佛最夯生涯規劃課。大塊文化。

許鶯珠(2001)。選擇非傳統職業女性之生涯抉擇因素。彰師大輔諮博士論文。

許竣傑(2021)。情緒智商逆境商數、工作適應與教學績效。彰師大博士論文。

孫安迪(2001)。身心靈養生醫學觀。自然風文化事業公司。

莊淇銘(2001)。超倍速學習。月旦出版公司。

梁若瑜譯(2018)。抉擇(The choice)：放下，擁抱生命無限可能，平安文化。

郭為藩、高強華(1988)。教育學新論。國立編譯館。

郭玟嬫(2003)。生涯決策自我效能工作價值觀與未來進路。高師大碩士論文。

張美蘭(2000)。國民中學生命教育課程目標發展。彰化師大教研所碩士論文。

張添洲(2018)。生涯規劃。五南圖書出版。

張美慧譯(1997)。EQ 大考驗。時報出版。

張春玉(2022)。國際生命線台灣總會雲端系統研究。逢甲大學博士論文。

陳麗娟(1990)。輔導：理論與研究。高雄復文圖書。

陳寀羚(2021)。人格特質與工作壓力、 工作滿意度關係。高醫大博士論文。

陳虹儒(2017)。創業家職業選擇動機類型之研究。台大國家發展所碩士論文。

陳金足(2011)。自我概念、社會支持對職業選擇意向。交大經管所博士論文。

陳澤義(2022)。生涯規劃（4 版）。五南圖書出版。

陳柏勳(2016)。澳洲道路上夢想轉變與生涯抉擇。高餐大餐旅碩士論文。

陳怡安(1996)。積極自我的開拓。洪建全文教基金會。

陳珮郡(2004)。高職廣告設計科學生職業價值觀研究。台師大工教碩士論文。

陳正琪(2024)。...職涯決策自我效能及職涯選擇關係。彰師大博士論文。

陳柏堯(2019)。工作價值觀職業生涯滿意度和工作投入。中正碩士論文。

陳美伶(2003)。新新人類工作價值觀與工作特性對工作滿足。中興碩士論文。

陳暐婷(2018)。不只找工作，幫你找到好工作。書泉出版。

陳梅雋(2002)。生涯規劃：展翅上騰飛向自己的天空。五南圖書。

陳龍安、朱湘吉(1993)。創造與生活。國立空中大學出版。

陳雅玲譯(1998)。穩贏(Winning) David Viscott 原著。遠流出版。

陳美惠(2023)。後疫情時代餐旅業員工留任意願研究，國際暨大博士論文。

曾瓊慧(2004)。大學生的演說焦慮與情緒調節職業選擇。政大教育碩士論文。

曾維希(2015)。生涯混沌理論與生涯不確定性管理。科學出版社。

曾端真等譯(1996)。人際關係與溝通。揚智文化。

彭懷真(1996, 1999)。婚姻與家庭。巨流圖書公司。職涯新抉擇。希代書版。

彭彥華、彭海濱(2024)。大學生職業生涯規劃。人民郵電出版社。

黃微清(2004)。生涯教育活動方案配合導師班級經營策略。台師大碩士論文。

黃貴祥(2001)。技術學院教師工作價值觀與教學表現關係。政大博士論文。

黃怡瑾(2008)。彩繪生命的藍圖：生涯規劃。華泰文化出版社。

黃素菲(2016)。生涯電子報 22 期。

黃天中著(1995)。生涯規劃概論。桂冠圖書公司。

黃晴瑛(2022)。職場倫理、工作滿意度、組織承諾差異。高科大博士論文。

游伯龍(1998)。習慣領域－IQ 和 EQ 沒談的人性軟體。時報出版。

楊朝祥(1989)。生計輔導—終生的輔導歷程。青輔會編印。

楊垂芳(2013)。重要他人對男性青年文學家生涯抉擇。台師大碩士論文。

趙品灃(2019)。置入性行銷與新聞記者工作投入間關係。高師大博士論文。

稻盛和夫(2024)。人生的王道。天下網路書店。

鄭金謀(2001)。全方位生涯規劃－建構多角化的人生藍圖。新文京開發出版股份有限公司。

鄭金謀(2002)。技專校院學生生涯信念與生涯規劃創思教學。高雄汶采公司。

鄭金謀(2007)。科大學生健康科技素養之內涵建構實證。高師大博士論文。

鄭金謀(2008)。健康科技素養之理論建構與教學實務。高雄復文圖書出版。

錢基蓮譯(2010)。讓好工作找上你(Great Work, Great Career)。天下文化。

蔡稔惠(2000)。全方位生涯角色探索與規劃表—理論與實作。揚智。

劉玉玲(2007)。生涯發展與心理輔導。博客來網路書店。

劉淑芬(1999)。大學男生選擇非傳統職業科系之研究。文大家政所碩士論文。

劉易齋(2005)。生命管理學概論。普林斯頓國際公司出版。

蕭韻文(2022)。高成就未婚中年女性生涯轉換敘事探究。台北市大博士論文。

鍾淑珍(2000)。臺灣與大陸新人類工作價值觀比較。中央大學管理碩士論文。

謝旻蒼(2023)。國民中學生涯發展教育推動指標建構。屏東大學博士論文。

謝曉琦(2005)。核心職能知覺與職業選擇之關聯。台海大航運管理碩士論文。

戴宏達(2015)。男護理應屆畢業生職業選擇與主管聘任意願。陽明博士論文。

戴晨志(2001)。受用一生的智慧。圓神出版社。

戴秀珍(2022)。工作價值觀、專業承諾與留任意願。陽交大博士論文。

魏悌香(2000)。心靈驛站第三輯。長頸鹿文化事業公司。

魏郁禎(2019)。生涯規劃與職涯管理。五南圖書。

顏姿吟(2014)。醫師世家子女生涯抉擇歷程與代間傳遞。高師大博士論文。

羅文基等(1995)。生涯規劃與發展。空中大學出版。

藍茜茹(2024)。生活與生涯規劃(3 版)。華督文化出版。

顧淑馨譯(1986)。與成功有約—高效能人士的七個習慣。天下文化。

關翩翩、李敏(2015)。生涯建構理論：內涵、框架與應用. 心理科學進展。

蘇雅頌(2006)。物業管理業運用線上學習系統輔助在職訓練。北大碩士論文。

Basinska, B. A.& Daderman, A. M. (2019) Work values of police officers and their relation with job burnout and work engagement, Front psychology.

Bordin, E. S.(1984) Psychodynamic model of career choice and satisfaction. In Brown & L. Brooks (Eds.) Career Choice and Development. San Francisco: Jossey-Bass.

Covey, S. R.(1989).The Seven Habits of Highly Effective People—Restoring the Character Ethic.(2005).8th Habit: From Effectiveness to Greatness..

Gati, I.,& Osipow,S.H.,& Givon,M.(1995) Gender Differences in Career Decision Making: The Content and Structure of Preferences, *Journal of Counseling Psychology*, 42, 204-216.

Giannantonio,C. M. (2006). Applying image norm across Super's career development stages, The Career Development, Wiley Online Library.

Hackett, G., Betz, N. E. (1981). A self-efficacy approach to the career development of women, *Journal of Vocational Behavior*, 18, 326-339.

Hackett, G., Lent, R. W., & Greenhaus, J. H. (1991).Advances in vocational theory and research: A 20-year retrospective. *Journal of Vocational Behavior*, 3-38.

Haft T., Henehan M., Taub M., & Tullier M. (1997). Job Smart, The Princeton Review Princeton Review Publishing, L.L.C.

Herr, E. L., & Cramer, S. H. (1996). Career Guidance and Counseling through the Life-span. (5th ed.) Glenview, Illinos: Scott & Foresman.

Holland, J. L. (1985). Making vocational choices: A theory of vocational Personalities and work environment (2nd ed.) Englewood Cliffs, NJ: Prentice-Hall.

Kaufman, S. B. (2021). Transcend: The New Science of Self-Actualization. Tarcherperigee.

Krumboltz, J. D. & Sorenson, D. L. (1974). *Career decision making.* Madison, WI: Counseling Films, Inc.

Krumboltz, J. D., Scherba, D. S.,Hamel, D.A., & Mitchell, L.K. (1982). Effect of training in rational decision making on the quality of simulated career decision. *Journal of counseling psychology.*

Luzzo, D. A.(1993). Value of career decision-making self-efficacy in predicting career- decision-making attitudes and skills. *Journal of Counseling Psychology*. 40,194-199.

Michelozzi, B. N.(1988). *Coming alive from nine to five—The career search Handbook* (3rd.) Mayfield Publishing Company, Mountain View, CA.

Mitchell, L. K., & Krumboltz, J. D.(1990). Social learning approach to career decision making : Krumboltz' theory. In D. Brown, L. Brooks, and Associates, Career choice and development(2nd ed.) San Francisco: Jossey-Bass.

Mitchell, L. K. & Krumboltz, J. D. (1996). Krumboltz's learning theory of career choice and development. In D. Brown, & L. Brooks (Ed.), Career choice and development (3rd edition). San Francisco, CA: Jossey-Bass.

Niles, S. G., & Sowa, C. J. (1992). Mapping the nomological network of career self-efficacy. *Career Development Quarterly*,41,13-21.

Niles, S. G., Amundson, N. E., & Neault, R. A. (2011). Career Flow: A Hope-Centered Approach to Career Development. Boston, MA: Pearson.

Nevill, D. D., & Schlecker, D.I,(1988) The relation of self-efficacy and assertiveness to willingness to engage in aditional/nontraditional career activities. *Psychology of Women Quarterly*, 12,91-98.

O'Hare, M. M., & Beutell, N. J. (1987). Sex differences in coping with career decision making. *Journal of Vocational Behavior*, 31,174-181.

Osipow, S. H. (1983). Theories of career development(3rd Ed.) Englewood Cliffs, NJ: Prentice-Hall.

Patton W. & McMahon M.,(1999). Career Development and Systems Theory:A New Relationship, Queensland University of Technology, Australia.

Peterson, G. W.,Sampson, J. P., & Reardon, R. C. (1991). Career Development And Services: A Cognitive Approach. Pacific Grove, CA: Brooks/Cole.

Raabe, B.; Frese,M.; Beehr, T. A.(2007). Action regulation theory and career self-management. *Journal of Vocational Behavior*. 70, 2, 297-311.

Roe,A.& Lunneborg,P.W.(1984). Personality development and career choice. In Brown & L. Brooks (Eds.) Career Choice and Development: Applying Contemporary Thories to Practice. San Francisco: Jossey-Bass.

Savickas, M. L. (2013). Career construction theory and practice. New York, NY: John Wiley & Sons Inc. Sharf, Richard S. (1997). Applying Career Development Theory to Counseling, (2nd ed.) University of Delaware.

Schein, E. (1978). Career Dynamics: Matching Individual and Organizational Needs. Reading Mass.: Addison-Wesley Publishing Company, Inc.,

Seiffge-Krenke, Inge; Gelhaar, Tim (2008). Successful Attainment of Developmental Tasks Lead to Happiness and Success in Later Developmental Tasks. *Journal of Adolescence.*

Super, D. E. (1984). Career and Life Development In D. Brown, L. Brooks, and Associates, Career Choice and Development, San Francisco: Jossey-Bass.

Super, D. E. (1990). A life-span, life-space approach to career development. In D. Brown, L. Brooks, and Associates, Career choice and development, San Francisco: Jossey-Bass.

Taylor, K. M., & Betz, N. E. (1983). Applications of self-efficacy theory to the understanding and treatment of career indecision. Journal of Vocational Behavior.22,63-81.

Taylor, K. M., & Popma, J. (1990). An examination of the relationships among career decision making self-efficacy, locus of control, and vocational indecision, *Journal of Vocational Behavior*,37,17-31.

Tullier M. Haft T, Heenehan M., & Taub M. (1997). *Job Smart* Random House, Inc., New York.

Weiss, D.J., Dawis, R.V., England, G.W. and Lofquis, L.H. (1967). Manual for the. Minnesota Satisfaction Questionnaire (Minnesota Studies in Vocational. Rehabilitation,22), University of Minnesota, Minneapolis.

Zadworna-Cieślak, M. (2019). Psychometric Properties of Developmental Tasks Questionnare for Seniors. *Current Psychology.*

Zunker,V. G. (1998, 2002, 2006, 2015). Career Counseling—Applied concepts of life planning (5th-9th ed). Brooks /Cole Publishing Com.

MEMO

MEMO

M E M O

MEMO

MEMO

國家圖書館出版品預行編目資料

生涯規劃與人生發展/鄭金謀編著.-- 第四版.--新北市：
新文京開發出版股份有限公司, 2025.01
面； 公分

ISBN 978-626-392-095-8（平裝）

1.CST：生涯規劃 2.CST：職業輔導

192.1 113019513

生涯規劃與人生發展（第四版） （書號：E190e4）

編 著 者	鄭金謀
出 版 者	新文京開發出版股份有限公司
地 址	新北市中和區中山路二段 362 號 9 樓
電 話	(02) 2244-8188（代表號）
Ｆ Ａ Ｘ	(02) 2244-8189
郵 撥	1958730-2
初 版	西元 2005 年 01 月 25 日
第 二 版	西元 2007 年 09 月 10 日
第 三 版	西元 2020 年 08 月 10 日
第 四 版	西元 2025 年 01 月 20 日

New Wun Ching Developmental Publishing Co., Ltd.

New Age · New Choice · The Best Selected Educational Publications—NEW WCDP

新文京開發出版股份有限公司

NEW WCDP

新世紀‧新視野‧新文京 ─ 精選教科書‧考試用書‧專業參考書